D1314832

SI
JE M'ÉCOUTAIS
JE
M'ENTENDRAIS

Couverture
- Conception graphique: Violette Vaillancourt
- Illustration: Françoise Malnuit

Maquette intérieure
- Illustrations: Françoise Malnuit

DISTRIBUTEURS EXCLUSIFS:

- Pour le Canada et les États-Unis:
  LES MESSAGERIES ADP*
  955, rue Amherst, Montréal H2L 3K4
  Tél.: (514) 523-1182
  Télécopieur: (514) 521-4434
  * Filiale de Sogides Ltée

- Pour la Belgique et le Luxembourg:
  PRESSES DE BELGIQUE S.A.
  Boulevard de l'Europe 117
  8-1301 Wavre
  Tél.: (10) 41-59-66
       (10) 41-78-50
  Télécopieur: (10) 41-20-24

- Pour la Suisse:
  TRANSAT S.A.
  Route du Grand-Lancy, 2, C.P. 125, 1211 Genève 26
  Tél.: (41-22) 42-77-40
  Télécopieur: (41-22) 43-46-46

- Pour la France et les autres pays:
  INTER FORUM
  13, rue de la Glacière, 75624 Paris Cédex 13
  Tél.: (33.1) 43.37.11.80
  Télécopieur: (33.1) 43.31.88.15
  Télex: 250055 Forum Paris

JACQUES SALOMÉ • SYLVIE GALLAND

SI
JE M'ÉCOUTAIS
JE
M'ENTENDRAIS

LES ÉDITIONS DE L'HOMME

Données de catalogage avant publication (Canada)

Salomé, Jacques

   Si je m'écoutais, je m'entendrais

   ISBN 2-7619-0903-8

   1. Communication — Aspect psychologique. 2. Relations humaines.
3. Émotions. I. Galland, Sylvie. II. Titre.

BF637.C45S24 1990   153.6   C90-096438-3

Dépôt légal: 3e trimestre 1990
Bibliothèque nationale du Québec

ISBN 2-7619-0903-8

À tous ceux dont la liberté d'être
repose sur le respect, l'écoute, la tolérance.

INTRODUCTION

Communiquer, être en relation, partager: rien au monde ne nous semble plus important, plus essentiel à l'existence. C'est l'une de nos aspirations les plus vitales, les plus profondes que celle d'avoir le sentiment d'être relié à un ensemble plus vaste, d'être reconnu, identifié, d'appartenir à un groupement, à une communauté de langue.

Mais nous n'apprenons nulle part à communiquer, ni dans la famille et surtout pas à l'école.

Le système scolaire fonde sa communication sur une dynamique spécifique, celle du questionnement-réponse. L'enfant ne peut donner sa réponse, seule la-réponse-du-livre ou celle attendue par le maître d'école sera reçue. Pendant quelque quinze à vingt ans, la plupart d'entre nous sommes conditionnés à produire des réponses, à aller dans le sens des attentes de l'autre.

C'est ainsi que nous devenons des handicapés, des infirmes de la relation.

Lorsque nous prenons conscience de nos lacunes, il nous faut longtemps pour réapprendre, réinventer des moyens concrets de mieux être, de mieux partager avec l'autre et de mieux l'entendre.

Nous nous proposons, dans cet ouvrage, de livrer quelques-unes de nos découvertes, jalons qui peuvent nous aider à nous faire entendre des autres et à les entendre. Ces chemins menant à une communication vivante et à des relations saines nous permettront surtout de nous entendre nous-mêmes, de nous relier au meilleur, à l'insoupçonné qui est en chacun de nous.

Nous y développons l'idée qu'il est nécessaire pour chacun de prendre la responsabilité d'améliorer la relation à soi-même

9

et à l'autre. Il nous faut pour cela comprendre certains mécanismes qui régissent la communication et les relations intimes.
Il nous faut sortir aussi d'un double piège, celui qui consiste soit
à accuser les autres de ce qui ne va pas, soit à nous auto-accuser
et à nous disqualifier.

«Et encore, j'ai oublié de te dire que je suis
un cul-de-jatte de la communication.»

Nous décrirons également les pièges relationnels les plus
fréquents et fournirons les points de repère et les ancrages qui
nous semblent importants, non pour trouver des solutions mais
pour garder le bon cap dans la gestion de nos liens.

I

La communication

> *Une parole, avant de se couvrir de mots, doit séjour-*
> *ner en mammifère douloureux au fond d'un ventre;*
> *elle en acquiert le droit d'avoir un sens, d'avoir un*
> *son, d'avoir un sang.*
>
> Alain Bosquet

Qui ne connaît ce sentiment diffus de mal communiquer avec soi-même et avec les autres? Qui ne rencontre quotidiennement la difficulté de se dire et d'être entendu?

Si je désire améliorer ma communication, il faudra d'abord que je m'interroge sur la façon dont j'ai appris à communiquer. Je m'apercevrai probablement que j'ai appris à *incommuniquer*. Je découvrirai que, très tôt dans mon existence, j'ai été dépossédé de ma parole par ceux qui m'aimaient et qui, croyant me comprendre, parlaient pour moi.

L'anti-communication

Les parents et les pédagogues proposent plus souvent des censures que des invitations à une parole libre. Plus grave encore,

11

ils s'approprient notre parole pour parler *sur* nous[1], à notre place. Et, pire, ils nient notre expression propre.

> «J'ai peur, dit l'enfant.
> — Mais non il n'y a pas de quoi, répond le père.»

> «J'ai mal, dit l'enfant au genou écorché.
> — Mais non, ce n'est rien, répond la mère.»

Ces messages paraissent anodins, ils partent de la bonne intention de rassurer l'enfant. Vouloir enlever leurs peurs aux enfants est une déformation parentale courante. Mais ces messages n'en signifient pas moins: «Tu ne peux pas faire confiance à ce que tu ressens, moi je sais ce que tu dois ressentir.» Ils dictent à l'autre les émotions et les sentiments qu'il doit avoir, ceux qu'il n'a pas. Il est possible d'ordonner ou d'interdire un acte (si le rapport de force le permet!) — «Je ne veux pas que tu tapes sur la tête du bébé» —, mais l'injonction sur les sentiments — «Tu dois l'aimer» — est irréalisable à tous les âges de la vie, et elle est source de confusion. Celui qui éprouve une émotion doute de son propre vécu quand une personne significative (un des parents, par exemple) disqualifie, nie ou tente de lui dicter son vécu et ses sentiments.

> «Tu dois l'aimer, c'est ton frère, il ne sait pas ce qu'il fait en cassant ton jouet...»

> «Mais mon chéri, tu sais bien que je vous aime également; je ne fais pas de différence entre ta sœur et toi.»

> «Tu sais, même s'il se met en colère, il t'adore. Et puis tu devrais arrêter de toujours le contredire, il n'aime pas ça!»

Ainsi apprenons-nous à communiquer en étant niés dans notre ressenti par ceux qui nous aiment. Et nous les voyons aussi nier leurs propres sentiments.

---

(1). Nous avons inventé cette expression *parler sur quelqu'un* pour décrire une parole faite d'injonctions («Sois autrement que tu n'es»), d'explications («Si tu ne viens pas, c'est parce que tu as peur») et de déni («Tu n'es pas malheureux, tu as tout ce qu'il te faut»). Différente est la parole d'un autre qui me dit comment il me voit, qui me tend un miroir, certes déformé, mais un miroir quand même. Cette parole-là peut être structurante, elle peut m'aider à mieux me connaître. La différence se situe surtout dans l'intention de celui qui me parle de moi.

«Elle me dit qu'elle m'aime pareil,
mais c'est pas pareil lui et moi.»

«Tu es triste maman, tu pleures?
— Mais non, ne t'inquiète pas, ce n'est rien.» Rien?

«Mamie, elle n'aime pas papa. Qu'est-ce qu'elle a contre lui?
— Mais non, qu'est-ce que tu vas chercher là. Elle l'aime bien, tu sais…»

Si nous ne faisons pas l'effort de repérer quelques règles fondamentales d'une communication saine, nous risquons de continuer pendant toute notre vie à subir et à transmettre des conditionnements qui sabotent la communication et qui rendent difficiles, souffrantes, les relations intimes.

Principes de base

Les bases d'une communication réelle sont simples à énoncer et infiniment compliquées à appliquer. Elles obéissent à trois positions fondamentales:

- Je reconnais et je confirme l'expression de l'autre comme la sienne, ses sentiments ou avis comme les siens.
- Je m'exprime en parlant de moi, en me positionnant.
- J'ai le désir de mettre en commun ton point de vue et le mien, non en les opposant ou en les confondant, mais en les apposant, l'un près de l'autre, en les confrontant. De là peut naître un partage, un échange.

Ces trois positions ont des corollaires immédiats:

- Je ne laisse pas l'autre parler *sur* moi.
- Je l'invite à parler de lui-même.
- J'admets que «s'entendre» ne signifie pas avoir le même avis, les mêmes sentiments, le même point de vue.
- J'accepte de différencier ce qui vient de l'autre (et qui lui appartient) de ce que je ressens (et qui m'appartient)[1].

À l'enfant qui a peur, je dirai: «Tu as peur», et je lui proposerai peut-être de me parler de sa peur. Je pourrai, éventuellement, lui dire ensuite que moi, je n'ai pas peur, que je n'ai pas la même peur.

À l'ami qui parle sur moi («Tu devrais t'intéresser à autre chose qu'aux bandes dessinées»), je tenterai de présenter un refus («Je ne veux pas que tu me dictes mes intérêts») et une invitation («Si tu veux, dis-moi ce que tu ressens quand tu me vois, là, comme ce soir, le nez dans ma BD»).

Nous parlons *sur* les autres parce que nous ne savons pas parler de nous à eux, et la parole des autres *sur* nous dure jusqu'à notre mort, si nous ne prenons pas le risque de nous réapproprier notre parole.

Cette réappropriation de sa parole sera un des enjeux centraux de toute démarche de formation. Tout changement passe par cette difficile, douloureuse naissance: accéder à une parole qui me soit propre, qui soit *mienne*, différenciée de la parole de tous ceux qui m'ont élevé, accompagné.

---

(1). En matière de communication, nous confondons souvent les deux jumeaux de la relation, les frères Térieur, dont l'un se prénomme Alain et l'autre Alex...

«Tu ne trouves pas qu'il fait trop chaud?...»

Communication et expression

Communiquer c'est mettre en commun. Mais qu'avons-nous à mettre en commun? Soit nos différences, soit nos ressemblances.

S'exprimer n'est pas encore communiquer, c'est un aller simple, et la communication est un aller-retour qui comporte des étapes successives:

- Je m'exprime.
- Je reçois la confirmation que mon langage a été entendu.
- J'écoute l'expression de l'autre.
- Je lui confirme que je l'ai entendu.

Ces séquences apparemment simples comportent des pièges innombrables. L'autre, en effet, ne réagit pas à ce que je dis mais à ce qu'il entend, à la façon dont ma parole résonne en lui, et il y a parfois une énorme différence entre ce que j'ai voulu dire et ce que l'autre a entendu. Et c'est réciproque, bien sûr.

Quand je parle à quelqu'un, au cours d'un échange difficile et important, je devrais lui demander: «Qu'as-tu entendu?»

Quand quelqu'un me parle, je devrais lui dire: «Dans ce que tu as dit, voici ce que j'ai entendu.» Confirmer l'autre ne signifie pas l'approuver ni reconnaître le bien-fondé de sa pensée, mais seulement reconnaître ce point de vue comme le sien à lui.

«Les chambres à gaz n'ont jamais existé. C'est une invention des juifs pour se faire plaindre.

— Vous, vous dites qu'elles n'ont jamais existé, voilà, vous, vous pensez cela, que c'est une invention des juifs pour se faire plaindre. C'est votre croyance à vous. Je ne la partage pas.»

Nous pouvons, dans ce dernier cas, clore l'échange à ce stade... ou inviter l'autre à en dire plus sur ce qui fonde sa croyance. Je peux tenter d'en dire davantage sur ce qui fonde la mienne. Je peux changer de registre et l'inviter à s'exprimer. Qu'est-ce qu'il veut dire en niant l'existence des chambres à gaz durant la Dernière Guerre, quel message veut-il faire passer...?

Nous allons tenter, dans les sections qui vont suivre, de mieux repérer les attitudes qui entravent ou facilitent la communication en nous arrêtant sur chacune des quatre démarches présentes dans toute communication:

- dire;
- ne pas dire;
- écouter;
- entendre.

Dire

> *Les mots savent de nous des choses*
> *que nous ignorons d'eux.*
> René Char

Dire le plus difficile, dire de soi et non discourir sur autrui, sur le monde, sur la vie... Parler de moi à l'autre, ce sera exprimer ma perception de la réalité, mon ressenti, mes expériences. Nous n'insisterons jamais assez sur l'importance du *je*, si souvent remplacé par *on* ou par *tu*.

L'expression verbale (nous n'abordons pas ici les multiples langages du corps et des actes) peut se situer à cinq niveaux différents, au moins.

Le niveau des faits

C'est le registre anecdotique, celui qui permet de dire ce qui s'est passé et comment ça s'est passé. Certains tiennent à retracer de façon détaillée et fidèle ce qu'ils ont vu, ce qu'ils ont fait, ce qui est arrivé.

Je raconte, par exemple, le déroulement du film que j'ai vu hier soir. Il s'agissait d'un père divorcé qui emmenait sa fille en voyage. Et je fais le récit des multiples incidents qui jalonnent cette expédition. Je peux être enthousiaste, abondant ou plus réservé sur tel ou tel aspect de l'histoire.

Le niveau des sensations et des sentiments

Ce sera celui du vécu ou du ressenti qui se rattache à un événement, à une situation ou à une rencontre.

La zone sensible des réactions affectives n'est jamais absente, le fourmillement émotionnel habite chacun, comme la source inépuisable d'une parole propre... quand elle est possible. Ce possible dépendra de ma disponibilité à me révéler, à livrer mon vécu intime; il dépendra aussi de la façon dont l'autre peut m'entendre et me stimuler à me dire dans cette dimension.

Je pourrai dire combien j'ai été ému pendant ce film, bouleversé par certaines scènes. J'avais les larmes aux yeux en voyant les efforts que faisait ce père pour se faire aimer de sa fille. Je vivais des moments de rire et de joie quand la complicité et la tendresse circulaient entre eux; je me sentais triste quand un monde d'incompréhension réciproque les séparait... Et si celui à qui je tente de parler est important pour moi (significatif, c'est-à-dire chargé de sens), il me sera nécessaire d'être reçu, entendu par lui. Cette écoute-là me devient nécessaire.

Beaucoup de malentendus, de frustrations relationnelles sont issues de ceci: l'autre, pour des raisons qui lui appartiennent (seuil de tolérance bas, non-sensibilité à la sphère émotionnelle, peurs, cécité et surdité diverses...), ne peut m'entendre; il me coupe de cette dimension vitale pour moi... celle de mon vécu, de mon ressenti, ou il la dénigre. Ce décalage est à l'origine d'une quantité incroyable de malentendus et de souffrances en situations familiales. Nous attendons tous, et parfois de façon un peu magique, que l'autre (maman, papa, mon frère, ma sœur) me rejoigne dans mes sentiments, entende ma sensibilité propre, reçoive mes émotions sans se les approprier.

Une difficulté surgit aussi quand l'autre me répond dans un registre différent du mien.

«Tu sais, maman, j'ai vécu ça de façon très douloureuse quand on m'a coupé les cheveux aussi courts à six ans.
— Mais il y avait des poux à l'école, tu comprends?»

Non, je ne peux pas comprendre si je ne me sens pas d'abord entendu. Je parle de sentiments et elle parle de faits.

> *Les mots peuvent nous éclairer sur*
> *notre commune détresse... sans pour cela nous en consoler.*

«Mais il y avait des poux à l'école!...»

Le niveau de la pensée, des idées

Généralisations, évaluations normatives, considérations logiques: une grande partie de nos échanges s'établissent à ce niveau rationnel ou commencent par là.

Pensées discursives, pensées-vitrines, pensées-sauterelles, les idées lient et soutiennent les émotions à l'éclat plus coloré. Elles nous permettent de classifier l'expérience, de l'assimiler, elles nous en protègent en nous en coupant parfois.

Pensées, indispensables points de référence, balises nécessaires au chaos ou à la multiplicité des situations humaines. La pensée, c'est l'évasion de la parole vers des horizons sans limites. C'est l'amplification de l'homme jusqu'aux confins connus du cosmos.

Ce même film, je vais le critiquer, l'évaluer — je le trouve beau et subtil — puis je vais partager des réflexions sur la relation père-fille et sur la différence des générations, sur le cinéma intimiste ou sur l'art de la communication!

Il y a tant et tant de plaisirs (ou de souffrances) à agrandir ma pensée, à bâtir et à détruire des mondes, à inventer ou à faire mourir des relations, à relier ou à disjoindre le possible et l'impossible!

Le niveau du retentissement

Tout vécu résonne sur un autre plus ancien et nous renvoie à des expériences gravées dans notre passé. Cette strate affective n'est pas toujours accessible directement ou immédiatement.

Si je suis en confiance, je pourrai peut-être dire que ce film a fait remonter en moi mon vécu d'enfant de parents divorcés, qu'il m'a renvoyé aux visites de mon père et à tant d'espoirs et de déceptions. Il peut me renvoyer à toute ma mythologie personnelle sur la notion de père, de foyer ou de vie familiale.

Tout se passe comme si chaque événement du présent trouvait son écho dans un passé proche ou lointain. Cette réactivation plus ou moins consciente laisse en nous des traces qui colorent nos relations, nos échanges ici et maintenant.

Telle femme qui me parle pour la première fois, au cours d'un repas entre amis, me restimule dans une situation antérieure de quelque quarante années. J'avais huit ans, au cours élémentaire, et je subissais le sadisme de cette institutrice

qui, justement, avait le même pli de bouche que mon interlocutrice...

Et sans m'en rendre compte, j'ai envie de l'agresser, de
l'humilier; je combats sans aucune courtoisie son point de
vue, pourtant peu éloigné du mien. Je me montre méchant,
hargneux, impitoyable, et j'ai le désir de la réduire à néant
dans cette réunion d'amis... qui sont tous étonnés de ma
«sortie».

Le niveau de l'imaginaire

Les fantasmes, les désirs et leur cohorte d'imageries personnelles peuvent aussi, parfois, être mis en commun.

Ce film, j'avais imaginé en faire un du même genre, mais un
peu différent. Il aurait plutôt porté sur la relation de couple;
j'aurais été metteur en scène et l'actrice principale aurait été...
Et je dialogue, dans ma tête, avec Delphine Seyrig ou Juliette
Binoche...

La vie de l'imaginaire, si centrale chez chacun, est la source
privilégiée de notre créativité dans le dialogue, si nous acceptons de la partager et si l'autre peut l'entendre pour ce qu'elle
est: *une vie imaginée.* S'il peut entendre que la traduction en mots
de mon imaginaire ne signifie pas que je vais passer aux actes.
Le propre de l'imaginaire, c'est qu'il a besoin d'être entendu. On
ne peut partager son imaginaire, on ne peut qu'en témoigner.
L'imaginaire a besoin d'être respecté.

Une communication pleine est un partage où j'ai la possibilité de me dire, d'être entendu et d'entendre l'autre à ces cinq
niveaux, aux divers moments d'une relation.

Souvent notre parole reste bloquée à l'un ou à l'autre niveau. Selon la situation et l'interlocuteur, selon le sujet abordé,
selon notre aisance ou nos peurs et surtout selon l'écoute que
nous rencontrons, nous privilégions un registre de façon
rigide et en évitons ou en rejetons d'autres avec une égale
constance.

Les communications fécondes évoluent librement d'une
dimension à l'autre. Elles laissent la parole circuler dans
chacune de ces dimensions. Oui, toute démarche de communication devrait être féconde, porteuse d'ouverture, d'amplification.

Une relation de liberté (celle qui me permet d'être ce que je suis) est une relation dans laquelle circule le possible de tout dire[1].

Nous entendons parfois: «C'est difficile pour moi, je ne peux lui dire que...» ou encore «Il refuse d'entendre ce que je dis» ou «Je n'ose le lui dire car je crains sa réaction». La peur de dire, de s'exprimer avec abandon est inscrite dans beaucoup de relations proches. Cette peur barre la route à l'enthousiasme, aux élans, à la créativité. Elle retient, elle entretient le ressentiment lié aux frustrations du non-dit.

> *Nous attendons trop, parfois, du langage,*
> *du mythe de la parole juste et vraie, alors que*
> *les mots recouvrent des réalités différentes pour chacun.*

Souvent, encore, j'espère qu'un échange de mots et de phrases me donnera accès à une communication aussi pleine, aussi savoureuse que je la désire. Lorsque cet espoir à goût d'absolu m'habite, je me retrouve fréquemment, après un dialogue, aux prises avec un désenchantement inquiet, une sourde angoisse au ventre ou une colère indicible qui cherche un chemin vers la violence.

Il y a un tel écart entre ce que je vis et ce que j'en dis, entre ce que je projette de dire et ce qui sort de ma bouche. Il y a un tel écart encore entre ce que je dis et ce que mon interlocuteur entend, selon ses propres perceptions et ses références. Et je ne sais même pas ce qu'il a compris ou perçu. Parfois je le découvrirai, avec ravissement ou stupeur, des jours ou des semaines plus tard.

Les pensées et les images secrètes de l'autre m'échappent aussi complètement que les miennes lui échappent. Même celles de la compagne avec qui je partage le lit et le pain, même celles de l'enfant que ma sollicitude aimante entoure depuis sa naissance. Avec eux aussi, le mystère demeure; nous restons sans communication sur une large part de l'essentiel.

Ainsi, dans toute expression verbale — qui n'est pas encore le dialogue — il y aura des risques de distorsions et de malentendus entre:

---

(1). Ce qui ne veut pas dire le terrorisme de *tout dire*. Le seul fait de savoir que c'est possible donne une confiance incroyable en soi, en l'autre.

- Ce que je pense, ce que je vis ou ai vécu... et ce que je peux dire.
- Ce que je dis effectivement avec mes moyens d'expression... et ce que l'autre entend et comprend en privilégiant, parmi les multiples messages de mon discours, celui qui le touche, le séduit ou le menace le plus.
- Ce que je crois que l'autre a entendu... et ce qu'il pense que je pense qu'il a entendu.

Bien sûr, je m'efforce d'accepter cet inévitable écart entre les mots et le vécu, avant de tenter de le diminuer. Reconnaître l'incomplétude de toute communication verbale avant d'œuvrer à la rendre plus féconde.

Ne pas dire

> *En nous efforçant d'atteindre l'inaccessible,*
> *nous rendons impossible ce qui serait réalisable.*
>
> P. Watzlawick

Ce point peut paraître en contradiction avec ce qui vient d'être énoncé, mais le «ne pas dire» doit s'entendre comme un choix (et non comme une contrainte).

Je ne pourrai être satisfait d'une communication que si j'en accepte les limites. Il n'est pas possible de tout dire. «Tout se dire» demeure une illusion et un piège, une tentation fusionnelle.

Ne pas dire, c'est parfois baliser mon territoire. Je ne souhaite pas aborder tel sujet avec telle personne, même si elle me questionne. Certaines questions sont intrusives et il m'appartient de ne pas me sentir obligé d'y répondre.

Je raconte à un collègue mes découvertes de vacances:
«Avec qui as-tu fait ce voyage? s'enquiert-il.
— J'ai envie de te parler de Prague, mais pas de ma vie affective en ce moment.»

Ne pas dire fait aussi partie de l'attention portée à l'autre («Il est fatigué ce soir, pas disponible») et du choix du bon moment pour être entendu («Il a tellement envie de parler aujourd'hui, il n'y a pas de place pour ma parole»). Il s'agit parfois d'attendre des conditions plus propices ou d'être plus au clair avec soi-même avant d'oser revenir sur le vécu d'une situation.

Ne pas dire, ne pas trop dire, permet ainsi d'éviter une certaine «pollution relationnelle». Je vais être attentif à ne pas me servir de l'autre comme d'une poubelle, en déversant sur lui, en quantité, mes soucis, mes déprimes, mes colères, mes frustrations. Beaucoup semblent raisonner ainsi: «Plus je suis proche de quelqu'un, plus je peux lui dire tout ce qui ne va pas pour moi, en moi, jusqu'à saturation.»

C'est aux êtres les plus chers que nous réservons le pire de nous-mêmes. En particulier dans la relation amoureuse, où nous n'hésitons pas, parfois, à «répandre» sur l'autre l'abondance de nos soucis ou de nos malheurs. Tout se passe comme si l'amour donnait le droit de polluer la personne que nous aimons. «Aurait-il le droit d'être joyeux ou heureux alors que je suis triste et malheureux!»

Ce «ne pas dire», qu'il ne faut pas confondre avec le «nondit», est une sorte d'autorégulation de la communication qui permet à chacun de sauvegarder des zones d'intimité.

«Je viens, en ton absence, de découvrir combien il est important, dans nos rencontres, de ménager un espace de solitude. Moi, là, te sentant proche, et ce temps où tu n'es pas et où tu es a l'intensité de ce moment qui précède la nuit quand le soleil est présent.»

Être seul en présence de l'autre. Subtile communication entre deux êtres qui s'échappent à l'intérieur d'eux-mêmes, tandis qu'une force magnétique résulte de ces deux courants parallèles et distincts.

C'est ainsi, parfois, après l'amour. Chacun est seul, heureux de l'être, apaisé et sans désir d'interaction ou de communication active et, cependant, dans cet état sans but et sans exigence, la présence de l'autre importe à chacun, elle le confirme et l'agrandit jusqu'au plus profond de lui.

Les relations au long cours ont besoin d'un silence de cette qualité, fait du plaisir intime de vivre seul ses sensations en sentant l'accord (au sens harmonique du terme) de l'autre.

Cet équilibre délicat paraît souvent difficile à atteindre. Trop souvent, la présence, le regard de l'autre — même s'il ne me regarde pas — prend une importance qui empiète sur ma relation à moi-même. Être plus conscient de l'autre que de soi-même... Il est plus aisé de jouir de sa solitude lorsqu'il n'y a personne dans la pièce, personne dans l'appartement. Et plus encore que la présence du compagnon, de la compagne ou des enfants, la proximité des parents me semble entraver cette possibilité de retrait heureux.

C'est pourtant auprès de sa mère que le tout petit enfant devrait pouvoir construire sa capacité à être seul en présence de l'autre. Certain de la disponibilité maternelle, il peut être, rêver ou jouer seul. Il expérimente un espace où, paradoxalement, il peut oublier l'autre parce qu'il sait qu'il est là. Un espace où il peut se séparer de l'autre parce qu'il sait qu'il ne le perd pas.

Bien des mères font intrusion dans cet espace fragile et compromettent l'apprentissage fondamental de la solitude. Elles interviennent, commentent le jeu, questionnent, manifestent leur intérêt, et détruisent par leurs bonnes intentions cet instant suspendu que le petit vivait en dehors d'elles. Il était sur le fil du rasoir entre la solitude-abandon et la relation-dépendance. Il explorait sa capacité à exister entier, non entamé par l'existence de l'autre qui pourtant restait essentielle.

Dans les relations de couple ou d'amitié, ces moments de silence partagé m'apparaissent miraculeux, car il y a souvent un décalage entre les attentes de chacun ou une incapacité à ne pas être envahi ou parasité par une présence à ses côtés.

Ainsi, cet homme qui conduit et se laisse bercer par le mouvement doux de la voiture dans un paysage de neige. Il est détendu, entre rêveries et pensées, réfugié en lui-même, paisible de sentir cette femme à ses côtés et de ne pas penser à elle. Mais elle est inquiète de ce silence qu'elle comprend comme un retrait, une gêne, un refus. Et puis elle voudrait reprendre cette conversation interrompue la veille, profiter de ce moment pour enfin lui dire ce qu'elle a sur le cœur depuis hier, pour l'entendre dire ce qu'il a ressenti. Peut-être va-t-elle rompre le silence d'un «Tu ne dis rien?» plein de reproche, d'anxiété ou d'attente.

La communication libre s'appuie sur l'acceptation et le plaisir de mener une double vie: ma vie avec l'autre, avec les autres, et ma vie à moi où, affectivement, je me suffis à moi-même.

> *«Ne pas dire» se fonde aussi sur cette capacité*
> *d'isolement spirituel, sur l'aptitude à s'immerger*
> *dans son monde secret et sur le partage d'une solitude pleine.*

Écouter

Car toute la vie d'un homme parmi ses semblables
n'est pas autre chose qu'un combat pour s'emparer
de l'oreille d'autrui.

Milan Kundera

Écouter l'autre sans s'emparer de sa parole est difficile. Cela suppose disponiblité et décentration.

Écouter, c'est accueillir ce qui s'exprime sans porter de jugement, en tentant de comprendre le monde intérieur de l'autre dans son système de références à lui.

Écouter activement, c'est permettre à l'autre d'en dire plus et de s'entendre lui-même lorsque je reprends ou résume ce qu'il vient de dire, ce que j'ai entendu ou du moins ce que j'ai compris dans ce qu'il a dit. C'est aussi proposer des questions ouvertes, celles auxquelles on ne peut répondre par oui ou par non, celles qui demandent *comment* et non *pourquoi*, celles qui ramènent l'autre à lui-même. «Et toi, comment l'as-tu vécu? Qu'as-tu ressenti?»

Nous sommes habitués à poser des questions qui induisent la réponse: «Et tu n'as pas trouvé cela injuste?», «Pourquoi ne le quittes-tu pas?»

«Mon chef m'a fait une remarque désagréable...
— Oh! tu sais comment il est! Il ne changera pas.»

«Je me sens découragé et las, ce soir...
— C'est normal, il fait si chaud.»

Pour écouter il me faut d'abord me taire, faire taire ma réactivité qui est le principal obstacle à l'écoute. Si ce que dit l'autre me touche, en moi vont se bousculer des besoins de m'exprimer, d'expliquer, de convaincre, de porter un jugement, de dire mes sentiments ou mes idées.

Plus l'autre est proche, plus seront vives les émotions suscitées en moi par sa parole. Et si c'est de sa relation à moi qu'il parle, mes peurs, mes désirs, le retentissement en moi, mes projections entraveront d'autant plus mon écoute. C'est ce qui rend la communication intime si difficile, si fragile. Chaque mot de l'autre peut réactiver en moi ma peur de ne pas être à la hauteur, d'être rejeté, de ne plus être aimé.

Écouter, c'est renoncer — pour un temps du moins — à répondre et à s'emparer de ce que dit l'autre pour placer son propre avis.

Il me dit qu'il n'a pas aimé ce livre et avant d'écouter ce qui lui a déplu, ce qui l'a heurté peut-être, j'ai envie de m'emparer du sujet pour développer mon enthousiasme à moi pour ce livre.

Puis-je d'abord faire place à son ressenti à lui avant de dire éventuellement le mien?

La simultanéité de l'expression est impossible, il ne peut y avoir qu'une écoute alternée. Mais bien des dialogues ressemblent à une lutte pour capter l'oreille de l'autre.

«Depuis quelques années, j'ai retrouvé un dialogue avec ma mère…

— Oh! moi, c'est impossible; la mienne ne m'écoute jamais…

— Je l'ai vue hier et nous avons parlé de nos croyances.

— Avec mon père, c'est plus facile.»

Dans ce jeu de demandes croisées, chacun espère l'écoute et l'attention de l'autre.

Lorsque je ne me sens pas écouté, pas entendu, je porte aussi une responsabilité. Peut-être me suis-je exprimé de façon trop peu claire, trop indirecte, en espérant que l'autre devinerait. Peut-être n'ai-je pas osé exprimer ma demande: «J'aimerais te parler», «J'aimerais que tu m'écoutes», «J'aimerais te dire comment, moi, j'ai vécu cela».

Il y a un grand désir, plus ou moins caché au cœur de chacun, de pouvoir se dire sans être jugé, sans être récupéré, ni rassuré, ni rejeté, ni étiqueté. Simplement être entendu pour mieux s'entendre soi-même.

L'écoute est un beau cadeau à offrir, à demander et à recevoir.

Entendre

> *Entendre, c'est rejoindre l'autre
> dans son réel à lui en recevant ses divers langages.*

Entendre ce qu'il dit, mais aussi ses sourires, son regard, ses gestes, sa respiration, ses actes, ses maux, ses énergies...

Entendre est une question d'attention, *d'attentivité*. Ce qui fait d'ailleurs la qualité d'une relation, c'est de sentir la disponibilité active de l'autre, de soi, quand elle se manifeste à travers quelques signes infimes. Une qualité du regard, un temps de respiration plus large, un geste qui propose, un silence qui invite à aller plus loin.

> *Entendre, c'est aller au-delà de l'écoute pour saisir l'essentiel.*

- Dans quel registre l'autre parle-t-il?
- Un registre réaliste, symbolique ou imaginaire?
- Au niveau intellectuel, affectif ou anecdotique?

Le paradoxe d'un bon entendement est qu'il s'agit d'entendre l'autre dans le registre où il parle, mais aussi, parfois, de comprendre que ce registre peut en cacher un autre. Pour aller au-delà des mots-écrans, vers la parole qui se cherche, telle une source à naître après de longs cheminements souterrains et silencieux. Entendre ce qui se dit, non toujours où cela se dit mais *d'où* cela se dit.

Si l'autre parle de son imaginaire et que je le ramène à un niveau réaliste, j'ai mal entendu, et ce malentendu-là est très fréquemment source de frustrations et de souffrances.

Quand je lui dis: «J'ai envie de prendre une année sabbatique» et qu'elle me répond: «Mais avec quoi allons-nous payer le loyer!», je ne me sens pas entendu dans mon imaginaire.

Quand cette femme qui vit depuis quelques années avec un homme vasectomisé lui dit le soir dans le doux de l'oreille: «J'aimerais que tu me fasses un bébé», c'est son désir de bébé et tout son imaginaire autour du pouponnage qui veut être entendu. Ce n'est pas en lui répondant: «Mais tu sais bien que je ne peux plus avoir d'enfant» qu'elle se sentira entendue.

L'imaginaire sert à gérer la distorsion entre la réalité extérieure et notre monde intérieur de désirs et d'idéal.

Les parents s'acharnent souvent à réduire l'imaginaire
de leurs enfants.

«Si je trouve le trésor dans la grotte, j'achèterai un avion.

— Tu sais bien qu'il n'y a pas de trésor, et que ferais-tu
d'un avion?»

Les enfants — et les ex-enfants — pris dans leurs émotions n'entendent pas les discours réalistes. Ils entendent
seulement qu'ils ne sont pas entendus.

Si l'autre parle dans un registre de pensée, s'il tente de clarifier une idée, un concept et que je n'y vois qu'un aspect affectif,
je ne l'ai pas entendu. Mais il se peut aussi qu'il tente d'exprimer son vécu affectif sous couvert d'une généralisation, et si
j'enchaîne sur l'idée, sur le plan intellectuel, je ne l'ai pas
entendu non plus. S'il me parle de ses maux physiques, dois-je
l'entendre dans le registre où il parle? Dois-je comprendre que
les somatisations sont un langage symbolique et m'intéresser au
sens qu'elles prennent dans l'histoire de mon interlocuteur? «J'ai
mal au dos» dit-il, et je crois entendre que, ce soir-là, cela peut
signifier «J'en ai plein le dos». Vais-je inciter l'autre à changer de
niveau, vais-je en rester à celui qu'il a choisi?

Car entendre, c'est aussi entendre chez moi-même, d'une
part, la résonance à ce qui est dit et, d'autre part, le sens que je
donne au message qui me parvient. S'il dit «J'ai mal au dos», ma
résonance sera peut-être «Moi aussi» ou «Je n'ai pas envie de
l'entendre se plaindre» et le sens que je donnerai au message
sera centré sur moi: «Il me reproche quelque chose, je lui pèse»
ou centré sur lui: «Est-il trop chargé, demande-t-il un mas-
sage?»

Entendre n'est pas répondre et pourtant c'est ma réponse
qui montrera ce que j'ai entendu ou pas. Au-delà de ma
réponse, c'est la qualité de ma *présence* qui donnera de la force à
mon écoute. Il est primordial, si je veux tenter d'améliorer ma
communication, que je sache entendre une demande, un désir,
un besoin sans me sentir tenu de le satisfaire. Entendre un problème sans croire devoir trouver une solution. Simplement
entendre et témoigner que j'ai entendu.

Il est nécessaire aussi parfois que j'indique à l'autre comment je souhaiterais être entendu.

> *Je voudrais être entendu dans ce que je dis aujourd'hui,*
> *à ce moment précis, sans que l'autre m'identifie*
> *tout entier à ce que j'exprime et sans qu'il m'y enferme.*

«Ah! je déteste mon métier!» Oui, je peux pousser un cri le jour où je me sens saturé, découragé ou débordé par mon activité quotidienne. Si l'autre prend alors mon exclamation trop au sérieux et me propose de changer de métier ou s'il argumente qu'au fond, cette profession que j'ai choisie me passionne, je lui en veux. Et je deviendrai attentif à ne plus dire, à ne plus montrer les mouvements passagers qui me traversent.

Je voudrais être compris sans avoir à préciser: «Ce n'est qu'un instant de saturation, j'exprime cela pour me décharger d'une impression passagère...» Il faudrait que l'autre sache me répondre en relativisant: «Oui, c'est un épouvantable métier, beaucoup trop fatigant...» ou qu'il partage un instant mon rêve de vacances immédiates, ou encore qu'il mette de la tendresse à me plaindre ou me consoler.

Ce que je dis à un moment donné n'est qu'une facette d'une immense complexité pleine de contradictions. Ce que j'exprime dans un jaillissement nécessaire n'est qu'une infime partie de moi; «Ne m'enferme pas dedans».

Cet ami me disait: «Je suis un indigné congénital, mon indignation est vitale. Beaucoup me prennent pour un insatisfait; je ne suis qu'un râleur tonique.»

Les sentiments et les sensations dépendent du moment où je les vis. Leur expression est semblable aux couleurs du paysage qui change et se modifie avec la lumière du jour.

«Je n'aime pas la crème au chocolat», déclare cette petite fille qui vient d'en avaler trois bols pleins, «je n'en mangerai plus jamais.»

C'est cette écoute avisée qui me permettrait d'exprimer successivement ma faiblesse et mon enthousiasme, de me montrer moi-même comme je suis dans l'instant. Je ne me sentirai libre de le faire que si l'autre ne prend pas la partie pour le tout et ne me ramène pas à mes contradictions. Je les connais bien, mes contradictions, et je réclame le droit d'exprimer des idées et des sentiments parfaitement opposés concernant le même sujet.

«J'aime cette qualité de la relation où je peux me montrer contradictoire, irraisonnable, distrait dans mes propos.»

Les décalages

> *Quand la parole ne peut plus servir*
> *de pont entre deux êtres, quand la parole sépare.*

L'expression affective est blessée, non reçue, quand elle se heurte soit à un jugement de valeur, soit à la logique rationnelle. Combien de craintes et de désirs qui se disent rencontrent-ils des «tu devrais» ou «tu ne devrais pas», des «tu aurais dû» ou «tu n'aurais pas dû»…?

«Je n'ai pas le sens de l'orientation, je ne suis pas sûr de retrouver le cinéma où nous avons rendez-vous…

— Mais enfin, tu dois savoir où il est, puisque nous y sommes déjà allés trois fois.»

Les systèmes de valeurs n'ont pas prise sur les sentiments. Ils permettent parfois de les refouler, de les cacher ou de les nier; ils ne les suppriment pas. Quel jaloux est devenu moins jaloux lorsqu'on lui a dit: «Tu ne devrais pas être jaloux»? Quel enfant a vu sa peur diminuer quand on lui a dit: «Mais que tu es bête d'avoir peur de ça»?

Le non-jugement sur les sentiments peut paraître inacceptable.

«Mais tout de même, l'objectivité existe. Il y en a un qui a tort et l'autre qui a raison. Quand je téléphone chez mon ex-femme pour parler à ma fille et que c'est son ami qui répond et raccroche, il a tort, lui, pas moi!»

«Elle m'impose ses parents et elle ne supporte pas les miens; elle ne pense qu'à elle. Elle a été trop gâtée comme toutes les filles uniques, vous n'allez pas me dire que c'est juste!»

> *La logique rationnelle n'ébranle pas la logique affective,*
> *elle parle un langage qui lui est étranger;*
> *ce sont des niveaux inconciliables.*

«J'ai peur d'aller à la grande école.

— Mais il n'y a pas de raison, tous les petits garçons de ton âge y vont; la maîtresse sera gentille, tu auras du plaisir à avoir des camarades...»

Cette maman bien intentionnée s'est coupée du dialogue proposé par son fils, elle a parlé dans le vide, elle a refusé d'entendre. Et l'enfant aura reçu ce message: «Tu es bête d'avoir peur sans raison valable, tu es non seulement peureux mais encore idiot.»

Nous faisons ce genre de commentaires indirects tous les jours, plusieurs fois par jour. Nous proposons des réponses en conserve plutôt que d'entrer dans un échange vivant, actuel, porteur de stimulations et de changements.

Sentiments, pensées rationnelles et systèmes de valeurs, ces trois registres qui ne se rencontrent pas existent en chacun de nous. Ils donnent lieu, lorsqu'ils se croisent dans les communications, à beaucoup de malentendus. Mais ils créent aussi dans nos dialogues intérieurs des débats sans issue.

- Affectif: «J'ai peur d'accoucher.»
- Logique: «Il n'y a pas de raison, des milliards de femmes sont passées par là. Les statistiques montrent que dans nos pays les risques sont très minimes.»
- Normatif: «C'est infantile et lâche de paniquer ainsi. Je devrais être sereine et détendue.»

À quel niveau vais-je obéir ou être fidèle? À quel niveau suis-je infidèle? Comment réaliser l'unité de ces trois dimensions?

Quel soulagement lorsqu'il n'y a pas d'opposition ou de décalage entre les diverses voix de mes sentiments, de ma pensée et de mes valeurs:

- «Je ne l'aime plus.
- «C'est pas normal de continuer à vivre comme des étrangers, sans rien avoir à se dire des soirées entières. Il est plus logique de se séparer.
- «C'est important pour moi d'être fidèle à ce que je suis aujourd'hui.»

Nous aspirons ainsi à une cohérence retrouvée, à une unité sans conflit entre les instances de nos logiques.

Métacommuniquer

Métacommuniquer, c'est sortir un moment du contenu du dialogue pour aborder la forme, la façon dont la communication se fait ou ne se fait pas.

Il est possible d'exprimer ses besoins d'être écouté, de demander ce qu'on espère et attend.

Ainsi je voudrais dire à ma mère comment j'ai vécu tel événement où elle était impliquée. Elle va réagir, bien sûr, pour se justifier ou dire son vécu à elle. Mais j'ai besoin qu'elle m'entende d'abord, et je vais le demander.

«J'ai besoin que tu m'écoutes sans m'interrompre, que tu comprennes comment moi, j'ai vécu ce moment. Et mon vécu n'a peut-être rien à voir avec la façon dont toi, tu l'as vécu.»

Cette femme pourra dire à son mari: «Je sais que tu n'aimes pas parler de ça, que tu n'aimes pas revenir sur cette situation, mais j'ai quand même besoin de te dire mon vécu à moi, ce qui m'a traversée lorsque tu m'as demandé d'avorter il y a quatorze ans et que j'ai accepté de le faire. C'est vrai, j'étais démunie, j'avais peur du regard de mes parents sur ma sexualité, sur notre relation. J'étais affolée et j'aurais aimé que tu prennes plus de temps à ce moment-là pour me permettre de te dire tout cela.

«J'aurais souhaité être plus accompagnée, plus entourée et même si je sais que tu étais aussi paumé que moi, j'ai besoin de te dire ça et j'ai besoin surtout que tu l'entendes, non comme une accusation, mais bien comme une tentative de ma part de sortir du silence, de mettre des mots sur ce non-dit, de partager ce poids, mes émotions et même le regret qui m'habite. Voilà, j'ai besoin de cette écoute-là.»

Métacommuniquer est souvent une étape indispensable pour renouer des relations maltraitées avec ses propres parents.

Tel ex-enfant, adulte de trente-huit ans, pourra dire à son père: «Ce n'est pas facile pour moi de t'adresser directement la parole pour te dire ce que je vis aujourd'hui. Le plus important pour moi, c'est que j'ose te le dire si tu peux accepter de m'écouter seulement, sans répondre, sans vouloir m'expliquer. Je viens comme cela m'appuyer sur toi et

ma demande est que tu acceptes cela sans me poser de questions ni me dire: "Je savais bien que cela allait arriver."

«Si tu savais combien je redoute cette phrase. Le plus
terrible, c'est quand tu sais pour moi; je me sens alors tellement démuni. Aujourd'hui, je te demande de ne pas
savoir à l'avance, mais plutôt de découvrir ce que je vais te
dire...»

Communiquer avec soi-même

Toute démarche de changement pour améliorer ma communication à autrui introduira aussi une interrogation sur ma relation à moi-même. Et dans ce questionnement, la première étape,
jamais terminée, consistera à reconnaître ce que j'éprouve, ce
que je ressens au moment où je le vis. Plaisir ou déplaisir, tristesse, colère ou joie, bonheur, amour ou désespoir. Tout cela
n'est pas aussi facile à identifier qu'on ne le pense puisque nous
avons appris à nier, à cacher, à censurer nos sentiments, nos
émotions. De plus, nos émotions se mélangent et s'entremêlent
à plaisir pour dérouter nos perceptions.

À mon déplaisir — lorsque j'accompagne un ami à cette réunion qui m'ennuie — va se mêler le plaisir de faire plaisir à
l'autre...

Ma tristesse va s'accompagner du doux bonheur de laisser
couler mes larmes et de m'abandonner.

Ma colère créera en moi cette forte et plaisante sensation
d'exister, de m'affirmer, de lutter.

Nous nous leurrons facilement sur nos sentiments réels. La
colère, par exemple, est d'abord un signal. Elle me dit qu'il y a
eu en moi une attente, puis une frustration ou une déception
liée à cette attente. Et au-delà de ma colère, c'est peut-être sur le
plan de cette attente que j'ai quelque chose à gérer.

«Est-ce que j'ai attendu l'impossible, l'irréalisable?»
«Est-ce que j'attends trop de l'autre, qu'il me comble,
qu'il m'apaise, me comprenne...?»

Renoncer à cette attente, à cet espoir impossible, m'éviterait
de souffrir d'un sentiment d'injustice et de privation. Je ne me
prive pas en renonçant puisque précisément la privation est liée
au non-renoncement. Je ne me prive que de la frustration.

Être le plus près possible de mes sentiments réels, être à l'écoute des émotions qui circulent en moi, cela va me demander beaucoup d'attention et de vigilance.

Cette vague culpabilité qui traîne en moi, alors que je pars pour un beau dimanche de ski, de quoi est-elle faite? Ah oui! Ma mère m'avait proposé de lui rendre visite ce dimanche-là. Je découvre que le plus souvent ma culpabilité ne découle pas tant de ce que j'ai fait que de ce que je n'ai pas fait, de ce que j'aurais dû faire, ou être, ou sentir ou dire...

«Je devrais être en train de travailler plutôt
que de perdre mon temps à skier...»

Et ces «J'aurais pu», «J'aurais dû» sont infinis, inépuisables.

Reconnaître mes sentiments réels, c'est retrouver un état de congruence qui va me confirmer ma fiabilité. C'est aussi me donner les moyens d'être plus cohérent dans mes conduites, dans mon positionnement vis-à-vis d'autrui.

Nous allons proposer, dans les chapitres à venir, quelques chemins, quelques jalons pour retrouver, réinventer une communication plus ouverte, plus vivante pour des relations saines.

> *En soulevant la pierre de la fureur vindicative, on trouve un manque,*
> *un chagrin, un amour blessé ou malmené, un sentiment d'échec,*
> *et bien d'autres pousses écrasées ou endormies dans l'ombre.*
> *On trouve aussi tout à côté les germes des fleurs futures,*
> *des soleils qui se font les dents pour préparer un demain proche.*

II

Les relations

> *Faire rire l'instant pour te rejoindre là où tu es.*

Au-delà de la communication, nous avons à nous interroger sur la relation, sur le fait d'être relié, rattaché à quelqu'un par un lien. Nous ne savons guère de quoi sont faits nos liens. Nous les confondons souvent avec la nature des sentiments éprouvés pour quelqu'un.

Cette confusion entre sentiments et relations est des plus fréquentes chez la plupart des personnes. Ainsi, il nous arrive fréquemment, dans les sessions de formation, de proposer une différenciation entre sentiments et relations; cela permet de reconnaître et d'accepter les sentiments éprouvés pour quelqu'un et de mieux cerner ce qui, dans une relation, est acceptable et ce qui ne l'est pas. Car trop souvent, c'est au nom (ou sous l'alibi) des sentiments que nous tolérons des relations insupportables, invivables ou aliénantes.

Le registre des sentiments est distinct de celui de la relation, malgré leur évidente corrélation.

> «Je peux ressentir beaucoup d'amour et de tendresse envers mon fils adolescent et entretenir avec lui une relation difficile, impossible et détestable.»

> «Je peux aimer tendrement mon conjoint et communiquer avec lui plus mal qu'avec quiconque.»

36

J'aurai ainsi à me positionner plus clairement sur ces deux registres.

«Mon amour pour toi reste entier, n'est pas remis en cause, mais la relation que je vis avec toi est trop souffrante ou insupportable pour moi, j'ai besoin de prendre de la distance...»

Nos sentiments, fondés sur des attirances et des rejets, des affinités et des incompatibilités, ne nous aident pas à trouver et à garder la bonne distance entre fusion et différenciation.

Les liens

Nous établissons des liens personnels pour ne pas trop flotter dans l'incertain de la vie et aux confins d'un univers incompréhensible. Nos liens s'articulent sur un monde intérieur de désirs, de manques, de peurs, de besoins et d'attentes. Tout cela apparait si labyrinthique qu'il semble habituellement impossible de comprendre vraiment les enjeux d'un lien. Nous voyons simplement qu'un lien est un organisme vivant qui naît, évolue et se dissout en gardant son mystère. Il peut être blessé, se porter bien ou mal, dépérir. Un lien qui semble mourir ne disparaît cependant pas totalement; il s'endort, se dépose et repose dans les mémoires ou les inconscients qu'il a marqués. C'est la trame du meilleur de l'autre en nous qui constituera autant de fondations et d'ancrages à l'aventure de la vie.

Le lien, organisme vivant, structure subtile qui nécessite quantité d'énergie et d'information, fonctionne comme un tiers entre deux ou plusieurs personnes. Chacun entretient et nourrit un aspect de la relation.

Ce lien se nomme: notre amour, notre amitié, notre relation, notre attachement, notre groupe...

Si nous prenons l'exemple de la vie conjugale, nous remarquons que toute l'histoire d'une relation de couple réside dans la difficulté de passer du **un** (union-fusion) au **deux** (différenciation dans le *nous*) puis au **trois** (elle + lui + relation qui relie).

Un *je* + un *je* ne font pas seulement *deux* mais aussi *trois* en devenant quelquefois un *nous*. Pas un *nous* au sens fusionnel du terme mais plutôt l'expression d'un ensemble différencié de chacun des *je* de la relation réunis par un lien.

Cet ensemble, qu'il soit fiction, métaphore ou substance vibratoire mystérieuse, fera l'objet d'une parole, comme un être en soi, un être objectivé.

«Notre amour a changé de nature.»

«Notre relation était faite pour résister pendant des siècles.»

«La qualité de notre relation aurait mérité des égards et des choix, mais tu l'as maltraitée en t'éparpillant.»

«Notre amour était unique; peu de femmes ont été aimées comme moi.»

La relation phagocyte parfois les individus. Nous avons vu des êtres totalement aliénés, non par l'autre, mais par la relation qui était l'objet de soins, de préoccupations, de rituels, de ménagements incroyablement complexes.

«L'union de la famille est plus importante que les intérêts individuels de chacun de ses membres. Les réunions de Noël pèsent à tout le monde mais, si elles ne sont pas maintenues, l'esprit de famille se perdra.»

Le fonctionnement du système semble là avoir priorité sur les besoins et les désirs des personnes.

«Il ne s'agit pas de chercher ce que tu veux et ce que je veux, il faut à tout prix réussir notre couple.»

Parfois c'est l'un des deux seulement qui nourrit de son énergie un lien qui n'est pas bidirectionnel, un *nous* usurpé.

Cette femme raconte l'incroyable dévouement, l'abnégation tout terrain qu'elle a développé envers son mari: «J'ai payé ses études, je l'ai aidé financièrement à s'installer, je n'ai jamais pris de vacances; j'ai servi d'intermédiaire entre sa mère et lui, et, aujourd'hui, il me quitte brusquement en me laissant dans le besoin. Je ferai tout pour sauver *notre* amour.»

«Notre amour» semble être une construction imaginaire de cette femme, un circuit intérieur qu'elle ne peut se résoudre à nommer «mon amour pour cet homme» et qui ne rencontre plus que la double culpabilité de son mari: celle de lui devoir tout et celle de l'abandonner.

À l'opposé, nous avons constaté que nombre de personnes accordaient peu d'importance à la relation. En particulier dans certains couples, le fait d'avoir concrétisé l'engagement par le mariage ou par une cohabitation leur semblait suffire à maintenir l'existence de la relation. Et dans ces derniers cas, ne faisant l'objet d'aucun entretien, d'aucune «alimentation», elle se dégradait, se dévitalisait. Il suffit parfois de regarder autour de nous pour constater que de certaines relations conjugales ou parentales ne restent que la forme, l'enveloppe ou l'apparence institutionnelle, le corps de la relation étant vide.

Que ce soit en thérapie ou en formation, nous avons été conduits à considérer la relation comme un tiers qui vit ses propres besoins, ses exigences, ses mouvements. Si une relation est importante pour moi, je me dois d'en prendre soin, de la respecter, de faire quelque chose pour elle (et non seulement pour moi ou pour l'autre).

Ainsi, chacun d'entre nous engagé dans une relation peut-il s'interroger sur sa capacité à prendre en charge la vitalisation de cette relation.

À ce propos, nous savons combien tout organisme vivant produit des déchets, sécrète des scories, des résidus. Si une relation est vivante, et justement parce qu'elle est vivante, elle va aussi produire des déchets, ce que nous appelons *la pollution relationnelle*. Si nous ne prenons pas en compte cette pollution (et les moyens de l'évacuer), elle encombrera la relation qui, semblable à un tuyau bouché, obturé par des sédiments, ne laissera plus rien passer, quelles que soient les intentions et la bonne volonté des protagonistes.

Nous voyons ainsi des êtres engagés, profondément attachés l'un à l'autre, qui sont incapables de rester reliés de façon «vivable» parce qu'ils ne peuvent plus «mettre en commun»; la «tuyauterie relationnelle», trop encombrée ou poreuse, ne laisse plus rien passer de l'un à l'autre.

> «Je l'aime, mais tant de ressentiment, de petits malentendus, d'humiliations fugaces et de non-dits m'empêchent de le recevoir en entier. J'ai pour lui une tendresse encombrée de colères rentrées.»

Rien n'est plus difficile que de trouver un accord sur la définition d'une relation proche, sur une description commune de ce tiers né de deux personnes, sécrété par elles, qui semble avoir une existence et une puissance propres, mais qui est inséparable de ses géniteurs.

D'autres relations semblent au contraire prendre toute la place, avoir presque une existence autonome, indépendante des protagonistes. Toute leur activité se réduit à «alimenter» la relation comme un objet mythique.

Qu'est ce qui fait que je vais me lier, m'attacher, me perdre parfois, m'engager follement ou me désengager d'une relation qui, quelque temps auparavant, m'apparaissait vitale, essentielle?

En recherchant les termes communs à toute relation, nous découvrons une combinaison très complexe de quatre positions qui paraissent simples, celles qui consistent à:

- donner;
- recevoir;
- demander;
- refuser.

Les interactions multiples de ces éléments se développent en système relationnel plus ou moins stable entre deux êtres, à l'intérieur d'une famille et dans les relations sociales. Nous retrouvons en effet ces quatre termes dans toute relation, des plus intimes aux plus durables; des plus fonctionnelles (professionnelles, sociales) aux plus éphémères. Pour clarifier un peu comment je me situe dans telle ou telle relation, je peux m'interroger sur mes ressources et mes défaillances dans chacune de ces quatre positions relationnelles.

Donner

> *Je crois que donner de l'amour, c'est essentiellement une qualité d'attention portée à l'autre et à soi-même.*

Il y a peu de mots aussi équivoques, aussi piégés que celui-ci: *donner*. Il ne prend un sens que par son complément: je donne quoi? Car je peux donner aussi bien des coups de pied que de la sollicitude, des soucis, des ordres ou de l'écoute... Je peux donner (ou tenter de refiler) à l'autre ma propre négativité, mes angoisses, mes peurs, tout le «pas bon» que je ressens et dont j'essaie parfois de me décharger... sur l'autre. Nous pensons ici à certains coups de téléphone qui n'ont d'autre fonction que de nous transformer... en décharge publique, en dépotoir privé.

> *Si je suis lucide et vigilant, je débusquerai sous mes bonnes intentions ce qui, dans mes dons, relève de la demande ou du refus.*

Donner ce que je voudrais recevoir

Je fais à l'autre ce que je voudrais qu'il me fasse. Je pars de l'idée que l'autre a les mêmes désirs, les mêmes besoins, les mêmes goûts que moi. Le piège le plus évident dans toute relation réside dans cette tentation de nier les différences.

«J'ai eu une mère qui me semblait indifférente, lointaine; elle ne s'enquérait jamais de ce que je faisais ou vivais. Maintenant j'aime beaucoup qu'on me questionne, qu'on me manifeste ainsi de l'intérêt, d'autant plus que j'ai de la peine à m'exprimer spontanément. J'aime être accueillie par un "Comment a été ta journée?" ou "Qu'as-tu fait cet après-midi?"

«Sachant combien c'est bon d'être ainsi reçue, je questionne mon mari quand il rentre, je lui demande de me raconter ce qu'il vit. Mais lui ne me pose jamais de questions, il me semble indifférent à moi, comme ma mère.»

De son côté ce mari dira: «Ma mère était intrusive, elle me questionnait sans cesse, il me semblait toujours devoir rendre des comptes. Maintenant je n'aime pas les questions, je les trouve indiscrètes et dérangeantes, aussi je n'en pose jamais à ma femme pour ne pas avoir l'air de contrôler sa liberté. Je voudrais bien qu'elle fasse avec moi comme je fais avec elle.»

Chacun s'est arrangé ainsi pour retrouver auprès de son conjoint le climat de son enfance, chacun s'en plaint, chacun, de bonne foi, offre à l'autre ce qu'il sait souhaiter... lui-même.

Prenons le temps d'insister sur la *bonne foi*. Oui, nous voyons fréquemment des hommes et des femmes qui, à l'intérieur d'une relation amoureuse, s'injectent, de «bonne foi», sans aucune malignité ou intention agressive, des dons pernicieux. La même chose s'observe dans les relations parentales, fraternelles. Les bonnes intentions ne pêchent que par la surdité et l'aveuglement entretenus à la fois par celui qui n'écoute pas et par celui qui ne s'exprime pas clairement.

«J'ai dit peut-être cent fois à ma sœur que je déteste les gâteaux mous comme le baba au rhum et à chacune de ses visites que m'apporte-t-elle? Des babas au rhum… en me disant qu'elle a pris la précaution de les goûter dans la nouvelle pâtisserie qu'elle a découverte.»

Cet homme nous disait sa culpabilité, non dite à sa partenaire, d'avoir moins de désirs pour elle depuis quelque temps. Et ce soir-là, il pose sa main sur le sexe de son amie: «Je voulais lui donner du plaisir.» Celle-ci le repousse et éclate en longs sanglots silencieux. Ce n'est que le lendemain qu'elle lui dira: «Tu ne comprends rien, tu crois que c'est de plaisir sexuel dont j'ai envie, et moi je voulais te parler, que tu me parles aussi; il y a trop de silence entre nous pour que j'aie du désir.»

Les dons-demandes

Beaucoup de dons sont des demandes. Les parents qui «s'occupent» de leurs enfants leur font un nombre inouï de demandes.

«Mets ton bonnet, ne te ronge pas les ongles, fais tes devoirs avant de jouer, embrasse-moi, écoute-moi quand je te parle, prête tes jouets à ton frère, etc.» Que leur donnent-ils?

Nous risquons de choquer ou de blesser beaucoup de parents en affirmant cela. Les enfants d'aujourd'hui ne reçoivent pas beaucoup car ils sont l'objet d'innombrables demandes. Les marques d'attention et les interventions parentales directes sont souvent des demandes. Les enfants sont investis de beaucoup d'attentes auxquelles ils ne peuvent pas toujours répondre. Ainsi se créent des malentendus dans le cercle sans fin «attente-demande-frustration». Les parents sont persuadés qu'ils donnent leur temps, leur attention, leur sollicitude et l'enfant reçoit cela comme de nouvelles… demandes.

Dans les couples également, bien des femmes témoignent qu'elles reçoivent les caresses ou la tendresse de leur partenaire comme des demandes sexuelles. Certaines ajoutent: «Je n'ai pas le temps de lui donner… il a déjà pris.»

La demande d'approbation ou de valorisation sous-tend la plupart de nos dons. J'ai besoin de me sentir une bonne mère, un bon mari, une marraine attentionnée, un ami généreux, et pour trouver une confirmation de cette image de moi, je fais des cadeaux, je donne à manger, je prête de l'argent, je pense aux autres, je tente de me valoriser par le don de ce que j'ai, de ce que je suis. Il arrive parfois à certains enfants de voler pour avoir le plaisir de donner... et celui d'être reconnus.

> *Tout se passe comme si ce que l'autre nous donne*
> *était moins important que ce qu'il ne nous donne pas.*
> *Nous privilégions le manque et non le recevoir.*

Les dons-redevances

Je déteste me sentir en dette, je vais donc rendre ce qui m'est offert: une invitation, un cadeau («Il a pensé à mon anniversaire, il faut que je pense au sien»), un compliment.

Rendre fait partie de la difficulté à recevoir; ce peut être une façon de refuser. Ainsi les enfants rendent parfois la nourriture que leur mère leur a donnée ou imposée. Ainsi peut être rendu le plaisir reçu en imposant à l'autre d'avoir du plaisir!

Donner, cela peut aussi mener à mettre l'autre en dette, à l'attacher, à le garder en dépendance.

«Lorsque ma fille a voulu devenir indépendante, raconte ce père, je l'ai beaucoup aidée. Je lui ai acheté des meubles, j'ai trouvé un appartement pour elle, je lui ai offert une voiture.»

«Quand il m'a quittée pour vivre avec une autre, il m'a tout laissé: maison, meubles, livres, disques. Ce n'est que des années plus tard que j'ai compris combien tout cela m'avait maintenue dans la dépendance. Je n'étais pas chez moi, j'étais chez lui. Un jour, j'ai tout vendu et c'est ce jour-là que je me suis vraiment séparée de lui, de son ombre, de sa présence.»

C'est le don-privation qui induit le plus l'endettement de l'autre.

«Tout ce que j'ai sacrifié pour mes enfants.»

«Tout ce à quoi j'ai renoncé pour t'épouser.»

«J'ai vendu mon bateau et je t'ai acheté cette maison que tu désirais tant, et aujourd'hui tu veux que nous changions de région pour nous rapprocher de ta mère parce qu'elle est seule...»

Les dons-offrandes

Qui n'a dit ou entendu dans les cours de récréation de son enfance:

«Donner, c'est donner; reprendre, c'est voler.»

«Je lui ai offert un disque de Mozart et, deux semaines plus tard, je lui ai demandé si elle avait écouté mon disque... Mon disque!»

Lorsque je donne vraiment quelque chose, j'oublie complètement ce don, je ne le note dans aucune comptabilité secrète. Un présent, comme son nom l'indique, ne s'inscrit que dans l'instant, il est sans attente, sans calcul d'aucune sorte, il est spontané, ce qui signifie qu'il émane de mon être, qu'il soit reçu ou pas. Comme la fleur donne son parfum ou le soleil sa chaleur dans l'offrande la plus totale, qui ne les prive de rien.

Un don réel serait une offrande dénuée d'exigence.

Un don assorti de conditions est un marché, un troc relationnel. Chacun d'entre nous aspire aux cadeaux de l'imprévu et ce que nous recevons au plus profond, ce sont les rires de plaisir de celui qui offre et qui se donne dans son offrande.

Recevoir

Dans une relation de longue ou de courte durée, nombreux sont les registres dans lesquels nous avons peine à recevoir. Tout se passe comme si nous opposions à certaines propositions, à certains élans, un refus, une fermeture, une réticence ou un détournement d'intention. Nous réagissons comme des infirmes du recevoir.

Cela peut concerner des domaines aussi différents que des gratifications, des remises en cause, des marques d'intérêt ou encore des cadeaux ou des déclarations d'amour.

Recevoir des gratifications

Compliments, éloges, marques d'amour ou d'admiration pourraient confirmer notre besoin de reconnaissance. Or, souvent dans un échange, notre premier mouvement consistera à les rejeter ou à les minimiser.

«Tu as une jolie robe.
— Oh, c'est la troisième fois que je la porte!»

Le complimenteur se trouve rejeté, voire accusé (de ne pas l'avoir remarquée plus tôt).

«J'ai beaucoup apprécié ton exposé ce matin.
— Je n'ai pas assez développé le troisième point.»

Comment comprendre ce mécanisme? Nous dévalorisons à la fois nous-mêmes et l'élan de notre interlocuteur. Le cadeau mal reçu blesse le donneur. Il le renvoie à sa propre insuffisance, à sa propre impuissance ou à sa solitude.

Le regard que nous portons sur nous-mêmes est-il si sévère, si exigeant qu'au nom de la perfection ou d'un idéal absolu nous ne puissions accepter la reconnaissance de ce qui est?

«Je trouve que tu as des yeux magnifiques aujourd'hui.
— Et pas les autres jours?»

«J'aime ce corsage, il te va particulièrement bien.
— Oh, tu sais, je l'ai acheté en solde.»

Notre narcissisme, en quête de l'amour total venant aussi bien de nous-mêmes que de l'autre, rejette-t-il les oboles partielles? La fausse modestie serait alors le signe d'un inaccessible idéal du moi.

Recevoir des refus ou des remises en cause

Ceux-ci paraissent tout aussi difficiles à recevoir que l'approbation. Ils pourraient pourtant nous éveiller, nous stimuler, nous ouvrir à des découvertes.

«Il me semble que notre fils n'a pas bien compris ta position lorsque tu parlais de ses sorties, ce n'est pas clair à mon avis...
— Je sais ce que j'ai à dire à mon fils, ne t'en mêle pas!»

Le plus beau des cadeaux que puisse nous faire autrui est parfois justement cette remise en cause de nous-mêmes, de nos comportements, de notre façon d'être. «Le véritable ami est celui qui vous dit que votre haleine est un peu forte... Les autres vous laissent sentir mauvais...» Ce reflet de nous-mêmes dans le regard de l'autre peut nous interpeller, semer des germes, favoriser un mouvement de changement.

> *C'est par ton regard que je peux exister plus*
> *et m'agrandir vers d'autres possibles.*

Nous pourrions nous sentir gagnants plutôt que perdants lorsque quelqu'un se donne la peine de nous interpeller, nous offre une critique, un point de vue différent, suscite une réflexion: «Je ne partage pas ton point de vue sur...», «Ma position est différente...».

Recevoir des idées nouvelles et des propositions inattendues

Notre première réaction est souvent défensive, nous nous accrochons à l'acquis, au connu et nous mobilisons nos forces de résistance. Recevoir du nouveau, c'est risquer d'être modifié, risquer une transformation, même minime, et il y a en l'homme une grande peur de la transformation. S'ouvrir à l'influence de l'autre met en danger notre individualité fixée, nos références connues, parfois nos priorités.

Recevoir des marques d'intérêt

«Tu as changé de coiffure?»

«Comment va ta fille?»

«Tu as l'air fatigué...»

Là, ce sera notre besoin de distance, de quant-à-soi, de territoire réservé que nous allons peut-être sentir menacé. La grande peur de l'intrusion nous fera détourner le regard ou répondre évasivement pour interrompre l'échange, refuser l'invitation.

De nombreuses personnes n'acceptent pas de recevoir. Elles préfèrent donner et donner encore. Cela leur apparaît plus facile.

> *Je le maintiens à distance de
> mes propres demandes... en donnant.*

Le recevoir peut se vivre avec la peur d'être en dépendance par la dette.

«Si l'autre en fait trop (pour moi), je le lui dois...»

Le recevoir restimule la culpabilité de «ne pas mériter».

«Chaque fois qu'il m'offre quelque chose, j'ai le sentiment qu'il se trompe, qu'il n'a pas bien vu qui je suis, que je ne mérite pas autant d'attention. Et ma gêne est si grande que je ne sais même pas lui exprimer de la gratitude. De la gratitude, je ne peux d'ailleurs pas en avoir tant ses cadeaux me mettent mal à l'aise.»

Recevoir des objets

Ils vont susciter aussi des craintes. Je serai redevable, je devrai rendre. Or, rendre, c'est précisément ne pas recevoir.

«Je suis invité par les X... Il faudra que je leur rende leur invitation!»

Tout don d'objet peut représenter une certaine intrusion. Une partie de l'autre va entrer dans mon intimité et, qui sait, perturber mes images familières...

«Il m'a donné cette statuette, elle est là, sur ma bibliothèque. Il a installé quelque chose de lui chez moi.»

«Elle m'a donné ce livre, il va falloir que je le lise, mais ce n'est pas le sujet qui m'intéresse en ce moment.»

«Par cette cravate qu'elle a choisie, elle a prise sur mon *look*, je porte un peu d'elle sur moi...»

> *Recevoir est à double tranchant. C'est une ouverture féconde
> et c'est un risque d'intrusion, de pénétration dans notre univers.
> Recevoir, c'est prendre le risque d'être influencé, donc de changer.*

Recevoir, c'est s'ouvrir, c'est s'abandonner, c'est accueillir, garder. C'est lâcher une crispation inquiète qui tente de maintenir le contrôle, de protéger l'intégrité sous divers prétextes.

«Je ne mérite pas...»

«Je veux le faire moi-même.»

«Je ne veux rien devoir à personne.»

Recevoir est un équilibre délicat à trouver entre se laisser envahir et se fermer, entre porosité et imperméabilité. Plus une personne sera différenciée et bien centrée, plus elle sera apte à recevoir sans s'aliéner.

Recevoir sans contrainte

Le ressentiment est l'ennemi impitoyable du recevoir.

«J'ai accumulé trop de déceptions pour pouvoir recevoir ce qu'il m'offre maintenant.»

Combien de caresses, d'attentions, d'amour se perdent ainsi, de ne pouvoir être reçus.

> *C'est la concordance des désirs qui permet*
> *de recevoir vraiment ce qui est offert.*

«Tu me proposes d'aller au cinéma et c'est justement ce film que je souhaite voir ce soir et avec toi. Et si mon désir n'était pas préexistant à ton offre, elle l'a réveillé, révélé ou créé.»

Nous pouvons recevoir deux sortes de dons:

- Ceux qui répondent à un désir ressenti et le comblent: ce petit garçon désirait une voiture télécommandée et il l'a reçue.
- Ceux qui éveillent un désir, un potentiel ou un intérêt insoupçonné: «Je n'avais jamais pensé que les croyances des Amérindiens me passionneraient avant que tu ne m'entraînes à cette conférence.»

Ainsi nous ne pouvons recevoir que ce qui correspond à notre désir conscient ou inconscient, à un besoin plus ou moins enfoui. Lorsque cet accord existe, recevoir et donner se confondent.

> *Un don pleinement reçu comble le donneur aussi.*

Il y a dans le recevoir la possibilité d'agrandir, d'amplifier ce qui est reçu. N'avez-vous jamais ressenti cela en écoutant un air d'opéra? La voix qui se cherche, s'élance, monte vers vous, est unique, et tout votre corps, votre sensibilité, votre étonnement l'amplifient, prolongent les vibrations dans toutes les ouvertures de votre mémoire.

> *L'émotion de certaines rencontres, la force de certains échanges s'enracinent pour germer longtemps, longtemps dans le recevoir.*

Demander

Chacun d'entre nous est porteur d'un nombre incalculable de demandes. Demandes pour soi, pour l'autre, en chaînes ou concurrentes. Demandes exprimées ou non, claires ou confuses, demandes multiples qui réclament écoute, attention et parfois satisfaction.

Demander c'est courir un double risque:

- celui de rencontrer un refus;
- celui d'être comblé.

Nous évoquerons dans le chapitre suivant les diverses formes que peuvent prendre nos demandes, entre peurs, désirs, besoins et manques.

Bien souvent, dans une relation, nous ne savons pas ce que nous sommes en train de faire: donner, demander, répondre à une demande ou recevoir. Le jeu des interinfluences nous échappe. Nous ne savons pas non plus comment l'autre considère l'échange. Tous les quiproquos sont possibles.

«Je parle de mon vécu. Je le partage, je me livre, j'ai l'impression de me donner. Celui qui m'écoute s'ennuie un peu et il pense donner en m'accordant son attention.»

Il veut faire plaisir à sa mère et lui propose de l'emmener voir une exposition. Elle n'en a pas envie, mais elle a entendu une demande et elle n'ose pas refuser... pour lui faire plaisir.

«Cette caresse est-elle un don que je reçois, heureuse et détendue, ou y verrai-je une demande?»

L'acquiescement éclaire le visage,
le refus lui donne la beauté.

René Char

Les demandes les plus redoutables pour celui qui les reçoit sont celles qui portent une culpabilisation directe ou indirecte. Elles sont fréquentes dans certains systèmes parentaux.

«Ton frère m'a dit qu'il me prendrait avec lui pour les vacances de Noël, mais je ne sais que faire cet été... c'est dur de rester seule quand tout le monde est parti!»

Aucune parole ni aucun acte ne peuvent être considérés comme relevant en soi de l'ordre du don ou de celui de la demande. Cela dépend du contexte, de la relation dans laquelle l'acte s'inscrit, de la conjoncture du moment, cela dépend surtout des manques, des désirs, des besoins et des non-désirs de chacun.

- Si un jeune homme amoureux d'une jeune fille qui ne partage pas ses sentiments lui offre un voyage en Italie, cette offre aura la couleur d'une demande. Si elle l'accepte, s'agira-t-il d'un cadeau reçu ou donné?

- Quand cet homme de cinquante ans, cadre supérieur, «reçoit» un billet de cent francs sur le pas de la porte avec l'au revoir de sa mère, soucieuse «qu'il ne manque de rien» sur son chemin de retour, c'est bien lui qui fait un merveilleux cadeau en acceptant de recevoir ce geste d'amour.

Toute demande se frayera un chemin plus praticable dans le jeu relationnel lorsqu'elle se transformera en proposition aussi concrète que possible.

«J'ai envie de te parler de ma collaboration avec toi et je te propose de manger avec moi mercredi à midi.»

La proposition:

- évite le piège du prendre («Je prends ton écoute en jetant ma parole sur toi n'importe quand»);

- contourne le risque de l'impérativité («Il faut que je te parle, viens!»);
- protège du reproche-plainte («Tu n'as jamais le temps de m'écouter»);
- tient à distance de la dépendance («Dis-moi comment je pourrai me faire entendre de toi»).

Celui qui reçoit une proposition est mis en position d'accepter... ou de refuser.

Il y a trop souvent des demandes-exigences qui ne laissent pas le choix de la réponse et déclenchent un malaise chez celui qui les reçoit.

Demander pourrait se faire dans une sorte de liberté fluide, relevant de l'invitation, de la proposition du possible.

> *Oser demander en laissant à l'autre*
> *la responsabilité de son refus ou de son acceptation.*

Refuser

Plus il m'est douloureux de recevoir un refus, plus il me sera difficile de refuser clairement une demande ou une proposition. Beaucoup de croyances irrationnelles gravitent autour de l'acte de refuser. Cela va détruire l'autre, détériorer la relation, provoquer une agression ou un rejet massif... Les refus clairs pourraient pourtant représenter dans toute relation des balises indispensables. Car, faute de balises, on risque de mettre des barrières, des murs faits de refus silencieux et de peurs secrètes.

J'en viendrai ainsi à éviter certaines personnes de peur qu'elles ne me fassent des demandes, de peur de me sentir obligé de faire ce que je n'ai pas envie de faire. Un grand refus indirect et voilé remplacera le refus localisé et précis que je n'ai pas su manifester.

Il y a trois ordres de refus:

- Celui des actes que l'on me demande d'accomplir.
- Celui des sentiments que les messages et les conduites des autres sont censés provoquer en moi.
- Celui que je m'impose par anticipation des conséquences. Il peut rejoindre la répression et les systèmes d'autopri-

vation dans lesquels je m'enferme ou, au contraire, il peut manifester mon choix.

Que d'actes effectués à contrecœur, en traînant les pieds, voire en sabotant le travail, faute d'avoir su soit refuser, soit énoncer la contrariété.

«Cela t'ennuierait-il de me conduire à la gare?
— Non...» et je soupire en posant mon livre.
J'aurais été plus à l'aise si j'avais répondu: «Oui, cela m'ennuie, je viens de m'installer pour lire, mais je vais te conduire pour te faire plaisir.»

Le refus est encore plus difficile à énoncer lorsque l'autre jette sur moi ses sentiments de colère, de désespoir ou d'impuissance et tente de m'en rendre responsable.

«Tu n'as rien fait pour m'aider.»

«Tu n'as pas compris...»

«Tu n'étais pas là, alors...»

«Ta sœur est passée me voir dimanche dernier. Ça fait bien trois semaines que tu n'es pas venu me voir.»

Je risque alors de me laisser gagner par un sentiment de culpabilité ou d'insuffisance, au lieu de rendre à l'autre ce qui lui appartient, sa colère, son échec, sa passivité. Il faudra souvent beaucoup de temps, de clarifications personnelles et de courage pour accéder à des réponses claires, blessantes peut-être, mais certainement structurantes.

«Je ne me sens pas responsable de ta souffrance.»

«Je vois bien ta colère, mais je ne me sens pas coupable de ne pas avoir pour toi les sentiments que tu espères.»

«Je comprends que tu sois déçu dans tes attentes, mais ce sont mes limites.»

«Ta menace de suicide, je te la rends, je ne peux rien en faire.»

Ainsi, il sera possible de renvoyer, de redonner à l'autre des messages qui ne nous appartiennent pas.

«Il m'arrive de retourner à son expéditeur une lettre, une partie de lettre dans laquelle je sens massivement les projections de l'autre, et dans laquelle son discours m'enferme et me pollue.

«J'ai découvert que je peux ne pas garder ce qui n'est pas bon pour moi, qu'il n'est pas nécessaire de me faire souffrir en conservant les pensées négatives ou les sentiments violents de l'autre.

«Depuis quelques années, je peux également renvoyer des appels téléphoniques dont la visée manifeste était de me culpabiliser ou de me dévaloriser.»

«J'ai appris à dire oui en osant dire non. J'ai mis trop longtemps à découvrir le non.»

Dire non, c'était mauvais, méchant, non aimable, non susceptible d'être aimé...

Et puis je voulais à tout prix faire plaisir à l'autre, le combler, lui montrer qu'il comptait beaucoup pour moi.

> *Par les refus, par le non, j'ouvre la porte à la différenciation*
> *et je me définis ainsi comme unique et responsable.*

«Moi seul sais ce que j'éprouve.»

«Non, je n'ai pas aimé ce film, j'ai trouvé quelques scènes très belles, mais l'ensemble m'a paru confus et trop mélodramatique.»

«Non, je n'ai pas les mêmes sentiments que toi pour ta mère; moi, je l'apprécie pour sa rigueur; c'est net, sans confusion possible. Sa position dans la vie me convient bien... mais j'entends que pour toi il en est autrement.»

Il n'est pas aisé de distinguer dans nos conduites le refus d'opposition du refus d'affirmation. Il est préférable que mon refus dépasse le réactionnel pour s'inscrire dans le relationnel d'un échange.

> *Quand je dis non à quelqu'un, je me dis oui à moi-même.*

Vers un équilibre possible

Une relation me paraît équilibrée, saine, quand ces quatre pôles sont présents pour chacun, quand chacun accepte de *demander*, de *refuser*, de *recevoir* et de *donner*.

La plupart des relations de couple ou des relations parentales sont faites à quatre-vingts pour cent ou plus de demandes
réciproques. Nous sommes persuadés que nous donnons, alors
que nous demandons.

L'équilibre est lié à l'alternance, à la souplesse qui permet de
passer d'une position à l'autre.

> *Créer sa vie du meilleur endroit de soi-même,*
> *communiquer et se communiquer par une qualité*
> *de présence à l'autre et au monde...*

III

Les désirs, les demandes, les besoins et les manques

Nous nous présentons dans toute relation avec un ensemble de désirs, de peurs et de besoins sur un fond de manque. Mais nous apportons aussi des ressources, de l'intuition, des intérêts et des élans. Et parfois une capacité étonnante à créer l'imprévu, à surprendre la réalité, à introduire les rêves dans le réel.

> *C'est notre pouvoir fabuleux, homme ou femme,*
> *de transformer la vie en existence et de la prolonger*
> *jusqu'aux confins de l'univers, en prenant part aux réseaux*
> *de communication qui nous habitent ou nous traversent.*

Il va falloir gérer tout cela, mais de préférence sans y penser, y réfléchir ou l'analyser, sans savoir que nous le gérons. En ouvrant les portes et les registres de la communication intime, tant avec autrui qu'avec nous-mêmes.

Hélas! le mythe de la spontanéité dans les relations nous conduit trop souvent à une sorte d'aveuglement qui déclenchera malaise et souffrance.

Nous proposons quelques jalons qui nous permettraient d'exister plus librement, entre aveuglement et lucidité analytique, avec une vigilance qui nous tienne non pas en alerte mais en mouvement.

La vie, c'est le mouvement entre le vol de l'aigle aux confins des nues et le pas menu d'une vieille dame traversant la rue en dehors des passages cloutés, entre les premiers pas d'un bébé vers des bras tendus et un poing levé, un jour d'élection.

Les désirs

Nous avons tendance à toujours confondre désir et réalisation du désir. Cela nous empêche de reconnaître et de gérer nos propres désirs, et cela nous rend intolérants à ceux des autres.

Une mère parle de son fils de neuf ans: «Mais enfin je ne comprends pas, David continue à parler d'une maison où nous habiterions tous les trois ensemble, alors que son père et moi sommes divorcés depuis cinq ans. N'a-t-il pas compris que nous sommes séparés?»

David a certainement compris, surtout si cela lui a été signifié clairement, mais le désir de réunir ses parents subsiste, le désir demeure, indépendamment de la réalité.

«Quand je serai grand, c'est moi qui me marierai avec maman...»

> *Que devient le désir non réalisé? Il poursuit son chemin*
> *hors des réponses, hors des contraintes et s'élève parfois*
> *jusqu'à devenir pur esprit. Et le désir non entendu alors?*
> *Celui-là ne meurt jamais, il s'évade de tous les pièges,*
> *contourne tous les obstacles, s'immisce dans les moindres pensées.*
> *Il poursuit sa vie de désir en devenant création ou folie.*

Tout désir a droit à son existence de désir, indépendamment de sa concrétisation impossible. Mais bien souvent les parents vont tenter d'anéantir chez leurs enfants les désirs qu'ils ne peuvent satisfaire.

«Je ne suporte pas d'entendre mes fils dire qu'ils aimeraient vivre dans une maison à nous, puisque je n'ai pas de quoi en acheter une. Je leur ai dit de cesser d'y penser.»

Le père aurait pu proposer à ses enfants de décrire, dessiner, raconter leur maison imaginaire et les rejoindre ainsi dans l'évocation d'une envie irréalisable.

Mais les désirs des enfants blessent les parents; ils ont peur de se sentir insatisfaisants, ils préfèrent tenter de supprimer le désir plutôt que de le frustrer ou même simplement de l'entendre et de le reconnaître.

«Ma fille a toujours des désirs impossibles qui me choquent car je ne peux les satisfaire. J'ai envie de l'étrangler quand j'entends l'une ou l'autre de ses folies...»

Reliquat de la toute-puissance infantile et aussi assurance de notre pouvoir. Satisfaire, c'est aussi contrôler. Et quand cette possibilité de contrôle échappe, je peux devenir tyrannique, violent.

«Je veux être celui qui comble les désirs de l'autre, je ne l'autorise donc pas à exprimer des désirs que je ne peux réaliser, je ne l'autorise même pas à ressentir ces désirs.»

«Tu ne dois ressentir que les désirs que je peux satisfaire, c'est-à-dire contrôler.»

Le désir insatisfait se vivra plus paisiblement, de façon moins folle, s'il est reconnu. La frustration, bien sûr, ne sera pas supprimée pour autant mais le dialogue sera plus réel.

Un désir exprimé n'est pas une demande, c'est un désir qui cherche à être reconnu comme désir du moment présent, sans être coincé à tout coup dans une réalisation.

«Quand je serai grande je veux être clown» s'exclame une petite fille toute heureuse des grimaces qu'elle vient de découvrir. Et son père, très soucieux de ne pas brimer sa fille comme il l'a été lui-même dans son enfance, enchaîne tout de suite avec sérieux: «Oui, je connais une école de clowns, je vais me renseigner pour savoir à quel âge on peut y entrer, et comment il faut s'y préparer.»

La fillette s'assombrit un peu, cesse ses pirouettes: sera-t-elle obligée d'être clown?

«Zut, alors! Il a pris mon désir pour une demande...»

Avec quelle volonté nous, les parents, les adultes, nous nous emparons de certains désirs énoncés pour en faire des demandes à travers des réponses qui ne rejoignent pas l'enfant.

Une autre petite fille, éblouie à douze ans par les envolées de manches de son père, pasteur prêchant en chaire, s'était écriée dans un élan admiratif: «Moi aussi je veux être pasteur!»

Elle s'était vue immédiatement inscrite au cours de latin et, bien des années plus tard, eut beaucoup de peine à se dépêtrer de sa «vocation».

Désir: nous utilisons le même mot pour nommer deux mouvements différents dans la relation à l'autre:

• *J'ai un désir* vers *l'autre*, c'est un élan en moi, une reconnaissance, une émotion réveillée par lui, un mouvement intérieur qui, parfois, prend forme dans un «Je t'aime». L'amour est affaire de reddition plutôt que de conquête, d'abandon plutôt que de calcul et de manipulation.

C'est comme cela que je comprends l'échec de Solal[1], qui s'acharne à faire sans cesse la preuve de son amour pour le «désennuyer du quotidien», et qui le perd, le tue à force de le susciter sans trêve chez Ariane, chez Aude, chez Diane.

• *J'ai un désir* sur *l'autre*, je voudrais qu'il me donne quelque chose — attention, soins ou considération —, et ce mouvement en moi devrait s'énoncer en «Aime-moi», mais souvent il s'exprimera aussi par un «Je t'aime». Le désir porte alors sur le désir de l'autre.

«J'avais envie de poser ma main sur la sienne, mais je ne l'ai pas fait parce que je n'étais pas sûre qu'il en avait envie.»

Cette confusion fréquente entre *désir vers* et *désir sur* débouche souvent sur le terrorisme relationnel, dont nous développons quelques aspects au chapitre IX.

Celui qui répond «Moi aussi» au «Je t'aime» de l'autre court-circuite de façon dramatique l'élan qui lui est offert. Il n'accueille pas l'émotion de l'autre, mais d'une certaine façon il la lui rend, il l'annule pour faire place à la sienne. Ou peut-être a-t-il bien entendu que ce «Je t'aime» signifiait «Aime-moi» et répond-il ainsi à la demande implicite. Peut-être entend-il au contraire la question «Et toi, m'aimes-tu?» qui succède à son «Je t'aime» comme l'énoncé d'une peur, comme la violence d'une exigence: «Rends-moi aussi cet amour que je te donne!»

Les enfants sont très souvent invités à satisfaire les désirs de leurs parents plutôt qu'à écouter les leurs et à les respecter, puis éventuellement à poser des jalons en vue de leur réalisation.

Nous ne suivrons pas les conclusions de quelques sociologues qui pensent que les générations des trois ou quatre dernières décennies ont été gâtées, comblées ou repues par l'abondance de soins ou d'avantages matériels. Nous pensons au contraire que souvent l'enfance est un chemin de frustra-

---

(1). Albert Cohen , *Belle du Seigneur*, Éd. Gallimard.

tions, une école d'*incommunications* denses, fermées, un déroutage permanent des potentialités en éveil.

Rares sont les circuits familiaux ou éducationnels qui invitent à une véritable éclosion des ressources et des possibles. Il n'y a pas que des Mozart assassinés, mais des Jules Verne, des Thomas Edison, des Henri Laborit ou des personnes comme mon ami d'enfance Albert Granger, par millions.

Et les survivants, que deviennent-ils, perdus dans les remous des jours?

Où es-tu, ami chinois que j'ai vu sur la place Tian'anmen, les bras écartés, arrêtant dix-sept chars? J'ai le désir de te rencontrer.

Et vous, dont j'ai eu le désir aigu, femme limpide dans la blancheur de votre robe, poursuivie tout un jour et perdue dans ce musée de Florence.

> *Oui, ne jamais oublier ses désirs,*
> *les respecter comme des amis chers et précieux.*

Chaque désir, petit ou grand, réaliste ou pas, mérite d'être considéré, il mérite que nous nous posions à son sujet cette question:

- «Qu'est-ce que je fais pour mon désir?»

Parfois, je vais jouer avec lui, le regarder, le satisfaire de façon imaginaire ou symbolique. Ou alors je tenterai de le comprendre mieux, d'écouter son message:

- Qu'y a-t-il donc là d'important pour moi?
- Qu'est-ce qui serait atteint en moi si je n'avais pas la réponse espérée?
- Que me dit par ailleurs ce petit désir insolite et incongru?
- Quelle porte m'ouvre-t-il?
- Quel chemin tente-t-il de me montrer?

Nous sommes aussi traversés par des désirs étranges, ardus à comprendre:

- Désir de souffrir, d'être malade.
- Désir de faire souffrir ceux que nous prétendons aimer, de les dénigrer, de les voir mourir même.

Dans certains cas, je m'engagerai dans une action qui sera un pas vers la réalisation de mon désir.

À ce garçon de dix ans qui désirait un cheval, son père a répondu: «Qu'es-tu prêt à faire pour ton désir?»

Et quelques mois plus tard, le garçon déposait sur le bureau du père une paire de gants, une casquette et une cravache. Premiers éléments de sa vision de cavalier dans lesquels il avait investi toutes ses économies.

C'est une démarche puissante que celle qui consiste à demander: «Qu'es-tu prêt à faire pour ton désir?»

Si je suis une jeune fille qui désire par-dessus tout rencontrer un compagnon intéressant et cultivé, je prendrai soin de mon désir en me cultivant moi-même. Et si je veux à tout prix rencontrer la femme de ma vie, il vaut mieux que j'entre déjà dans la vie...

Quel que soit son but et son objet, mon désir s'apaisera et se renforcera au moindre geste concret que je ferai pour lui. Parfois je lui donne ainsi quelque chose pour qu'il réclame moins, comme j'enverrais un acompte à un créancier pour qu'il ne m'importune plus... pendant un certain temps.

Il n'y a qu'un désir central, dans le cœur humain, un seul, celui d'être heureux, et il peut prendre des milliers de formes. Il peut traverser tous les labyrinthes de l'apparence et se trouver dans bien des erreurs, ou se perdre dans trop de tâtonnements.

Jeu de tensions, le désir pousse à l'action qui l'anéantira en le satisfaisant. Cela montre que, profondément, nous recherchons l'absence de tension, confondue avec l'absence de désir, mais un désir comblé en entraîne un autre dans une réaction en chaîne sans fin. Certains inventent des médiations symboliques pour aménager leur relation avec d'irréalisables désirs, les leurs ou ceux de leurs proches.

> *La parole, l'art, les symboles et les jeux sont nés de désirs insatisfaits.*

Une mère avait établi un code permettant à son petit garçon de mieux vivre les séparations:

«J'ai commencé une formation, et je dois m'absenter chaque mois. Mon fils résistait, il faisait des scènes lorsque je devais partir. J'ai d'abord essayé de lui expliquer, je lui indiquais les dates, les horaires, où j'allais, ce que je faisais. Je croyais le rassurer, mais cela n'arrangeait rien. J'ai acheté des poupées russes, il y en avait cinq emboîtées les unes dans les autres. Je m'en suis offert deux, j'en ai donné trois à l'enfant, nous avons chacun marqué notre nom dessus.

«Lorsque je m'en vais, je lui dis: «J'ai envie de te prêter une poupée et que tu m'en prêtes une.» Parfois je mets des bonbons dans celle que je lui prête, et moi je mets la sienne sur la table de nuit à l'hôtel. Il comprend très bien ce langage-là, et il accepte mieux de me quitter en sachant qu'il peut agir sur son angoisse, ses frustrations ou son soulagement dans un jeu avec les poupées, dans toute une série de verbalisations sur elles. Il m'a raconté toutes sortes de jeux, de manipulations plus ou moins tendres et agressives avec «ma poupée», celle qui me symbolise durant mon absence, et le fait d'en parler, de nommer les sentiments qui s'y rattachent est très libératoire.»

«Je ne te perds pas, maman, en te gardant
dans la poupée russe...»

Une autre, pour apaiser l'angoisse (et l'agressivité) de son mari, lui laissait comme un «doudou» à chacune de ses absences.

«Je te prête mon écharpe, je la reprendrai en rentrant...»

Écharpes, mouchoirs, fils de toutes sortes, liens tendus entre les deux temps de l'absence: temps de séparation, temps de retrouvailles, ô combien ils sont importants pour le plus petit comme pour le plus grand d'entre nous.

Une femme qui traversait une difficile période de solitude et de privations avait confectionné un petit sac de toile sur lequel elle avait brodé «sac à désirs». Elle notait sur des petits cartons les envies et les frustrations qui advenaient en elle et les glissait dans le sac accroché dans sa cuisine. De temps en temps, elle examinait le contenu de son sac et jetait les cartons porteurs de désirs périmés, dépassés ou satisfaits.

Ce jeu l'avait beaucoup aidée, nous disait-elle, à se distancier de ses souffrances et même à en rire.

Reconnaître le désir et, au lieu de le jeter en pâture dans les mains de n'importe qui, l'écouter, l'entendre et le préserver des mauvais traitements possibles.

> *Ne mettez pas vos besoins, encore moins vos désirs*
> *dans les mains de n'importe qui...*

Un homme avait inventé la caverne d'Ali Baba de ses désirs. Chacun était symbolisé par un objet unique relié à une histoire, à un événement ou à une relation.

«Les soirs de vague à l'âme, j'ouvrais mon coffre, vaste armoire scintillante de souvenirs, et la mélancolie prenait la place de la nostalgie.»

«Comment ça marche... pour faire un bébé?»

Le plus nocif et le plus mutilant n'est pas la frustration, c'est la négation des désirs. Refuser de les voir, de les entendre, de les reconnaître chez moi ou chez l'autre, les réprimer, les censurer ou les recouvrir de faux détachement mène au mensonge et à l'aliénation.

Tout désir se double d'une ou de plusieurs peurs, et elles aussi il nous faudra les regarder en face.

La peur de la frustration, de la désapprobation
et du changement occulte nos désirs.

«J'ai compris, après bien des années, que je m'étais mariée pour plaire à ma mère, mettant sous le boisseau mon désir d'un autre mode de vie pour moi.»

«J'avais envie d'aller m'asseoir sur les genoux de papa et j'en avais si peur aussi…»

«Pendant des années j'ai vécu avec quelqu'un en souffrance, en manque de tout. Je n'osais avoir de désirs propres, cela m'aurait paru indécent. Et bien sûr je n'avais aucune demande.»

Ceux qui, pour réduire magiquement
l'intensité du conflit, parviennent à enfouir et à nier
leurs désirs et leurs besoins ressemblent un peu à des morts vivants.

Les demandes

De même que nous confondons aisément désir et réalisation du désir, nous distinguons mal *désir* et *demande*.

La demande à l'autre

«J'ai un désir sans fin d'être écouté, entendu, compris, accepté, aimé et aidé, reconnaissait cet homme.

«Mais je ne veux pas envahir ma femme par ce désir immense. Je lui fais des *demandes,* ce n'est pas la même chose. Par exemple je lui demanderai de me consacrer une demi-heure, ou un instant de son attention, de son écoute.»

Si le désir a surtout besoin d'être entendu, la demande, elle, réclame une réponse. Demander, c'est se positionner et c'est faire appel au positionnement de l'autre, qu'il soit acceptation, refus ou négociation. Oser faire des demandes est pour certains une découverte surprenante.

«Cet après-midi, j'ai pu aller dire à un de mes amis médecin, avec qui j'ai une relation privilégiée, que j'aimerais le voir plus souvent et que j'avais le désir d'avoir une activité en commun avec lui. Il a été heureux de cette demande. Je ne sais pas si ce projet aboutira, mais c'était tellement important pour moi d'avoir pu formuler ma demande. J'étais ensuite toute légère, et j'ai senti revenir ma confiance en lui. C'était vraiment une découverte pour moi; je reprends espoir et confiance.»

Demander, c'est aussi renoncer à l'espoir si profond en nous de recevoir sans avoir à demander, d'être compris sans qu'il soit nécessaire de s'exprimer.

«Quand je rêvais à un mari imaginaire, je me disais toujours qu'il devrait être prévenant. Je crois que cela voulait dire qu'il devait deviner et répondre à mes attentes sans que j'aie à les formuler. Je vois aujourd'hui que c'est impossible, et je me résous à dire, à communiquer, à demander. C'est dommage!»

Les moyens que beaucoup privilégient pour manifester leurs demandes sont:

- l'accusation,
- la plainte ou la culpabilisation,
- le pourquoi négatif.

Une demande peut se déguiser en accusation ou en reproche. Nous dirons plus facilement «Tu ne m'écoutes pas» que «Écoute-moi». D'innombrables tentatives de communication se piègent ainsi d'emblée par la disqualification de celui à qui nous voudrions adresser une demande.

Ce père de famille, en difficulté avec son fils adolescent, sent le besoin maintenant d'instaurer enfin un dialogue avec son propre père. Il décide d'aller lui parler de ce qu'il vit, s'arrange pour le rencontrer seul à seul et présente ainsi sa demande de partage: «Tu ne m'as jamais laissé m'exprimer, parler. Je sais que tu vas de nouveau me dire que je suis stupide...»

C'est mal parti. Le père, à son tour, deviendra défensif, se justifiera, retournera l'accusation, et l'échange demandé s'embourbera dans les reproches mutuels.

Encore plus indirecte et camouflée est la demande travestie en plainte, ou en maladie.

«Je me sens inutile et mes migraines m'empêchent d'entreprendre quoi que ce soit.»

«À notre époque, les gens communiquent de moins en moins, les échanges restent si superficiels; c'est déprimant.»

«Je suis vraiment débordé de travail, je n'en peux plus. On n'a même plus le temps de se parler.»

«Le dimanche je suis crevé, j'ai envie de rien. On tue le temps à rester au lit, on n'a rien à faire. De toute façon, elle est comme moi.»

«Ce que nous avons réussi de mieux dans notre couple, c'est à tuer le désir. Depuis quelques années, on ne se demande plus rien et c'est mieux comme ça.»

Oui, mais à quel prix!...

Allez reconnaître là-dessous les demandes précises qui n'osent se dire, ni même peut-être se penser!

Dans le langage courant, les stériles «Pourquoi?» se substitueront souvent au positionnement d'une demande.

«Pourquoi n'abordons-nous jamais cette question dans nos réunions de travail?»

«Pourquoi ne dis-tu rien?»

«Pourquoi ne tenez-vous pas compte de mon avis?»

«Pourquoi est-ce qu'on ne va plus au cinéma depuis quelque temps?»

Fausse question par excellence, le pourquoi dérape sur la justification, sur l'explication, il enterre l'échange possible sous le verbiage de la fausse réponse. Nous sommes nombreux à avoir été éduqués à censurer nos demandes directes, et nous avons ainsi appris mille façons de les manifester en les cachant.

Celui qui est porteur d'une demande qu'il souhaite voir aboutir sera contraint de se donner des moyens,

- d'abord pour la faire entendre;
- ensuite, si elle rencontre un écho positif, pour l'alimenter.

Voyez, par exemple, la demande en mariage! Il ne suffit pas de faire sa déclaration et de proposer une date. Il faudra (mais nous l'oublions trop souvent) accepter de découvrir (et de dire):

- Ce que j'attends de cette nouvelle situation.
- Ce que j'ai envie d'apporter pour la nourrir.
- Mes zones d'intolérance (ce qui n'est pas négociable), mes limites, mes contraintes.
- Mes utopies et au moins l'écume de mon imaginaire.

Le plus difficile, dans certaines demandes,
c'est quand l'autre répond «Oui»!

«*Le plus difficile, souvent, c'est quand l'autre répond «Oui»!*

Cette exigence se retrouve dans toute demande.

• Si je téléphone, je dois avoir quelque chose à dire.
• Si je demande une rencontre, je ne puis m'y rendre sans apporter mes ressources et mes intérêts pour la nourrir.
• Si je demande de l'aide, il m'incombe d'aider l'autre à m'aider.
• Si je demande de l'attention, il me faudra être capable de la recevoir et de l'alimenter.
• Si je lui demande d'éteindre la télévision, il faudra que j'apporte une conversation vivante.

C'est le demandeur qui endosse une responsabilité parfois redoutable, c'est lui qui s'engage.

Un homme qui craignait passablement les réactions de sa femme, nous racontait qu'il ne prenait jamais l'initiative d'un rapprochement sexuel. «Ainsi, disait-il, si ça ne se passe pas bien, elle s'en prendra à elle-même, ce n'est pas moi qui aurai demandé.»

«En ne demandant pas, je fais l'économie d'une déception possible... D'un engagement aussi!»

Certaines personnes sont habiles à transformer l'autre en demandeur, et gardent ainsi une position qui leur paraît sécurisante, puis se plaignent parfois que l'autre soit trop demandeur.

La demande de l'autre

La demande que je reçois va souvent déclencher en moi un conflit intérieur.

«Ma mère m'invite pour le week-end et j'ai un autre projet qui me tente davantage...»

«Elle me demande de lui offrir des fleurs et cela scie le plaisir que j'aurais... à lui offrir des fleurs.»

Le conflit intérieur est une tension pénible, et de là émane mon souhait ou même ma demande... que l'autre ne demande pas, qu'il ne demande pas ce que je n'ai pas envie de donner ou plutôt qu'il ne le désire et ne l'attende même pas, car les demandes muettes sont aussi pesantes.

«J'ai envie de rester à la maison ce soir, j'espère que ma femme ne me demandera pas de l'accompagner au cinéma, car cela me mettrait en conflit avec moi-même.»

«Je n'ai vraiment pas envie de me taper dix jours de vacances chez ses parents. Pourvu qu'ils ne me demandent pas comme l'an passé... si cela me ferait plaisir! Ils confondent trop souvent mon plaisir et leur attente.»

> *L'idéal serait que les demandes de l'autre soient*
> *ajustées à mes disponibilités, qu'il y ait une*
> *miraculeuse coïncidence de l'offre avec la demande.*

«Notre vie sexuelle, c'est entre nous un sujet brûlant, difficile à aborder, qui provoque beaucoup d'émotion. Sa demande est trop forte pour moi, mon désir disparaît, il n'y a plus de place pour lui. Et c'est tellement plus facile de faire semblant que de risquer la dispute ou même de voir sa mine quand je dis non.»

Les demandes sexuelles sont celles qui vont malmener le plus certaines relations conjugales. Car la demande porte surtout... sur le désir de l'autre: «J'ai envie que tu aies envie au moment où j'en ai justement envie...» Décalages sans fin, désirs à retardement, envies concurrentes, tout est à l'œuvre pour rendre parfois la rencontre impossible. Et lui ne dira jamais, au grand jamais, la peur de perdre son érection et la fuite du temps qui l'effraye depuis les premiers jours de sa naissance.

> *Ah! Que de demandes vaines qui ne trouvent*
> *ni l'oreille, ni le corps de l'autre!*

La demande de l'autre n'a sur moi un pouvoir aliénant que par le conflit qu'elle suscite en moi, entre mon désir d'y répondre et mon refus ou mon impossibilité de le faire.

«Vais-je renoncer à une partie de moi-même et croire qu'ainsi je comblerai les attentes de ma femme?»

«Il veut que je change pour devenir la femme de ses rêves, mais je ne peux pas.»

La demande de l'autre stimule le plus souvent deux aspects de moi, antagonistes ou contradictoires. Entre l'envie de satisfaire et la crainte d'insatisfaire, je me dois, parfois, de négocier avec moi-même. L'économie de cette négociation va m'entraîner dans des conflits non souhaités et des réajustements coûteux en énergie.

Les besoins et les manques

«J'ai besoin de...»: quelle expression ambiguë, galvaudée, recouvrant des registres si différents! Veut-elle dire «j'ai envie» ou «je ressens un manque» ou «il serait utile à mon développement de...» ou encore «j'ai une compulsion à...»? Au-delà des besoins physiologiques, quels sont mes véritables besoins?

Je me prends parfois dans un piège interne consistant à transformer mon désir en besoin, lequel réclame alors une satisfaction urgente, impérieuse, incontournable.

> «J'ai besoin de lui, je ne peux pas me passer de lui. S'il me quittait je n'existerais plus.»

Cette femme amoureuse a inscrit cet homme dans son existence comme la seule réponse possible à un manque en elle. Son choix s'est porté sur un objet inadéquat, bien sûr, qui servira à réactiver et à entretenir une faille ancienne en elle.

Souvent, dans notre quête de réponse à nos besoins mal différenciés, nous frappons à la mauvaise porte. Nous demandons ainsi à un autre de nous donner ce qu'il n'a pas. Nous ressemblons alors au client qui réclame avec insistance du pain dans la boutique du cordonnier. «C'est bien de pain que j'ai besoin» insiste-t-il, et sa colère monte contre ce cordonnier qui s'obstine à ne pas combler son manque actuel. Du pain, le cordonnier en a peut-être, mais pour son usage personnel. Nous perpétuons cette dynamique dans beaucoup de relations, en demandant avec une insistance tenace (ou féroce) ce que l'autre n'a pas (même s'il l'a... mais pour lui seulement ou pour un autre).

Le lien, c'est le manque, c'est ce qui m'attache le plus à l'autre. Ce qu'il ne me donne pas. Ainsi vont se développer des tentatives de prise de contrôle de l'autre. Prise de contrôle et prix du contrôle. Ce que nous pouvons appeler le «lien du manque» se maintient. L'espoir déçu, l'attente sans réponse devient le ciment principal de la relation.

> «Tout ce que nous n'avons pas trouvé, pas pu réaliser entre nous, m'attache à toi davantage que nos plaisirs et nos rencontres.»

> «L'échec de notre communication m'empêche de me séparer de toi. Je cherche encore et toujours comment

t'atteindre, te rejoindre. Je ne pourrai te quitter que lorsque j'y serai parvenu.»

«Je ne supporte pas l'idée que mon père puisse mourir parce que nous ne nous sommes jamais vraiment parlé.»

Le non-dit bétonne la vie des familles, le silence soude les uns aux autres. Les fixations les plus obsédantes s'articulent autour d'un manque qui cherche éperdument à être comblé, et cette quête désespérée exacerbe et solidifie la dépendance mortifère.

Elle vit agrippée à lui comme un lierre et elle prétend le nourrir. Il se drogue et boit, elle le contrôle de toute son angoisse, elle dépérit. Elle veut le sauver; pour elle, il renoncera à l'alcool et à la drogue; elle sera un être unique, la seule à avoir pu l'aider.

Sa vie à elle a pris un sens, une direction, un ancrage impérieux. Elle s'est saisi du grappin qu'il a lancé, et cela devient inlâchable. Il est son obsession, son souci permanent. C'est comme une racine entrée en elle, qui lui suce la moelle, la vie, l'essentiel de ses énergies. À cause de lui, elle se déprime et pourtant il est son antidépresseur.

Le lien du manque se traduit par des *si* qui disent l'enfer des espoirs vains et toujours renaissants.

«S'il parlait...»

«Si elle se montrait plus disponible...»

«Si je comprenais mieux ce qu'il veut...»

«Si j'étais plus assurée, plus femme...»

«Qu'est ce que je serais heureux avec toi si tu n'étais pas comme tu es, surtout si je n'étais pas comme je suis!»

Pour clarifier l'usage des mots, nous utilisons en psychologie la notion de manque en le situant dans le passé: ce sont des étapes mal vécues dans l'histoire de notre enfance qui laissent en nous des failles et des points fragiles. C'est aussi le drame de la séparation, des pertes ou des abandons qui constituent une des trames de la condition humaine.

> *Un manque ne peut être comblé,*
> *la vie s'organise avec et autour de ce*
> *manque fondamental et des manques particuliers à chacun.*

Le leurre d'un désir transformé en besoin est l'illusion que telle personne, telle situation, tel acquis effacera mes manques.

«Je voudrais que tu me donnes tout l'amour que je n'ai pas reçu de ma mère, mais si tu me le donnais, jamais je ne pourrais le recevoir tellement ça m'a manqué.»

«Si j'obtiens ma licence, j'aurai enfin confiance en moi.» Et le bout de papier obtenu ne sera pas assez brillant ou assez large pour cacher le manque renaissant.

«Mon sentiment de vide disparaîtrait si j'avais un enfant.»

Toute la vie de cet enfant ne sera pas suffisante pour colmater seulement les bords de la faille. Ainsi, certains de ces ex-enfants deviennent-ils obèses ou anorexiques. Soit qu'ils tentent de combler désespérément, avec un courage extraordinaire, le manque reconnu et nommé, soit au contraire qu'ils résistent avec non moins de courage, au péril de leur existence, pour ne pas se laisser absorber dans la faille immense, et qu'ils se réduisent à leur plus simple expression pour échapper à l'attraction du manque.

Lorsque les besoins de survie physique ne sont pas assurés, les autres besoins disparaissent, perdent toute importance. Dans notre société repue s'installe la jungle des besoins, et en moi se créent des conflits entre mes besoins.

«J'ai besoin de solitude et j'ai besoin de relations; j'ai beaucoup de mal à doser, à faire entendre et à concilier ces deux besoins vitaux.»

«J'ai besoin de lecture, et je ne suis jamais rassasié au spectacle du soir, quand le soleil se dérobe et s'offre à la joie d'un enfant.»

«J'ai besoin de toi, bien sûr, et de bien d'autres personnes que je ne connais pas encore et qui me rapprocheront de toi, même si tu ne le sais pas.»

Les besoins dont la satisfaction ne relève pas de moi me rendent dépendant. Se crée alors un lien, un attachement, lorsque je vois chez l'autre la réponse à mes besoins.

L'attachement commence quand nous croyons, à tort ou à raison, que l'autre détient le pouvoir de satisfaire, et non pas d'éteindre mais d'entretenir mes besoins; le lien sera la polarisation de cet attachement et son ancrage dans un être vu comme essentiel, significatif, peut-être irremplaçable.

L'amour est ainsi souvent l'attente d'une réponse. Il se focalise sur un être, sur des personnes spécifiques qui ne sont pas interchangeables.

«J'ai besoin d'être vu comme un fils par ma mère. Elle seule peut me donner cette confirmation-là.»

Je perds alors mon autonomie; je ne peux pas m'approprier la satisfaction de mes besoins, je n'ai plus la maîtrise sur la réponse. Je m'attache.

L'amour ne serait-il que cela, la découverte que l'autre contient (entend et comprend) mes attentes les plus vitales, les plus cachées autant que les plus évidentes? Non, bien sûr, mais le reste relève d'un mystère à garder longtemps, longtemps.

Le paradoxe est que seul l'auto-érotisme (manger, fumer, se promener seul, lire, se donner du plaisir) gardera mon besoin hors d'une dépendance relationnelle.

Le lien est bien la polarisation d'un besoin sur une personne qui semble détenir le pôle complémentaire correspondant à ce qui me manque. S'il s'agit de besoins vitaux, archaïques et réactivés dans une relation, ce lien de besoin débouchera sur la possessivité parfois exacerbée, sur la mise à mon service de l'autre, sur son aliénation... pour me satisfaire.

Certains, pour se défendre de la souffrance et de la dépendance possibles, vont jusqu'à nier leurs besoins; ils peuvent durcir leur ascétisme relationnel jusqu'à l'autoprivation. D'autres tentent de les surmonter, de les maîtriser, de les sublimer, de les faire passer sur un autre plan. D'autres encore travaillent à être plus libres en transformant leurs besoins en désirs: ils font pousser des désirs sur le terreau des besoins. Ainsi ceux qui écrivent sur les besoins, ainsi les poètes de la vie, ainsi les sages.

> *La prudence n'engendre pas la vie, elle la retient.*

C'est le travail de toute une vie que de repérer ses propres besoins évolutifs, enfouis sous des couches de peurs et de désirs. Nous prenons ici le terme «besoins» dans le sens de ce qui favorise la croissance, à chacun des âges de notre vie.

«J'ai le désir d'être prise en charge, disait cette jeune femme, j'ai envie que quelqu'un me guide en tout, et depuis des années je m'arrange pour trouver cet appui. Ce désir de dépendance demeure en moi, mais je commence à croire que mon véritable besoin, c'est d'apprendre à me débrouiller seule.»

Une mère qui sait répondre aux besoins authentiques de son enfant ne satisfait certes pas tous ses désirs. Elle comprend que ce qui semble bon aux yeux de l'enfant (se bourrer de chocolat, se coucher à minuit, dormir avec maman) n'est pas forcément bon pour lui et pour son développement.

Tant de nos désirs et demandes d'adultes vont dans un sens contraire à notre intérêt bien compris!

> *Retrouver non pas l'urgence de nos besoins,*
> *mais la trace de leur bonheur en nous.*

IV

Les enchaînements réactionnels
ou de la difficulté de passer du réactionnel au relationnel

> *Que de violences… dans l'agressivité niée ou refoulée.*
> *Que de violences dans la gentillesse subie.*

Dans les petites ou grandes crises de nos relations, nous nous sentons parfois entraînés vers une impasse, comme aspirés dans un entonnoir de confusion et d'angoisse. Nous ne comprenons plus rien et il ne nous paraît pas y avoir d'autre issue que la dépression, la colère, la culpabilité et la dévalorisation, ou la guerre, la rupture, la folie. Il y a blocage de la relation et de la communication. Les tentatives de dialogue deviennent la combinaison de deux réactivités exacerbées et plongent chacun des protagonistes dans des sentiments de rage et d'impuissance.

*«Je cache mes peurs et mes incertitudes avec
mes cris et mes plaintes.»*

Chacun d'entre nous a pu éprouver au cours de sa vie
cette violence que nous nous faisons à nous-mêmes en nous
laissant entraîner par le réactionnel au détriment du relationnel, sans pouvoir contrôler d'aucune façon ce qui sort de
notre bouche, avec un double sentiment de malice et d'amertume. Nous savons que certains mots vont nous éloigner,
blesser, contribuer à l'incompréhension et cependant nous ne
pouvons nous empêcher de les prononcer en ayant, tout au
fond, ce sentiment réel mais erroné qu'il sera toujours temps
d'arranger les choses ou que l'autre comprendra, s'ajustera ou
reviendra.

C'est dans les relations de couple que cette dynamique émo-
tive apparaît le plus intensément, bien qu'elle puisse être présente dans toute relation personnelle ou professionnelle.

La discussion menant à l'impasse commence généralement par une attitude de dénonciation: l'un ou l'autre signale quelque chose qui ne va pas pour lui, en rendant l'autre responsable ou en lui laissant croire qu'il a joué un rôle dans son malaise. C'est un coup d'aiguillon qui mobilise la réactivité profonde de l'interpellé, car il vise un point faible, une zone d'immaturité ou de culpabilité, une fragilité plus ou moins cachée, un seuil de tolérance bas. Et dans cette zone de sensibilité, une petite phrase aux allures banales jouera un rôle de détonateur et entraînera parfois tout un jeu de réactions qui feront mal à celui qui les vit et à celui qui les subit.

Ce qui m'a souvent frappé, c'est avec quelle constance, quel acharnement, quel désespoir nous allons développer et entretenir un cycle réactionnel qui durera plusieurs jours, voire plusieurs semaines.

«Dans ma jeunesse, j'étais un spécialiste de ces attaques, de ces blessures relationnelles, avec une sorte de volonté farouche (masochiste, devrais-je dire aujourd'hui) de coincer, d'inférioriser ou de punir l'autre... de ne pas m'avoir compris, entendu ou simplement écouté.»

Cet homme se plaint un jour de manquer de temps et sa compagne lui rétorque: «Tu as le temps pour beaucoup de choses, mais jamais pour moi!» L'homme est touché au vif dans son image de soi. Il a besoin d'être vu comme un compagnon satisfaisant, comme quelqu'un qui donne beaucoup. Il se sent jugé, dévalorisé, coupable. Une violence irraisonnée l'envahit, le déborde. De ce tourbillon ne peut jaillir que l'attaque revendicative ou justificatrice.

«Tu ne proposes jamais rien, ça ne me stimule pas!»

«Mais je te sors souvent, tu n'as pas à te plaindre, tu n'es vraiment jamais contente!»

«Tu sais bien que j'ai trop à faire, tout le monde me fait des demandes et des reproches, tu ne vas pas t'y mettre aussi!»

Blessée à son tour, sa compagne peut démissionner, se disqualifier au besoin: «Je ne suis pas intéressante, je le sais bien, je me demande bien pourquoi tu restes avec moi!»

Ou elle s'opposera en attaquant à nouveau.

«Tu ne fais rien pour nous, tu tiens pour acquis ce qui vient de moi et tu me négliges complètement.»

Et lui, coupable, furieux, déprimé, s'enfermera dans un silence dense et ruminera pendant des heures ou des jours, faisant dans sa tête le procès de l'autre.

«Elle est insatiable, ce que je donne n'est jamais reçu; mes marques d'intérêt ne comptent pas, ce n'est jamais assez, elle me met toujours en accusation; il faudrait qu'il n'existe qu'elle au monde, elle est un tonneau percé; je perds mon temps et mon énergie avec elle, elle est tellement immature, etc.»

Elle ruminera de son côté et aura peut-être peur, sentant la violence que sa revendication a déclenchée. Elle l'abordera alors avec un sourire gentil, se fera soumise et conciliante, trouvera un moyen de valoriser un détail. Pendant longtemps, ils s'aborderont avec circonspection et n'oseront plus parler de leur relation.

La somme d'énergie gaspillée dans une vie est incroyable. Mais aussi le temps «perdu». Perdu dans le sens où il n'est pas vécu, à vivre, mais consommé, consumé à se débattre dans des malaises incompréhensibles.

> *... et la fureur de se savoir prise en faute termina de la mettre hors d'elle-même...*
> *Comme toujours pour se défendre elle attaqua...*
>
> G. G. Marquez

Et parfois, c'est bien des années après, au seuil de l'automne d'une vie, qu'il est possible d'entendre enfin ce qu'il y avait à la fois de nécessaire et de vain dans ces joutes réactionnelles. Comme une mise à l'épreuve chaotique, violente ou perverse.

Cette belle phrase de Gabriel Garcia Marquez, à propos de Dona Fermina Doza qui découvre son mari mourant, dit l'essentiel de nos regrets et de nos attachements: «Elle avait supplié Dieu de lui concéder au moins un instant afin qu'il ne s'en allât pas sans savoir combien elle l'avait aimé par-delà leurs doutes à tous les deux, et senti un désir irrésistible de recommencer sa vie avec lui depuis le début, afin qu'ils pussent se dire tout ce qu'ils ne s'étaient pas dit et bien refaire tout ce qu'autrefois ils avaient peut-être mal fait.»

Impasse, blocage, il est toujours difficile de déterminer s'il s'agit d'une impasse de communication ou d'une impasse réelle. L'impasse liée à une communication trop réactionnelle pourrait être réaménagée en respectant certains rites et tabous dans le dialogue. (Chacun parle de lui, pas *sur* l'autre. Quand l'un s'exprime, l'autre écoute en freinant sa réactivité émotionnelle. L'un et l'autre tentent de prendre la responsabilité de leurs propres sentiments et d'être attentifs à leurs projections, etc.) L'impasse réelle est faite de désirs trop ardents, trop inconciliables, portant sur l'autre et sur la relation. Il y a incompatibilité des besoins et des positions.

> *Le terrorisme du désir sur l'autre ne laisse pas
> de place à l'émerveillement d'un désir vers l'autre.*

Elle: «J'ai besoin que tu me consacres plus de temps et que tu t'engages davantage avec moi. J'ai besoin de toi.»

Lui: «J'ai besoin de me sentir libre vis-à-vis de toi, de me mettre en retrait, de te consacrer moins de temps, justement. Je ne supporte pas que tu aies besoin de moi.»

«J'ai besoin que...»

Si celui qui demande le plus ne peut pas, en changeant profondément sa position de vie, se rapprocher de celui qui a une demande différente, l'issue de la séparation s'imposera. Sinon s'installera une relation pathologique par son asymétrie trop marquée.

Pour nous, pathologique signifie «qui bloque l'évolution». L'homme, dans cet exemple, évitera de sentir et de reconnaître ses propres zones d'immaturité, puisqu'ils les voit de façon évidente chez l'autre. La femme restera fixée sur ses besoins insatisfaits, évitant de développer son autonomie affective, ce pôle étant ressenti comme l'apanage de l'autre. Nous voyons fréquemment ces dynamiques de couple où l'un, sinon les deux, sert de point de fixation à un aspect de soi qui est inaceptable pour celui qui le porte. En le «fixant», en «l'accrochant» chez l'autre, il peut ainsi le voir, le rejeter, le «traiter» comme ne faisant pas partie de soi.

Cette dynamique de polarité visualisée chez l'autre nous aveugle, d'autant plus que ce jeu de miroir commence très tôt dans la relation et que parfois seul un tiers nous permettrait un recadrage, un recentrage ouvrant à plus de lucidité et donc à plus de partages réels.

Nos projections ont ainsi pour fonction de nous empêcher d'élargir le champ de notre conscient, à moins que nous les retirions du point d'accrochage que nous avons trouvé chez l'autre et les réintégrions comme quelque chose qui nous appartient. Tout se passe, en effet, comme si l'inconscient tentait de devenir conscient de lui-même en projetant ses contenus sur d'autres. Et cet autre tout proche se trouve investi malgré lui d'un trait, d'un comportement dont le sens ne lui appartient pas, duquel il va tenter de se dérober, dans lequel il va se débattre, «poursuivi» par la projection impitoyable... de l'être aimé.

Les deux reproches fondamentaux
dans une relation amoureuse ou de couple sont:
* *«Tu as changé.»*
* *«Tu n'as pas changé.»*
«Tu as changé quand je te voulais stable.»
«Tu n'as pas changé quand je te voulais évoluant.»

La dynamique de l'éponge

Certaines relations amoureuses semblent fondées essentiellement sur la souffrance et l'entretien de cette souffrance (en soi ou chez l'autre).

Une femme, par exemple, va proposer sa souffrance à un homme, et celui-ci s'en emparera pour s'en occuper, en s'engageant très fort au niveau du devoir et du désir de réparation.

> «Je ne peux quand même pas la laisser seule dans cet état. Si je la quittais, elle ne s'en remettrait pas.»

Tel autre homme ne pourra proposer que sa dépression, sa plainte, son amertume face à la vie ou son alcoolisme qui seront pris en charge avec beaucoup de générosité (tout au moins au début de la relation) par une femme dévouée, infatigable et convaincue que «grâce à [son] amour il s'en sortira...»

Ainsi, l'un produit de la souffrance et la répand tandis que l'autre l'absorbe. Cette absorption devient le signe de reconnaissance de l'amour.

> «Je me sens aimée et reconnue quand il s'occupe de moi. Quand il entend mes peines et fait tout pour m'aider, je me sens aimante.»

L'éponge complaisante ne se rend pas compte à quel point elle entretient le système de l'autre et le fait fonctionner au maximum. C'est si bon d'être entendu dans son malheur et ses angoisses profondes; la soi-disant victime n'est donc pas prête à scier la branche sur laquelle elle est assise en cessant de souffrir. Ce n'est pas tous les jours qu'on trouve un sauveur persévérant.

L'éponge peut arriver à saturation, gorgée de l'angoisse et des doutes de l'autre, frustrée dans ses besoins de le restaurer, et c'est alors que la situation va empirer. L'homme commencera à faire souffrir lui-même celle dont il voulait soulager le malheur. Éloignement, mouvements de rejet, impatiences, menaces voilées de rupture, recherche d'autres partenaires, reproches ou accusations.

Désormais la souffrance de la femme a trouvé son point de fixation, sa cause désignée: c'est lui, son partenaire insatisfaisant, c'est lui qui réactive sans cesse les blessures qu'il prétendait cicatriser.

La princesse se sent torturée par le héros qui venait la délivrer.

«Toi qui m'as aidée et promis de me redonner goût à la vie, tu connais bien mes angoisses et tu fais tout pour exacerber mes sentiments d'abandon, mon anxiété, ma dévalorisation.

«Tu n'es jamais là quand j'ai besoin de toi et je vois bien que tu en as assez de moi. Tu ne m'aimes pas vraiment et tu m'as attachée à toi en m'aidant.»

Si l'homme culpabilisé maintient son engagement, le mode de dépendance mutuelle s'accroît: aucun des deux ne prend soin de lui-même tant il reste centré sur l'autre et préoccupé de ses malheurs. La femme cherche à être prise en charge, elle demande à l'autre de *faire* pour elle; l'homme tente de panser les blessures qu'il inflige lui-même, *il* fait *pour l'autre* et l'aliène ainsi. Devenant à la fois persécuteur et sauveur impuissant, il commence lui aussi à se considérer comme une victime harcelée de demandes impossibles ou culpabilisée d'oser espérer un changement. Il est blessé d'avoir à se reconnaître avec des besoins propres, avec des attentes.

Sous des abords apparemment différents, la dynamique est la même chez chacun. Elle consiste à se fuir soi-même, à se trahir. Nous retrouvons là une dynamique fréquente chez beaucoup de soignants qui sont souvent des *soi-niant*.

Le système peut s'emballer de plus en plus et aller vers la crise aiguë. La femme produira de plus en plus de souffrance, jusqu'à en faire déborder la capacité d'absorption de son partenaire, qui tombera malade ou prendra la fuite. Dans ces phases-là nous assistons à des passages à l'acte spectaculaires (accidents graves, somatisations aiguës ou fulgurantes). La femme fera alors des tentatives de suicide ou sera, elle aussi, victime d'accidents, et cela dans un double sens: retenir l'autre et en même temps le pousser à l'abandon. L'abandon est souhaité comme un soulagement, comme une issue à la folie relationnelle. Si aucun des deux n'a le courage de renoncer, il pourra y avoir dans cette phase des meurtres et des morts symboliques.

Un jour, l'homme est saisi d'une rage envahissante contre... la voiture de sa femme, parquée de telle façon qu'elle bouche la sortie. Au volant de sa propre voiture, il fonce dans l'autre, et les abîme bien sûr toutes les deux.

Un homme est allé décharger son fusil de chasse sur le siège avant de la voiture de sa femme, puis, plein de remords et de trouble, a été voir le maire de son village pour demander compréhension et soutien.

La double mission que se sont réciproquement donnée cet homme et cette femme est d'une violence inouïe: le «Je fais dépendre mon bonheur de toi, tu es donc responsable de mon malheur» de l'un est une injonction aussi terrible que le «Tu dois être heureuse puisque je m'occupe de toi» de l'autre. L'évolution d'un tel système pourra amener un passage à l'acte somatique sur soi ou sur l'autre pour s'échapper, pour sortir.

Nous voyons souvent que notre choix amoureux se porte sur la personne la plus apte à exacerber les failles et les dominantes de notre système interne personnel. Tout se passe comme si nous cherchions à être touchés là où nous avons le plus mal, à être stimulés là où notre fonctionnement est le plus immature et le plus aberrant. Notre inconscient cherche peut-être ainsi à mettre au jour et à l'épreuve ses zones les plus fragiles, pour les travailler, les labourer et ainsi aller vers un dépassement, une transformation ou une prudence quant à d'autres choix.

> *Longtemps, longtemps,*
> *j'ai cru que mes rêves contenaient aussi les siens.*

Les faux engagements

Quelle partie, quel aspect de nous engageons-nous dans les liens que nous créons?

Après quinze ans de mariage, je peux découvrir que ce que j'avais mis en jeu, c'était un «faux moi», c'est-à-dire une image de moi idéalisée, empruntée à des schémas idéologiques ou simplement à des personnages irréels. J'ai peut-être engagé une belle image de moi dans une belle image de couple... et j'ai l'impression quelques années plus tard de ne pas exister.

Je peux aussi avoir engagé une injonction que j'ai faite mienne.

«Quand on fréquente quelqu'un longtemps, il faut que ça donne quelque chose, que ça devienne sérieux. Si tu continues à le voir c'est que *tu veux te marier avec lui.*»

«Je me suis ainsi sentie engagée par quelqu'un qui m'a définie, qui a pensé pour moi ce que je devais être et faire.»

Pour d'autres engagements moindres, je dis oui pour ne pas faire de peine, pour ne pas déclencher de conflits, ou par obligation conformiste.

«Ça devrait me faire plaisir d'être invité, si ça ne me fait pas plaisir, je ne suis pas normal; il faut donc que je me montre sociable en acceptant... ce que pourtant je n'aime pas.»

Dans le labyrinthe des faux engagements et des fidélités parasitaires, je me perds, je m'oublie, je ne me rencontre pas.

«La jeune femme de vingt-trois ans, démunie et éblouie, qui s'est engagée avec cet homme de quinze ans son aîné, ce n'est plus moi. Aujourd'hui, à quarante ans, j'ai d'autres aspirations, mais je suis liée par une dette de reconnaissance dont je ne peux me dégager.»

---

*Oui, il y a des amours pépinières
qui permettent à l'un de grandir, de s'épanouir et
lui offrent ainsi la possibilité... d'aller aimer ailleurs, plus loin.*

L'honnêteté relationnelle à l'égard de l'autre et de soi-même serait de reconnaître que mon engagement n'est pas réel, dans le sens qu'il n'engage pas mon moi profond. Si je le maintiens, je vais le faire payer à l'autre et je vais m'arranger pour saboter et disqualifier notre vécu commun.

Nous avons tous à l'esprit l'exemple d'engagements pris à un moment de notre existence où ils symbolisaient celui ou celle que nous étions dans ce temps-là.

Certains engagements sont pris en période de crise.

«Promets-moi de ne pas faire de peine à ta mère quand je ne serai plus là.»

«Je compte sur toi pour poursuivre mon œuvre si je viens à disparaître...»

Les demandes d'engagement «au lit de mort» sont parmi les plus pernicieuses et peuvent peser sur toute une vie.

«Si tu te remaries, choisis une femme qui soit chrétienne.»

D'autres engagements se nouent dans l'évolution d'une relation amoureuse, dans des rapports de force plus ou moins clairs.

«Je te promets de ne plus jamais recommencer.»

Nous devons savoir que lorsque nous faisons quelque chose contre nous-mêmes, nous allons le faire payer à quelqu'un. Les chemins vers la vérité et l'engagement réel passent par une plus grande fidélité à soi-même, par une reconnaissance de ses propres manques, par davantage de clairvoyance sur ses sentiments authentiques.

«À une certaine époque, j'avais envie d'avoir un chat, et ce désir recouvrait un désir d'enfant que je n'avais jamais exprimé, car les désirs sont comme les trains: un désir peut en cacher un autre. J'avais concrétisé et déplacé ce désir en achetant un très beau chat en porcelaine noir et blanc que j'avais posé sur une tablette près de mon lit.

«Quelques semaines plus tard, un ami qui pensait me faire plaisir m'offre une petite chatte noir et blanc dont la présence s'accordait mal à mon mode de vie car j'étais souvent absente.

«J'ai accepté ce cadeau, touchée par l'attention, et je me suis conditionnée à penser que cela me faisait plaisir. Nous avons eu ainsi, ma chatte et moi, une relation épouvantable. Elle miaulait sans arrêt, à tel point que ma voisine m'a proposé de m'en débarrasser. Nous avons mis des années à nous apprivoiser, à reconnaître l'une et l'autre nos besoins et nos demandes. Aujourd'hui, je me sens engagée avec elle.»

Beaucoup de relations pourraient suivre ce chemin et se développer non dans la contrainte d'un engagement pris au passé, mais dans la liberté d'un choix à faire au présent pour un futur proche.

La fidélité essentielle, celle que je peux avoir vis-à-vis de moi-même, va bien au-delà d'un ressenti immédiat, elle s'adresse à ce qui fonde ce que je suis.

Le besoin de répondre aux attentes de l'autre

Beaucoup de blocages relationnels sont liés à un besoin compulsif de répondre aux attentes de l'autre en tentant soit de les satisfaire, soit de s'y référer pour conduire sa propre vie.

Catherine dira, en parlant de son amant: «Je sais qu'il a besoin de moi. Il est divorcé mais il continue à vivre avec sa femme. Il est malheureux dans cette situation car il ne peut la quitter. Chaque fois qu'il a essayé, il est devenu impuissant. Je dois accepter cette situation, si je refusais il serait trop malheureux.»

Jean-Paul nous parle avec émotion des attentes de sa femme: «Elle veut que je l'accompagne deux week-ends par mois chez ses parents. Elle déteste sa mère et comme elle sait que je m'entends bien avec elle, elle s'imagine que sa mère sera moins malheureuse.»

Louise a enfin entendu que la naissance incroyable de sa fille («J'avais subi un avortement et un curetage en clinique et, deux mois après, j'étais toujours enceinte») sera sa façon à elle de répondre aux attentes de sa mère: «J'avais trente-cinq ans, aucun de mes frères n'était marié et elle me disait, chaque fois qu'elle me voyait: «Alors, quand me fais-tu un bébé?»

Louise, sa fille, sa mère.

Oui, répondre malgré soi, contre soi parfois, aux attentes formulées ou imaginées de l'autre est un double piège: d'abord parce que nous ne savons pas quelles sont les attentes réelles et généralement contradictoires de l'autre. Ensuite, parce qu'il n'est pas possible d'être authentiquement soi-même en se conditionnant pour satisfaire la demande, exprimée ou supposée, de l'autre.

Sans ce besoin de se conformer aux attentes apparentes ou cachées de l'autre, aucun terrorisme relationnel ne pourrait avoir prise. L'autre aurait beau brandir ses menaces de suicide, ses maux de tête, son désespoir ou son jugement, il ne susciterait pas en nous d'autres sentiments qu'une éventuelle compassion. Il ne pourrait pas réveiller notre culpabilité ni nos besoins réparateurs et protecteurs.

Toute mission explicite ou implicite n'a de poids sur nous que parce qu'elle s'accroche à notre désir de nous conformer à l'attente de l'autre.

Une mission n'est pesante que si nous nous en chargeons.

Cet homme se sent obligé de rendre compte de ce qu'il a fait en l'absence de son amie. Il lui décrira même des choses qui vont l'irriter… et l'éloigner de lui sans qu'il comprenne ce qui se passe. «Je ne peux m'empêcher de le lui dire.»

«Mon désir le plus fort est que ma fille devienne réellement autonome, se prenne en charge, trouve un logement qui soit à elle pour poursuivre ses études. Et je ne cesse de l'aider, de trouver des solutions pour elle, d'imaginer ce qu'elle devrait faire ou ne pas faire. Sans m'en rendre compte, je la poursuis de mes désirs et je ne lui permets pas de laisser naître les siens.»

L'obligation de répondre aux expectatives d'ordre relationnel, le besoin de satisfaire la demande affective de l'autre s'enracine en nous dès la petite enfance. À cette époque, notre survie en dépend et nous n'avons pas de références ni de structures personnelles autres que notre instinct de vie et de survie, notre besoin d'être reconnu et accepté, et nos sensations corporelles et intuitives. Les bébés sont d'une compétence incroyable pour stimuler l'entourage, éveiller le désir de s'occuper d'eux, répartir les gratifications, susciter les inquiétudes, capter et polariser sur eux les affects de leurs géniteurs ou de leurs parents de circonstances.

À l'adolescence, beaucoup tentent de se dégager du besoin de répondre aux attentes de leur entourage en faisant l'opposé de ce qui est attendu d'eux. Tentative de libération encore conditionnée par la position de l'autre. Il s'agit de se libérer de son propre désir de plaire.

> Telle adolescente ne pourra réussir le concours qui lui permettrait d'entrer dans une grande école parisienne, ce qui signifierait quitter sa ville d'origine, s'éloigner de sa mère. En échouant, elle reste fidèle au désir de sa mère de la garder près d'elle.

«Moi, à ta place...»

> *Combien de parents ignorent qu'eux seuls peuvent «autoriser» leurs adolescents à vivre loin ou différemment d'eux.*

Chez les adultes demeure souvent ce désir d'entendre, de deviner, de pressentir et de prévoir l'attente de l'autre pour s'y conformer afin d'être aimé, apprécié, admiré, gardé, pour éviter de décevoir, pour exister en ayant le sentiment d'être nécessaire, indispensable. Et cela rejoint la «fidélité» à une «bonne image de soi». Nécessité, pour certains, de vivre par personne interposée en s'introduisant dans la vie de l'autre, en participant aux besoins d'autrui. Fonctionner ainsi nous entraînera dans des paradoxes et des impasses inextricables:

- Si je perçois que la demande de l'autre est «Résiste-moi, ne m'obéis pas», je vais être tenté de lui désobéir... pour lui obéir.

- Lorsqu'un autre m'attaque et souhaite à la fois que je sois plus fort que lui pour le rassurer et que je me dévalorise pour le revaloriser, comment puis-je m'y retrouver, moi, si le critère «répondre à l'attente» prédomine en moi? Car je peux me perdre dans le désir de décrypter, de combler l'attente de l'autre, surtout si cette attente est idéalisée ou plus ou moins perverse.

«Elle attend de moi, idéalement, que je sois tout à fait d'accord avec son point de vue, alors qu'elle s'attaque au mien! Elle me dévalorise sur mes positions et semble attacher de l'importance à mon accord...»

«Il me provoque en touchant mes points faibles, mon insécurité, et ce qu'il demande, au fond, c'est que je l'écoute parler de ses propres doutes... ou que je lui parle ouvertement de mes difficultés...»

«Elle me prend à partie parce qu'elle a besoin d'un conflit, d'une bonne bagarre pour vider son agressivité accumulée...»

«S'il critique mon désordre, c'est surtout pour que j'admire sa méticulosité...»

«Elle se dévalorise pour que je reprenne ma position de maître à penser qu'elle va à la fois suivre et défier...»

«Il me propose de le quitter pour que je réaffirme mon désir de vivre avec lui...»

«Elle me pousse à l'abandonner pour faire la preuve, une fois de plus, qu'elle ne peut pas être aimée vraiment par un homme...»

Innombrables sont les attentes idéalisées, les attentes-craintes, les attentes-preuves, les attentes paradoxales.

> *C'est bien toujours la combinaison de deux réactivités*
> *qui mène aux impasses de la communication et des relations intimes.*

«Je me laisse vite arrêter par la réaction de l'autre. S'il ne manifeste pas de signes d'intérêt pour ce que je dis, je me tais tout de suite. Une ombre d'irritation passe sur son visage, je fais marche arrière dans mon affirmation.

«Je lui dis ma tristesse, il me répond: "Oh! je n'aime pas que tu sois triste, il y a place pour autre chose." Je m'efforce alors de passer immédiatement à un autre registre. Et puis je n'aime pas non plus que l'autre tienne trop compte de ma réactivité.»

«Ce qu'il dit m'agace, mais cela ne veut pas dire que j'attende qu'il s'arrête sur-le-champ. Mon agacement aussi m'apprendra quelque chose.»

«Je t'agace?

— Non, non... (j'aurais dû dire oh! oui, mais continue, je veux entendre jusqu'au bout ce point de vue qui me fait bouillonner et m'irrite).»

«M'as-tu déjà trompée?

— Eh bien, oui, puisque tu le demandes, une fois...

— Quand? Et avec qui?

— C'était l'été dernier...»

«Et je me mets à pleurer de colère et de blessure. "Mais tu voulais savoir!" Oui, je voulais savoir, mais pas en niant ou en refoulant mes réactions. Je veux savoir même avec ma souffrance, avec toutes les facettes de moi. Je veux savoir avec toute ma vulnérabilité.»

Beaucoup de sentiments et de pensées paraissent indicibles à cause de la réaction anticipée chez l'autre, c'est-à-dire à cause de ma réaction à sa réaction et de ma peur des conséquences. L'indicible qui circule entre deux êtres qui s'aiment prend, à certaines périodes de leur relation, toute la place vacante du dicible. S'installent alors des silences inachevés qui envahissent l'espace de l'amour... et le polluent.

«Jamais je n'oserai dire à ma mère que...»

«Jamais je n'oserais dire cela à ma mère, je risque de trop la blesser, elle est âgée, elle a le droit de terminer sa vie en paix.»

Et ce «cela» caché, tu, ce non-dit sera un cancer, une séparation, une mise au chômage... Un événement central qui ne pourra pas être partagé entre deux êtres qui s'aiment. D'ailleurs, il conviendrait un jour de s'interroger sur cette notion: «J'ai le droit de...», «De quel droit je lui dirais que...», «Il n'a pas le droit de...». Combien d'impasses relationnelles se créent autour de cette fausse interrogation!

Nous sommes frappés par la force des interdits qui pèsent entre les ex-enfants adultes et leurs parents.

«On ne peut pas tout dire, de toute façon c'est du passé (pour le reliquat des contentieux anciens), ils ne comprendraient pas, ce serait leur faire mal inutilement.»

«Gardons nos silences... et nos souffrances
chacun pour soi...»

Et ainsi va se poursuivre le non-dit parce qu'on prend sur soi de taire, de garder, d'enfouir. N'est-ce pas Françoise Dolto qui disait: «Nous sommes trop souvent sur la planète Taire...»?

Nous proposons, par contre, d'oser dire en acceptant de témoigner uniquement de son propre vécu, de parler seulement de soi.

«Voici ce que j'ai vécu, senti, éprouvé, voilà la trace, l'impact que j'en ai gardé. Aujourd'hui c'est important pour moi de te dire cela, de te faire connaître cette partie de moi ignorée...»

> *Oser dire en gardant la responsabilité de ce que nous avons vécu.*

«Cela va la blesser si je dis que je m'ennuie, elle va se croire obligée de se démener pour me distraire ou elle ne m'invitera plus.»

«Cela va le fâcher si je dis que j'aimerais qu'il me parle de façon directe, et il ne me dira plus rien.»

«Cela va l'embarrasser si je lui dis que son haleine tabagique m'incommode et elle ne m'embrassera plus.»

«Cela va le bloquer si je dis que je n'aime pas la façon dont il me caresse et il perdra sa spontanéité. Mais puis-je le laisser me faire mal et lui laisser croire que c'est bon?»

«Cela va la toucher si je lui dis mon agacement de la voir si attirée par cet homme fade et prétentieux, et elle me cachera encore plus ses sentiments et ses élans.»

«S'il savait tous les jugements et toutes les critiques qui me passent par la tête quand il me parle, il ne communiquerait plus avec moi.»

«Si je dis que j'ai bien vu qu'elle mentait, elle sera mal à l'aise et m'en voudra d'être humiliée.»

«Si je lui exprime mon désir qu'il me téléphone demain, il ne saura pas refuser et je ne saurai pas s'il appelle par désir ou par obligation. Et quand il téléphonera je garderai un goût d'amertume.»

«Si je lui parlais de mes relations parallèles, elle empoisonnerait toutes nos rencontres en faisant des allusions directes ou indirectes.»

«S'il savait que je ne suis pas sortie de tout le week-end en espérant son appel, il se sentirait culpabilisé… et agressé. Il me reprocherait mon manque d'autonomie. Il me veut indépendante et moi, je m'aime ainsi dépendante de lui.»

Pour ne pas faire violence par l'intrusion, la blessure,
la demande, l'humiliation, la culpabilisation, je me tais.
Et c'est mon silence qui fait violence à moi-même et à l'autre.

Car ce silence va se dire par mille signes. Combien de gestes, de phrases à double, à triple sens vont parasiter ainsi la rencontre! Les silences boudeurs, accusateurs, terribles, du silence opaque qui rend la présence de l'autre et la sienne encore plus insupportables.

Les nœuds sont faits d'une trop grande sensibilité aux réactions de l'autre, d'une intolérance à la souffrance, à la déception ou à la colère de l'autre. D'une trop forte réactivité à la réactivité.

> *Le pouvoir de la dépendance passive,*
> *de la faiblesse et de l'autosabotage ne peut s'exercer*
> *que sur ceux qui sont tourmentés par leur culpabilité,*
> *leur mauvaise conscience et leurs besoins réparateurs.*

Le poids des attentes silencieuses ou exprimées ne charge que celui qui croit devoir remédier à l'incapacité qu'a l'autre de se prendre en charge.

«Je ne peux lui demander de partir» dira cette femme qui a recueilli, à quarante ans, après son divorce, un frère alcoolique. «Il n'a plus personne, si je le laisse tomber, il n'a que mes parents ou la clochardisation. Je ne peux lui faire ça. Et j'en veux à ma belle-sœur d'avoir divorcé. Pendant vingt ans, elle l'a nourri; elle aurait pu continuer, elle n'avait pas besoin de divorcer pour ça…»

Et pendant plusieurs années elle subira toute la charge, la violence de vivre avec un alcoolique contre son propre choix de vie. «Je me perds dans cette relation.»

L'image idéalisée ou déformée que l'autre a de moi ne m'aliénera que si elle rencontre en moi un profond désir de correspondre à cette représentation.

Si l'autre me dicte mon comportement, s'il parle *sur* moi et énonce ce que je devrais être ou faire, cela prend une importance insupportable seulement à cause de ce complexe d'obéissance, de conformité et d'approbation en moi. Sans cette compulsion à me conformer, je pourrais considérer le point de vue de l'autre comme une proposition intéressante (il y a peut-être une bonne idée à prendre), comme une marque d'intérêt (j'ai de l'importance pour lui) ou comme un éclairage auquel je n'avais pas pensé.

En s'ingérant ainsi dans ma vie, il peut élargir mon horizon, me montrer des possibles. De toute façon, c'est moi qui conduis ma barque. Ne peut être dictateur que celui qui dicte en s'appuyant sur une menace vitale.

En amour, la menace vitale est celle de la perte, celle du retrait de l'autre de la relation. Retrait non seulement physique mais retrait affectif. Je deviens moins présente en lui, moins présent en elle, je deviens quelqu'un de passage. Et pour assurer ma présence en l'autre je vais renoncer, parfois, à ma propre affirmation, me fondre dans les apparences de ses attentes.

La peur de la perte, de l'abandon, va constituer un ciment puissant dans beaucoup de relations affectives ou amoureuses. Ce ciment va maintenir ensemble, très longtemps, des hommes et des femmes que tout sépare.

> *Ce n'est pas toi qui me fais peur,*
> *c'est moi qui ne veux pas entendre ma propre peur.*

Le processus de maturation qui devrait conduire l'homme vers plus de lui-même passe par le dégagement progressif du besoin d'être aimé et approuvé. Et surtout du besoin d'être aimé pour ce qu'il n'est pas.

Que fait, en effet, cette jeune femme italienne qui vit en France lorsqu'elle n'ose pas dire à sa mère, catholique très pratiquante, qu'elle est depuis des années l'amie d'un homme marié?

«J'ai une peur panique de perdre son amour si elle apprend comment je vis. Elle me dirait: "Tu n'es plus ma fille." Elle est capable de me rejeter, de ne plus m'aimer.»

Elle continue donc, lors de ses visites en Italie, à se présenter comme une fille sage, vierge et sans préoccupation aucune envers les hommes. Qui donne-t-elle à aimer à sa mère? Un faux-semblant, une image irréelle, un mensonge. Mais c'est elle-même qui est ainsi perdante, flouée, en porte-à-faux de se croire aimée pour ce qu'elle n'est pas, pour des valeurs auxquelles elle ne croit pas.

Elle ne peut pas se sentir réellement aimée tant qu'elle se cache pour éviter de décevoir. Elle reste dans le manque en acceptant de recevoir l'amour de sa mère. Elle maintient un système infantile et infantilisant pour elle-même et pour sa mère. En donnant à aimer ce qu'elle n'est pas, elle ne reçoit rien, sinon des leurres de sentiments.

Nous voyons se créer ainsi des sentiments fictifs dont les réseaux se retrouvent sur plusieurs générations.

Dans toute famille, il y a des émotions «hors normes» qui sont considérées comme «mauvaises» (la colère, par exemple, ou la tristesse ou la sexualité) et les enfants, comme d'autres membres de la famille, font du camouflage en ayant le sentiment de ne pas pouvoir être aimés avec «ça» qui devient un aspect d'eux-mêmes à rejeter.

> *Il arrive aussi que le besoin de satisfaire la demande*
> *apparente de l'autre nous fasse perdre ce que,*
> *justement, nous recherchons: son amour et son estime.*

Une jeune fille a épousé un paysan dont le projet de vie est de reprendre la ferme de son père. Il travaille et vit sur le domaine agricole. Après six mois de vie commune, la jeune femme en a assez de la campagne et elle pose un ultimatum à son mari:

«Choisis, c'est la ferme de ton père ou moi.

— Ce sera toi, répond le mari.»

«Ce jour-là, nous dit-elle, j'ai perdu l'admiration et l'amour que j'avais pour lui. J'ai obtenu ce que je demandais, mais cet accord que j'ai eu était celui d'un zombie. Ce n'était plus lui, il avait abandonné pour moi son projet de vie et ses désirs. Je lui en ai voulu de ne pas rester ferme sur ses positions, de se déjuger ainsi pour se conformer à mon désir de vie citadine. En plus, il décevait son père alors que je savais qu'il l'aimait et qu'il l'admirait. C'était comme si je ne pouvais plus lui faire confiance.

«J'ai compris trop tard, bien plus tard, que je m'étais piégée avec ma propre demande.»

Même si le mari avait senti que la demande profonde de sa femme était qu'il n'acquiesce pas à sa demande et s'il avait répondu en fonction de cette perception, il aurait été piégé également.

> *L'ultimatum lancé à l'autre n'est souvent qu'une tentative*
> *de lui faire assumer un choix à notre place.*

Cette dynamique est fréquente dans les relations parentales.

La mère d'un garçon de vingt-cinq ans, qui vit encore chez elle, sans études, sans travail, s'écrie: «Je voudrais qu'il prenne la décision de partir, de se trouver une chambre. Il ne fait même pas le ménage de la sienne ici, c'est une porcherie.»

Elle ne peut prendre la décision de mettre son fils dehors, alors elle lui demande de la prendre.

> *C'est souvent au plus démuni*
> *que l'on demande de «faire quelque chose».*

L'intolérance à la déception de l'autre (je suis vu comme décevant) aliène nos comportement et nos désirs.

«Je me suis laissé polluer par sa déception de n'avoir pas trouvé en moi la femme idéale. Que n'ai-je pas tenté pour essayer d'être conforme à ce modèle, d'ailleurs flou et plein de contradictions, qu'il énonçait, qu'il me décrivait par des demi-phrases ou lorsqu'il parlait à des amis de ce qu'était une «femme pour lui»; il dessinait ainsi les contours d'une femme magique sur laquelle je tentais de me mouler. Et je sentais en même temps l'énorme fossé, l'insupportable décalage entre ce que j'étais et ce que je montrais. Je m'en voulais à mort: c'est le sens à donner aux cancers à répétition que j'ai produits pendant des années…

«Oui, pendant des années, je me suis perdue à m'efforcer de le satisfaire. Quel soulagement et quelle panique après notre divorce, d'avoir eu à rechercher uniquement qui j'étais, moi, sans me référer à ses attentes.»

Cet homme se perd en perplexités et en angoisses sur son lit d'hôpital. Après une petite intervention chirurgicale, il avait beaucoup réclamé la présence de sa femme: «Viens juste à l'heure, lorsque les visites commencent. Viens deux fois par jour. Reste encore un peu.»

Et soudain, elle avait explosé: «Arrête de demander. Je rêve de donner à quelqu'un qui ne demanderait rien. Tes demandes tuent ma spontanéité, je n'ai plus rien envie de te donner. Si je continue à venir, c'est par devoir, pas par plaisir.»

Il tourne en rond dans un dilemme insoluble: «Elle me demande de ne pas demander, mais je ne peux pas me conditionner selon ses limites à elle, moi. Alors je dois arrêter de demander pour qu'elle puisse me donner, mais c'est fou ça! C'est une autre manière de demander, elle me dicte comment je dois être et je ne suis pas comme ça l'arrange, alors elle me rejette et je ne le supporte pas. Qu'est-ce que je dois faire?»

Dialogues fous, comportements irréels qui débouchent sur l'angoisse, sur l'incertitude d'être, sur la négation de soi.

Face aux demandes affectives de l'autre, une seule solution: ne pas tenter d'y répondre ni de s'y opposer. Les entendre, les confirmer, c'est-à-dire leur donner existence par le quitus d'une écoute.

Le miracle se produit:
- Quand ma spontanéité va dans le sens de ce que souhaite l'autre.
- Quand le décalage entre mon attente et sa réponse m'ouvre des horizons inattendus.
- Quand il n'y a pas besoin de réfléchir et d'analyser pour vivre ces moments.
- Quand je suis stimulé dans mes potentialités par l'attente de l'autre en écrivant, en confrontant des écritures et des confidences.

> *La meilleure manière de garder ou de rétablir le relationnel,*
> *c'est de rester fidèle à sa propre position, de respecter*
> *profondément, farouchement, ce qui fonde notre regard,*
> *notre écoute: «Suis-je en accord avec ce que je suis, en faisant cela?»*

Nous appelons cela la fidélité à soi-même; elle est perceptible quand nous sentons le respect profond de nous-mêmes, quand il y a congruence entre notre agir et nos convictions, entre notre ressenti et notre parole.

Accéder à cet accord entre nos différents registres et niveaux, entendre la note juste qui se présente, pleine et entière, en écho jusqu'au centre de nous.

> *Il avait une parole qui savait écouter,*
> *une parole parlante qui permettait de s'entendre soi-même.*

Les impasses amoureuses

> *Lorsque leurs regards se croisèrent, il n'y eut plus entre eux qu'une seule certitude, c'est que tout était décidé et que tous les interdits maintenant leur étaient indifférents.*
>
> Robert Musil

L'amour se présente comme une immense autorisation, un univers de possibles, un monde d'acceptations mutuelles amplifiées pour tous les jours à venir.

> *Oui aimé je t'aime autrefois, maintenant et toujours, et toujours ce sera maintenant.*
>
> Albert Cohen

> *Et il ne suffit pas d'avoir des souvenirs. Il faut savoir les oublier quand ils sont nombreux, et il faut avoir la grande patience d'attendre qu'ils reviennent.*
>
> R. M. Rilke

Passé les émerveillements et les accords miraculeux du temps de la rencontre, la relation amoureuse devient souvent le lieu privilégié de subtiles violences relationnelles. Ce n'est pas en ajoutant des sentiments aux sentiments qu'un couple se maintient vivant, mais en ayant des communications de qualité, en entretenant la vie des éléments qui leur permettent non seulement de mettre des choses en commun, mais de se relier au-delà des avatars de l'existence.

Les délicates correspondances se dérèglent plus ou moins rapidement lorsqu'une relation s'établit dans la durée. Elles font place à la notion de dû, aux remous profonds des dépendances, au décalage des désirs, aux demandes lourdes.

Une relation fondée uniquement sur les sentiments et leurs fluctuations demeure une entreprise aléatoire, infiniment fragile dans son équilibre. Bien des mariages trouvent une solidité dans l'aspect fonctionnel, dans la tâche commune de gérer un lieu de vie et une famille. Ils sont maintenus par des obligations et des règles extérieures aux désirs et aux peurs. La vie des sentiments est encadrée par une structure organisée. Il y a une fragilisation du couple chaque fois que la tâche fonctionnelle est menacée (enfants qui grandissent et s'en vont, aléas du chômage, maladies...).

Nous pouvons distinguer quatre dimensions de l'amour amoureux qui se combinent pour former des dynamiques relationnelles complexes.

L'amour de désir

Mon désir se porte vers toi et cela révèle en moi des aspects que j'ignorais, je deviens autre, je découvre des facettes de moi qui sommeillaient et des germes que ton existence féconde.

«Mon désir est plus grand que toi!»

L'amour de désir est quelque chose de vivifiant qui me porte, m'ouvre, m'entraîne à plus de moi-même vers l'autre. Je vais vers lui non plus dans le prendre mais dans l'offrande, le don, et dans l'accueil de ce qu'il est. L'amour de désir est une amplification mutuelle.

L'amour de besoin

Neuf fois sur dix, l'amour est une demande d'amour, une demande impérieuse qui deviendra parfois impérialiste. L'amour se sent tout-puissant, il ne peut jamais vraiment croire à la non-réciprocité. Tout se passe comme si l'un des protagonistes pensait:

«Mon amour est si puissant qu'il crée l'amour chez l'autre.»

«Je t'aime et cela signifie "aime-moi, j'ai besoin de ta présence, de ton attention, j'ai surtout besoin de me sentir aimé par toi". Tu ne peux pas ne pas t'occuper de moi puisque je t'aime. Mon amour doit avoir le pouvoir de me faire aimer de toi.»

«J'ai besoin de t'avoir toute à moi.»

Cet amour-là débouche sur la possessivité et bien souvent sur l'aliénation de l'autre au profit de mes propres besoins. Je vais tenter de le mettre au service de mes demandes, de mes attentes, de mes peurs. En termes de dynamique relationnelle le «Je t'aime» sera suivi par «Et toi, tu m'aimes?» qui sera l'injection de sa propre peur, de son doute chez l'autre. Et lui devra aussitôt confirmer, rassurer, apporter les preuves de l'amour demandé, exigé.

> *Où est-il,*
> *Le temps des demandes légères*
> *Où tu ne désirais que ce que je voulais?*
> *Sans réserves, j'adhérais alors à tes attentes.*

(Un poète afghan marié à une occidentale)

L'amour de consommation

J'aime l'amour que tu as pour moi, cela flatte mon amour-propre, j'aime l'image de moi que ton amour me renvoie; je me sens unique, ton amour me donne sécurité et valeur.

Le plaisir d'être aimé crée un véritable besoin chez celui qui suscite le plaisir d'aimer.

L'amour de réparation, de filiation

«*Un amour peut en cacher un autre.* Cette phrase, quand elle a surgi dans ma tête, dans mon cœur, a été comme un coup de tonnerre: les nuées se sont déchirées, j'ai vu plus clair dans mes aveuglements. L'amour inouï, sans partage, que j'avais eu, que j'avais là, à l'instant, pour cet homme, m'est apparu soudain sans objet, sans support, dérisoire et puéril. J'étais entre rire et larmes, petite et forte, désespérée et sereine.

«Ainsi tout cet amour, tous ces soins, tous ces enthousiasmes que je lui avais offerts sans compter s'adressaient à un autre à travers lui. C'est l'amour que j'aurais voulu que maman ait pour papa. Tout enfant, j'avais longuement imaginé dans mon lit comment ma mère "aurait dû aimer" mon père. Ce modèle-là je l'ai porté, poli, câliné longtemps. Tous les soirs de mon adolescence, j'ajoutais à ce rêve des mille et une nuits mille variantes, mille éclats nouveaux. Scénarios sans fin enrichis de toute ma tendresse, de tous mes souhaits de bonheur pour ce père magnifique et frustré.

«Quand j'ai rencontré mon mari, je n'ai pas compris le déplacement que je faisais. Il m'avait bien parlé d'une mère non aimante, mais cela n'avait pas, semble-t-il, accroché mon attention. Je lui offrais un amour unique, sans mesure, en oubliant totalement qu'il était à la mesure d'un autre.

«Combien d'années de crispations, de blocages et de fuites pour découvrir cela. J'aimais cet homme, mon mari, du moins le croyais-je avec une sincérité absolue, et je restais bloquée dans mon corps, au niveau de mes sens. Cela aurait dû m'alerter, me sensibiliser. Mais non. Aveugles lui et moi. Lui faisant tout son possible pour me donner du plaisir, acceptant mes contraintes, redoublant d'attention, moi coupable, fermée et parfaite sur tant d'autres plans.

«Je suis sortie de cet amour comme on sort d'un couvent. Erreur de vocation, erreur d'objet d'amour. J'ai pu dire à mon mari: "Je t'ai imposé pendant onze ans un amour qui n'était pas à toi, qui n'était pas le tien." Je crois vraiment qu'il m'a entendue.»

Les amours de réparation vont se vivre comme une immense mystification relationnelle. Quels que soient les efforts, les attentions, la qualité de la relation proposée, ils vont déboucher sur des impasses, des culs-de-sac relationnels. Toutes les ressources de la communication, tous les impacts thérapeutiques[1], toutes les interventions viennent se briser, échouer sur les leurres de l'apparence, sur le défaut d'objet.

Les amours de réparation peuvent se jouer sur des registres très subtils, au second, au troisième ou au quatrième degré, comme on peut le dire de l'humour. Les amours de réparation se fondent essentiellement sur la communication verticale ou transgénérationnelle.

«J'avais quarante-quatre ans quand j'ai compris enfin ce que j'appelais "mon amour pour elle". Pour elle, ma femme, celle que j'avais épousée à vingt-deux ans, alors qu'elle était enceinte d'un autre. Si perdue, si blessée, si avide de chaleur et de tendresse. C'est moi qui lui ai demandé de l'épouser au quatrième soir de nos étreintes. C'est moi qui ai reconnu l'enfant qui n'était pas de moi. Je lui ai donné mon nom. Mon nom, celui de ma mère, car elle aussi (mais le savais-je à ce moment-là?) était enceinte à vingt-deux ans et avait été abandonnée. Elle avait caché ma naissance à ses propres parents. Elle s'était fait passer pour ma tante pendant dix ans avant de me dire, au soir de ma communion, qu'elle était ma mère.

---

(1). Nous inviterions conseillers conjugaux et consultants à écouter attentivement les jeux de l'amour dans un couple.

«Qui ai-je réparé? Ma mère? Je ne le crois pas. Mon géniteur surtout: j'ai posé l'acte qu'il n'avait pu faire. À travers
les ans, dans l'ancrage puissant des anniversaires mais surtout des fidélités, j'ai inscrit les gestes, les actes, les paroles
d'une situation inachevée.

«Oui, quarante-quatre ans pour comprendre tout cela,
pour replacer les engagements là où ils doivent être et non
là où je les ai déposés. À quarante-quatre ans, au moment
même où mon fils, celui que j'ai reconnu comme tel, a vingt-
deux ans et m'agresse de sa violence, me rejette de toutes
ses maladresses, m'enferme dans sa souffrance. Que de
silences à réparer.

«J'entre dans un nouvel amour, je l'étreins à l'étouffer
pour qu'il ne m'échappe pas et je vais le perdre par ma
démesure...»

Voilà le récit d'un homme qui s'est chargé de la réparation
de son géniteur, qui s'est engagé dans un amour qui n'était pas
le sien et qui tente de survivre dans la rencontre étonnée d'une
femme qui regarde déjà au-delà de lui.

> *Tiens-moi la main, je veux être seul.»*

Jusqu'à quel point le scalpel de la lucidité est-il impuissant,
insuffisant pour ouvrir, trancher, nettoyer les kystes et les
inflammations d'amours trop anciennes?

Les amours de réparation aux multiples visages, aux enjeux
secrets et précieux, aux prolongements émouvants, sans issues
parfois, parfois seulement.

> *Une relation amoureuse, porteuse d'amour reçu et donné,*
> *est un monde d'événements dont aucun langage articulé*
> *ne suffirait à rendre compte.*

Mais dans l'infinie complexité de chaque relation d'amour,
nous pouvons dégager de façon schématique quelques processus qui se manifestent par une violence intérieure et extérieure.

Les violences de l'amour

Dans beaucoup de couples, il semble y avoir celui qui aime et celui qui est aimé. Il arrive que les pôles ainsi répartis, du moins en apparence, se renversent au gré d'événements ou d'évolutions. Celui qui aime est plus violemment perturbé par ses propres émotions que l'autre, et cette violence inté-rieure s'extériorisera en violences exercées sur l'autre. Vio-lences en douceur, pressions de la souffrance, de la demande, de la faiblesse. De même les besoins d'autonomie de celui qui se sent moins dépendant violenteront l'autre dans ses attentes.

Les violences de la dépendance

«Je ne peux pas vivre sans toi.» Il y a une violence inouïe dans cette expression, une violence de menace: «Si tu me quittes, je meurs.»

«Sans toi, la vie perd son sens; j'ai besoin de toi et tu ne peux pas me laisser dans l'angoisse, ne pas répondre à mes lettres. Si je vais mal, tu dois me secourir; si tu me manques, tu dois venir, tu dois m'écouter te dire mon amour. Tu dois, puisque je t'aime. Cela te rend responsable de mes états d'âme.»

Le besoin de l'un crée-t-il pour l'autre un dû, une obliga-tion? L'amour donne-t-il des droits sur l'autre? Celui qui est dans le besoin le ressent ainsi et il n'imagine pas d'autres res-sources. «C'est de lui — d'elle — que j'ai besoin, c'est donc à lui — à elle — d'y répondre puisque nul autre ne le peut.» Cela paraît d'une infaillible évidence.

«Il serait criminel de me laisser dans l'angoisse, ce serait de la non-assistance à personne en danger de désespoir, et il n'y a qu'un seul sauveur possible. Seul celui qui me fait souffrir peut me consoler.»

Les «Je t'aime» peuvent exercer une pression intense sur celui qui les reçoit et les entend bien comme «Aime-moi». Nul n'est indifférent à l'amour qui lui est porté et demandé. Mais s'il se soumet à la dépendance de l'autre, il se retrouvera prisonnier derrière les barreaux de la souffrance de l'autre dès qu'il voudra s'éloigner.

L'amour exigé est une prise d'otage. Ainsi, tout au long d'une relation amoureuse va se créer une somme de dettes, de devoirs et d'obligations qui justement dévitaliseront la communication (mettre en commun) et créeront des tensions, des violences et des oppositions. Celles-ci constitueront des éléments séparateurs puissants qui seront difficiles à endiguer après quelques années.

> *Je peux partager ce qui m'appartient,*
> *mais cela m'appartient toujours et ma responsabilité reste entière.*

«Je t'ai donné la mission de t'occuper de mes besoins...»

Si nous ajoutons à cela les mythologies, ensemble de croyances mises en œuvre par l'un et l'autre dans les comportements amoureux, il nous faut bien reconnaître que garder une relation vivante tout en permettant aux sentiments amoureux de s'épanouir est une tâche ardue pour laquelle peu d'hommes et de femmes sont préparés.

Les violences du changement

Au départ de toute relation amoureuse s'établit une forme de contrat, tacite, parfois, ou défini par petites touches de paroles et de comportements, ou encore longuement explicité. Cela peut aller du «exclusif jusqu'à la mort» à «une rencontre sans lendemain».

«Je lui ai dit dès le départ que je ne voulais pas m'attacher, que j'aimais sa présence et nos rencontres et que le jour où elle ne me voudrait plus, eh bien je ne ferais pas d'histoire...»

«Moi, elle m'a dit: "Chacun reste libre, je ne pose pas de questions, je ne souhaite pas qu'on m'en pose. Tant qu'on est bien ensemble, ça marche..."

«Je voudrais qu'on ait la liberté de tout se dire sans se faire mal, de tout partager, d'être vraiment soi-même sans que l'autre se sente blessé...»

Le thème de la liberté est un de ceux qui reviennent le plus comme un préalable à une relation qui souvent va déboucher sur... la dépendance. L'autre thème à l'opposé est celui de la fusion, de la ressemblance, du regard dans la même direction.

«On décidera chaque fois en commun, on tiendra compte de l'avis de l'autre...»

«J'essaierai de le comprendre et je le rejoindrai ainsi...»

«Le plus important, c'est de faire ensemble, c'est de vivre le maximum de choses en commun...»

Apparaissent ainsi très rapidement des *on*, des *nous* et des *je* qui vont se chercher, se trouver, se combattre et se violenter. Souvent, ce sera l'un des deux qui définira le mode de relation qu'il souhaite et l'autre s'y soumettra ou acceptera, ce qui n'est pas la même chose. Je ne peux en effet accepter vraiment d'entrer dans le projet proposé par un autre que si ce projet rejoint profondément un désir semblable, latent en moi.

Si je me soumets parce que je ne sais pas clairement ce que je veux, pour ne pas perdre l'autre ou pour lui prouver mon amour, ou encore par impossibilité de l'influencer dans mon sens, je ferai toujours, par la suite, sans même le vouloir, un sabotage indirect de ce pseudo-accord.

Si je me range à l'avis d'un autre, je risque de ranger mon avis dans un tiroir, de ne pas y renoncer en profondeur. Il trouvera le moyen de se manifester et d'entraver la relation.

Cette situation est celle d'une inégalité de pouvoir. Ceux qui l'ont vécue disent souvent: «Je l'aimais. C'était cela [ce qu'il proposait] ou rien. J'ai dit oui.» Le sentiment d'amour est alors invoqué comme une forme incoercible, toute-puissante. *Je l'aimais* veut dire que, dans cette phase de la relation, il ou elle aurait pu tout me demander et que cela ne me coûtait pas de le lui donner. Et cela est vrai dans le vécu de plusieurs, car l'amour se veut don absolu, offrande de soi, abandon. C'est de l'usage que l'autre fera de ce don que surgira la violence et la souffrance.

À partir de l'accord ou du pseudo-accord, l'évolution de l'un et de l'autre se fera dans diverses directions, mais si leurs changements ne sont pas synchronisés et complémentaires, chacun vivra ceux de l'autre comme une trahison. Celui qui aura le moins changé tentera de ramener l'autre à sa position initiale par une pression affective.

Après des années de mariage où elle est entrée de bonne foi dans les vues de son mari sur «la femme au foyer», cette femme entreprend des études de psychologie. Elle se passionne pour ce domaine très étranger aux intérêts de son mari. C'est alors qu'il manifeste avec amour son désir d'avoir un troisième enfant. Il dénigre un peu la voie dans laquelle elle s'est engagée et lui répète avec tendresse: «Je ne veux pas que tu changes, nous sommes si bien ensemble.» Elle tient à lui, elle est ambivalente par rapport à un troisième enfant, elle entend bien l'inquiétude de son mari qui signifie: «Tu choisis tes études ou moi et mon projet de vie familiale?» Elle accepte et ne pourra empêcher que l'existence de ce nouvel enfant ne sabote sa formation en cours. Son mari l'a récupérée apparemment; il a retourné sa propre dépendance en stimulant sa dépendance à elle, mais elle lui en veut et son ressentiment l'éloigne de lui.

Les germes de ce désaccord évolutif se trouvaient déjà dans leurs positions respectives lorsqu'ils se sont rencontrés. Elle avait cru sincèrement renoncer à ses désirs personnels par amour pour lui. Il ne faisait d'ailleurs qu'appuyer sur un des plateaux de son ambivalence à elle, car le désir d'avoir au moins trois enfants et de s'y consacrer était aussi en elle, à côté de ses envies d'activités professionnelles.

«Je lui avais pourtant dit et répété, se plaint cet autre homme, que je voulais une relation sporadique, légère, pour le moment et pour des moments, sans possessivité ou contrôle sur l'autre. Elle était d'accord, elle a accepté, cela lui convenait, disait-elle, car elle avait peur de l'attachement et besoin de solitude. Et maintenant, après quelques années, elle m'en demande de plus en plus; elle a même parlé de vivre ensemble, vous vous rendez compte! Elle s'est tellement attachée à moi que ses demandes me deviennent insupportables. Elle était pourtant d'accord avec la définition de la relation que je proposais. Maintenant je ne peux que menacer de rompre pour qu'elle entre à nouveau dans ma façon de vivre les relations.»

«Nous avions tout pour être heureux; j'aimais cet homme, je me sentais aimée de lui. Au début ce qui m'avait attirée, c'est son côté "ours mal léché", silencieux, sans concession. Quand il parlait, il tranchait et cela sonnait juste à mes oreilles. Par la suite je n'ai plus supporté ses silences; j'avais un véritable besoin d'échanges, de partage. Je voulais à tout prix qu'il me parle de lui, de nous, de ce qu'il ressentait.

«Je me rends compte que c'est paradoxal. Tout s'est passé comme si son silence du début m'avait donné de l'assurance, m'avait permis d'être confirmée. Et c'est vrai: j'ai pris de plus en plus de confiance en moi, ma parole s'est libérée, je me suis ouverte à moi-même. Et je voulais partager tout cela. Il s'est de plus en plus refermé. Pendant les derniers temps de notre relation, je lui ai fait une véritable guerre de harcèlement, je l'agressais sans arrêt pour le déloger de ses silences, pour qu'il me parle. Lui se taisait, fuyait, me rejetait, c'était insupportable. Insupportable pour moi qui voyais s'échapper la rencontre, qui détruisais un possible inacceptable.

«Dans cette période-là, que de violences je me suis faites, que de violences je lui ai faites. Et personne à qui parler de cela. Toutes mes amies me confirmaient que leurs maris ne disaient rien, que c'était comme ça...»

Et voici, presque en reflet, le témoignage d'un homme silencieux, blessé et violent à la fois:

«Ce qui m'avait séduit, c'était sa douceur et sa compréhension. J'étais émerveillé de sa faculté de tout comprendre, de ne jamais poser de jugement, j'avais la sensation avec elle d'une acceptation inconditionnelle. Ce que je cherchais depuis toujours, je crois...

«Et puis avec les années, je ne sais pas ce qui s'est passé, j'aurais souhaité qu'elle s'affirme plus, qu'elle me contredise même. Je ne supportais plus ce que je prenais pour de la passivité, je voulais qu'elle s'affirme, bon Dieu! et j'avais devant moi quelqu'un d'insupportable qui acceptait tout. Dans cette période-là, notre vie était devenue un enfer d'incompréhension. J'avais plaisir à l'humilier, à la rejeter et elle subissait avec cet air de toujours comprendre qui me rendait fou furieux. Je ne voulais pas la quitter, je voulais qu'elle change. Cette partie de bras de fer dura près de trois ans.

«Un jour elle m'annonça qu'elle avait un ami et que cette relation importante pour elle ne remettait pas en cause son engagement avec moi. Ce fut comme le réveil d'une soûlerie, comme si je sortais d'un état d'ébriété sans fond.

«Oui, cela me dégrisa, mes demandes tombèrent comme par enchantement. Mon regard sur elle changea, sur moi aussi, certainement. Un changement s'était amorcé; ce fut comme si j'étais libéré d'un carcan.

«Aujourd'hui nous sommes encore ensemble, un homme et une femme tellement différents de ce qui nous avait attirés l'un vers l'autre...»

> «*Si tu me comprends trop, il n'y a pas assez de distance entre nous...*
>
> «*Si tu me renvoies du positif, cela dérange l'image que j'ai de moi.*»
>
> *Tout se passe souvent comme si l'élément central*
> *sur lequel s'était ancrée la relation amenait justement*
> *ce qui allait la séparer, voire la rompre.*

Elle a épousé en secondes noces un homme aventurier, un voyageur international qui traite des affaires tant en Chine qu'au Brésil. Ce sont les récits de ces voyages qui l'ont conquise au cours du premier repas qui les a réunis chez des amis communs. Lui, il est touché par le calme, l'intense présence de cette femme. Elle sait écouter, le stimuler, elle lui permet vraiment d'être lui-même.

«Je n'avais pas pensé à me remarier après l'échec de mon premier mariage, dit-il, et cette femme, elle-même échaudée par un mariage raté, m'a donné réellement envie de recommencer quelque chose. J'étais persuadé qu'avec elle ça marcherait quoi qu'il arrive. Très vite nous nous sommes liés et mariés. J'ai mis plus de trois ans à me rendre compte que ce qu'elle ne supportait pas... c'était justement mes voyages, mes absences. J'avais bien proposé de l'emmener, mon statut de travailleur indépendant me le permettait. Elle n'a jamais accepté...»

Elle dira, des années après, à nouveau seule: «Mon grand rêve était qu'il accepte un poste sédentaire. Je croyais mon amour tellement fort et beau que j'ai été persuadée pendant plusieurs années que "son amour pour moi" le ferait changer de mode de vie. Voilà l'enjeu secret autour duquel nous nous sommes mariés. Voilà le malentendu qui nous a séparés.»

Dans la lutte contre le changement, comme dans l'effort pour changer l'autre, la violence exercée par amour est une tentative de réduire l'autre aux seules dimensions qui me plaisent et me conviennent. Si l'autre ne peut se laisser tailler sur mesure, la violence est réciproque: c'est une guerre épouvantable. S'il se conforme, la violence est intérieure pour lui, car il est mis devant un choix déchirant: se soumettre ou me perdre.

La violence de l'idéalisation

Dans la quête amoureuse nous cherchons trop souvent ce qui n'existe pas en nous refusant à reconnaître que cela n'existe pas. Nous chargeons ainsi l'autre d'une effroyable mission, celle de nous faire accéder à l'unité et à la complétude. C'est la longue quête amoureuse de certains hommes et de certaines femmes vers l'inaccessible présence d'un être longuement intériorisé, porté en chacun depuis plus loin que la vie.

À quel âge suis-je né avec cette image de femme aux seins sublimes,
avec ce regard bleu et ce rire au creux du ventre?
À quelle époque es-tu née avec cette odeur d'homme, avec la nacre
et l'émoi de cette peau, avec la force de cet abandon absolu?
Il y a si longtemps, si longtemps,
que chacun de nous ne sait plus, qu'importe...
Et puis ce doute au fond de moi, au plaisir de toi, est-ce toi, est-ce moi!
Oui, c'est toi, oui, c'est moi. Oui, c'est toi et moi.
Rions de la rencontre, promettons-nous tous les possibles,
entrons au vif de l'amour, créons ainsi l'éternité fragile.

*«J'ai souvent mal au dos... quand je suis tiraillé
entre plusieurs désirs.»*

Pour maintenir l'idéalisation de l'autre en qui tout mon narcissisme a été placé, je dois avoir recours parfois à l'autosabotage et d'autres fois à l'accusation. C'est moi qui ne sais pas voir, reconnaître, entendre, apprécier, recevoir... C'est moi qui suis «mauvais» afin que l'autre reste bon. C'est moi qui ne sais pas bien, qui ne comprends rien, c'est moi qui dois changer, m'améliorer. C'est moi qui dois porter de toutes mes forces mes manques, les défaillances de la relation. C'est moi qui dois vaincre les obstacles, aplanir les imprévus, dénoncer les malentendus. C'est sur moi, oui, que repose le devenir de l'instant et le futur d'aujourd'hui.

La toute-puissance de l'imaginaire aux dépens du réel ou de la réalité de l'autre prend ici toute son ampleur. Dans l'autre sens, celui de l'accusation à la mesure de ma déception ou de mes frustrations, je construis et étaie de multiples preuves, un portrait imaginé de l'autre qui explique l'échec de la relation.

«Il est tellement centré sur lui que je crois qu'il est incapable d'aimer vraiment. Il ne se voit pas tel qu'il est, mais
moi, j'ai constaté mille fois qu'il lui est insupportable de
tenir compte des autres.»

«Elle a surtout besoin de se plaindre et de remâcher les
insatisfactions de son enfance. Alors elle me reproche mes
attitudes, quoi que je fasse. Si je me tais, elle me houspille, et
quand je parle, ce n'est pas cela qu'il fallait dire.»

Ainsi, l'idéalisation et la quête d'absolu déplacés sur l'espoir
amoureux aboutissent à la disqualification de soi-même, de
l'autre ou de la relation, et parfois de l'amour.

> *La vérité, dire la vérité... c'est ce qu'ils exigent tous,*
> *et surtout ceux qui vous aiment... Mais comment*
> *dire la vérité à ceux qui n'en supportent pas l'éclat?*
>
> Alice Rivaz

V

Les mythologies
personnelles
ou les contes que je me raconte
et les fictions que j'entretiens

*Nous passons trop souvent à côté
de ce qu'il y a d'inépuisable en l'autre et en soi-même.*

Chacun d'entre nous se construit, très tôt dans l'existence, un réseau de croyances ou de mythologies personnelles sur la vie, la mort, l'amour, les hommes, les femmes, les relations et soi-même.

Parfois, ces mythologies nous figent dans nos relations les plus significatives et nous barrent l'accès à la richesse du moment, car elles s'imposent à celui qui les porte avec la toute-puissance de l'évidence, niant ainsi l'irruption de l'imprévisible, limitant l'étonnement à nos certitudes, barrant la route à l'émerveillement des miracles. Toute rencontre, toute relation est porteuse de changement, de bouleversement ou d'évolution; c'est le risque humain de l'échange.

«Nos imaginaires ne se sont jamais rencontrés,
et pour cause!... ils sont différents.»

Nous pouvons observer deux types de mythologies:
- **Les pseudo-réalistes:** Elles portent sur ce que je suis (pas digne d'être aimé, malheureux, gagnant, séduisant, etc.), sur ce que sont les autres (menaçants, bienveillants, indifférents, supérieurs, inférieurs, etc.), les hommes (tous les mêmes), les femmes (toutes les mêmes), la vie (une vallée de larmes, une merveilleuse aventure), la mort (un scandale, une bénédiction) et les relations (impossibles, vitales, décevantes, etc.).
- **Les normatives:** Elles définissent comment je devrais être (parfait), comment devrait être un père, une mère (pas comme les miens), un amant, un enfant et comment devraient être les relations (en santé, vivantes, sécurisantes, stables).

Les unes et les autres sont des images en conserve, des schémas préétablis qui nous conduisent, sans que nous nous en rendions compte, à nier l'évolution permanente et vitale des personnes, des sentiments et des relations.

«J'attends de mon chef critiques, compliments et exigences. Il attend de moi conformité et bon vouloir. Toutes les relations hiérarchiques sont ainsi.»

«Au lit, c'est l'homme qui doit savoir quoi et comment faire, c'est à lui d'éveiller et de satisfaire le désir de la femme.»

«Les parents doivent surtout être justes, donner la même chose à chaque enfant.»

«Quand on aime quelqu'un, c'est pour la vie.»

«Si on tient réellement à une personne, tous les obstacles seront vaincus.»

«Quand on n'est pas vigilant et méfiant, on se fait toujours avoir.»

«Moi, je n'ai jamais trompé mon mari; si je le faisais, je ne resterais pas avec lui.»

Ces croyances prennent parfois une valeur d'injonctions, de règles à suivre, de leçons de vie. «Si je m'y conforme, tout devrait bien se passer, il ne devrait pas y avoir de problèmes.»

Même les expériences répétées qui s'inscrivent en faux contre nos théories intimes n'ont pas prises sur celles-ci, qui demeurent inflexibles. Les mythologies sortent indemnes de la plupart des expériences de vie et se perpétuent pendant plusieurs générations. Elles servent de code de références à beaucoup de nos comportements et confirment le bien-fondé de nos actes et de nos pensées.

Quelques croyances

Nos réactions sont déterminées par l'interprétation que nous donnons aux événements, bien davantage que par les événements eux-mêmes. Les voir avec d'autres yeux (le regard d'un tiers nous sera parfois utile), accepter de remettre en cause nos croyances sera la seule possibilité d'avancer vers une évolution, une maturation, une croissance.

Les croyances réactionnelles

Nos croyances se construisent à partir de nos tendances affectives,

- soit pour les confirmer,
- soit pour lutter contre elles.

Cet homme qui a peine à exprimer ses émotions insiste sur l'importance de la pudeur et de la retenue dans les relations; il prône le respect du jardin secret de l'autre et du sien. De son tempérament il a fait une idéologie générale. Son mode de relation restera en conformité avec sa croyance... sans tenir compte de qui est réellement devant lui.

Cet autre, qui a les mêmes difficultés à être spontané et ouvert, prêche, quant à lui, la communication personnelle et directe comme condition essentielle de la relation: «Je crois surtout à l'importance de la spontanéité pour chacun.»

Cette femme qui a tendance à se laisser trop influencer et envahir par l'autre a construit son idéal relationnel, sa croyance de base sur la valorisation de l'indépendance et de l'autonomie.

Cet homme de cinquante ans, anarchiste des relations, a passé sa vie à militer contre les tabous, les règles de conduite et de bienséance, les limites imposées aux relations familiales et amicales. Il ne reconnaît comme loi que le plaisir de chacun et il met de l'acharnement à défendre sa thèse. Un jour de confiance, il a raconté avec beaucoup d'émotion l'événement qui avait marqué ses seize ans: «Ma mère était paralysée depuis quelques jours, elle avait eu une hémorragie cérébrale et chaque membre de la famille la veillait à tour de rôle. Elle ne pouvait pas parler mais elle semblait avoir gardé toute sa lucidité. J'étais un adolescent dévoré de curiosité et de désirs sexuels. Dans ma famille, il pesait un lourd interdit sur toute expression concernant le sexe.

«Une nuit où je veillais ma mère, j'ai rabattu les draps, j'ai découvert son corps et presque sans le vouloir j'ai touché ses seins, son sexe. Puis je l'ai caressée. J'étais persuadé que cela lui faisait du bien. Mais la panique m'a envahi et il m'est même venu à l'idée d'étouffer ma mère avec l'oreiller pour que jamais elle ne puisse dire ce qui s'était passé.

«Elle est morte quelques semaines plus tard, sans avoir retrouvé la parole. Durant tous ces jours, j'étais terrorisé à l'idée qu'elle puisse reprendre connaissance.»

Ayant transformé sa culpabilité en idéologie libératoire («Mais pourquoi pas l'inceste» dit-il), cet homme ne reconnaît pas du tout que la transgression commise ait pu modeler ses croyances. Il se vit comme le propre inventeur de son mode de vie. Et cela est vrai dans un certain sens, même s'il ne sait pas reconnaître les forces qui sont à l'œuvre en lui.

Les véridiques fausses images

Lorsque nous parlons de nous-mêmes, nous avons besoin de produire une description «claire» de notre façon de fonctionner, et nous allons l'offrir, la présenter aux autres, mais surtout à nous-mêmes.

Nos descriptions sont véridiques en un sens, car c'est de bonne foi que nous croyons à cette définition de nous-mêmes, et l'étayons par des explications, par des justifications.

Ce qui caractérise ces images, c'est leur cohérence: elles sont tracées sans nuances, sans contradictions, imposées à l'autre et à nous-mêmes comme la représentation juste, véridique et inchangeable de ce que nous sommes. Tout se passe comme si nous présentions à autrui notre réel méconnu ou injustement contesté:

«Je suis quelqu'un de très franc, je dis toujours ce que je pense; cela me vaut parfois des ennuis, mais je ne supporte pas la dissimulation ou l'hypocrisie.»

L'ami ou l'interlocuteur proche qui écoute cette déclaration est perplexe. Il est persuadé que son ami est de bonne foi et qu'il se voit réellement ainsi, mais cela ne correspond pas du tout à l'image de l'homme plutôt timoré et hésitant qu'il connaît. Le lui dira-t-il ou le laissera-t-il se définir à son gré sans le contredire?

«Moi, je suis quelqu'un de très tolérant, j'accepte bien les idées différentes des miennes mais il n'en est pas de même autour de moi.»

Cette automythification remplit une fonction essentielle. Elle nous propose au monde et à nous-mêmes sur le terrain de notre choix.

Il ne s'agit pas toujours d'images flatteuses. Certains culti-
vent, au contraire, un autoportrait de malchanceux, de victime
ou d'impuissant.

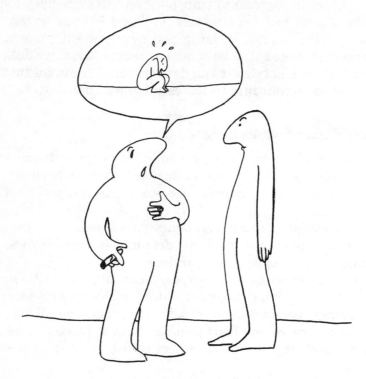

«Personne ne m'a jamais aimé, même pas moi!...»

«Jamais je n'ai été compris, personne ne m'a aimé, je me
suis fait tout seul, rien ne m'a été donné...»

«Je n'ai jamais eu de chance dans ma vie, quand quelque
chose commençait à marcher, il survenait toujours quelqu'un pour le détruire.»

L'image de soi sera toujours orientée par le désir d'être bon
ou prestigieux. Les représentations négatives (je ne vaux rien, je
suis incapable, etc.) ne sont que l'envers apparent d'une image
de soi idéale. Elles sont généralement assorties d'explications
justificatrices déresponsabilisantes:

«Si mon père n'avait pas bu, j'aurais pu aller à l'université, mais j'ai dû aider ma mère en travaillant pour les plus
petits. Je me suis juré de ne jamais me marier: plutôt crever.

J'ai avorté trois fois en cinq ans mais ce n'était pas de ma faute, je ne supportais pas la pilule... Elle me faisait grossir.»

Ce qui frappe souvent, c'est l'acharnement avec lequel l'auteur se cramponne à la description de lui-même, qu'il a élaborée avec force détails et exemples. Il ne laisse pas son interlocuteur le voir autrement, si celui-ci tente de contester:

«Mais je ne te vois pas comme quelqu'un d'exploité. Il me semble que c'est toi qui mènes le jeu et que tu obtiens ce que tu désires...

— Non, non, moi je suis celui qui se fait avoir, je suis toujours la poire, parce que j'ai peur d'abuser, de gêner ou d'imposer. Il n'y a qu'à voir la façon dont je me suis marié. Mon amie m'avait quitté depuis quelques mois, après que je lui aie proposé le mariage. Elle est revenue soudain me dire qu'elle était enceinte de moi. J'étais ému et heureux, nous avons décidé le soir même de nous marier, et, plus tard, elle m'a dit qu'elle n'était pas enceinte! Tu vois bien, elle m'a eu!»

Les fausses images que nous produisons ont une fonction relationnelle et une fonction interne.

> *Trois tailleurs sur un chantier taillent des pierres.*
> *Quelqu'un passant par là leur demande ce qu'ils font.*
> *Le premier répond: «Je taille des pierres.»*
> *Le deuxième répond: «Je construis un mur.»*
> *Le troisième répond: «Je bâtis une cathédrale.»*

Les fonctions relationnelles sont multiples et parfois très cachées à notre propre conscience. Il peut être blessant de les découvrir.

«Je me présente comme démuni, je ne serai donc pas critiqué ou agressé.»

«Je me décris comme généreux, donnant et dévoué; je cache aux autres et à moi-même mon vide intérieur.»

«J'explique que je suis tout à fait capable d'aimer plusieurs femmes à la fois et de donner suffisamment à chacune. Je rassure l'autre et moi-même en niant, honnêtement, la menace qui pèse sur notre relation.»

«Je donne la liste complète des circonstances impitoyables qui m'ont obligé à changer de travail plusieurs fois dans les trois dernières années pour ne pas affronter les interrogations liées à ma propre responsabilité.»

La fonction interne consiste à me donner une impression d'équilibre et de conscience de moi, puisque je peux définir qui et comment je suis, de façon simple et cohérente. Certains se rassurent par une «bonne» image de soi, d'autres par une «mauvaise» image.

«Je suis fidèle à moi-même» peut signifier: «Je reste fidèlement emprisonné dans l'image de moi que je me suis construite, hors de laquelle j'ai très peur de m'aventurer.»

- Cet enfant de chœur pille parfois le tronc à l'église, mais il garde de lui-même la vision d'un «bon enfant de chœur». Il y croit vraiment et son activité mentale annule l'acte qu'il commet, ou lui trouve des justifications. Ce qui prédomine est sa conviction intime qu'il est bon et dévoué.

- Cet homme est persuadé qu'il a mis tout en œuvre pour planifier son temps et ses activités afin de se ménager le plus de moments possible avec sa partenaire. Il a seulement oublié de la consulter et de tenir compte des contraintes de son amie. Il se vit comme ouvert et gratifiant et s'étonne, se blesse de ne pas être perçu comme tel.

- Cette femme énonce toute une série de situations où elle se perçoit comme négative, enfermée dans des répétitions, incapable de vivre du plaisir et des satisfactions. Elle sera furieuse et rejettera son interlocuteur quand il lui dira: «Oui, tu ne vois que du négatif dans ce que tu vis…
  — Je t'en veux, lui répondra-t-elle, de ne voir que ce qui ne va pas dans ce que je te dis.»
  Tout se passe comme si elle disait: «Je t'envoie du négatif, tu dois me renvoyer du positif pour que je puisse le refuser.»

- Une assistante sociale raconte qu'elle écoutait avec stupéfaction une femme, que les circonstances avaient amenée à abandonner ses trois enfants, se décrire ainsi: «Moi, je n'ai rien reçu de mes parents, ils ne m'ont pas élevée, alors je ne veux pas faire la même chose pour mes enfants; je fais tout pour eux, je ne les abandonnerai jamais. Ils sont placés mais je pense sans cesse à eux. Je sais que grâce à moi ils vont bien.»

La vision de soi-même comme «bon père» ou «bonne mère» est parmi les plus tenaces, elle refoule tous les démentis.

Il y a là confusion entre désir et réalité. Tous les parents désirent être de «bons parents», ils en ont vraiment l'intention. Certains vont développer toute une stratégie de responsabilités, de contrôle sur les soins, la propreté, la nourriture, les loisirs ou l'école... et vont se révéler des parents imbuvables, sinon invivables. Cela s'observe également dans les rôles conjugaux:

«Je me suis cru réellement, durant longtemps, un mari parfait dans le sens où j'étais toujours d'accord avec elle. J'adhérais à tout ce qu'elle proposait. Des années plus tard, j'ai enfin découvert que c'était insupportable pour elle, que mon non-positionnement l'obligeait sans arrêt à proposer... ce qu'elle m'a avoué détester.»

Nous préservons notre équilibre en refusant de voir l'inacceptable en nous. Ce mécanisme d'annulation, de déni de la réalité, semble obéir à un besoin magique et enfantin:

«Cela n'est pas juste, pas désiré, cela ne devrait pas être ainsi, donc cela n'est pas.»

> *Pour créer plus d'espace en moi et dans mes relations,*
> *il va falloir que je renonce aux contes que je me raconte,*
> *qu'ils soient glorieux et grandioses ou malchanceux.*

Ces contes seront difficiles à abandonner ou à modifier, car ils forment un schéma dans lequel je range les événements de ma vie, et cela me donne une conscience et une cohérence. Je déforme même ces événements par ma perception pour qu'ils cadrent dans le scénario original que je me suis construit.

«Je n'ai pas été désiré, j'étais un accident. Je ne trouverai donc jamais ma place dans la vie, je suis toujours de trop.»

«Ma mère attendait un garçon et je voulais tellement lui faire plaisir que j'ai été un garçon manqué jusqu'à treize ans. Après j'ai eu mes règles, mais pour moi c'était quelque chose de sale, une corvée. J'ai été très heureuse quand je suis tombée enceinte et j'ai eu un garçon, c'était le premier de la famille. Je n'aurais pas supporté d'avoir une fille.»

Mais qui peut affirmer qu'un enfant non désiré consciemment par ses parents n'est pas un enfant aimé? Il sera peut-être un enfant inespéré, il sera peut-être l'objet d'une tendresse particulière puisque, n'étant pas programmée, son existence est miraculeuse. Celui qui n'a pas été désiré a la chance d'être né de son propre désir. Il sera moins piégé, car il n'est pas né pour combler l'attente d'un autre, pour répondre à son besoin.

Changement de vision, d'angle de vue, autre regard; c'est le premier pas vers l'assouplissement des fausses images qui nous encombrent et nous empêchent de nous rencontrer.

Ce sera accéder enfin à un désir qui me soit propre, un désir d'être, un désir pour moi et non pour l'autre.

> *C'est dans l'ombre de soi-même*
> *que l'on fait les rencontres les plus lumineuses.*

Le dû et la justice

> *Renoncer à ce qui nous manque*
> *est plus difficile que de renoncer à ce qu'on a.*

Une des croyances les plus difficiles à lâcher est celle qu'il y a, qu'il devrait y avoir une justice humaine et, dans les relations, une réciprocité due et des droits et devoirs vis-à-vis de l'autre.

«Je lui ai posé une question, j'ai droit à sa réponse.»

«Je t'aime, alors écoute-moi; lis mes lettres; aide-moi, aime-moi.»

C'est l'amour-droit, c'est l'amour-dû.

«Je me donne beaucoup de peine pour bien recevoir le fils de mon mari lorsqu'il vient en week-end. Je suis touchée par lui, j'ai de l'affection, de la tendresse pour lui, alors il devrait m'aimer et ne pas me tenir ainsi à distance. Il devrait me donner l'amour dont j'ai besoin pour me déculpabiliser d'avoir remplacé sa mère…»

«J'ai volontairement sacrifié les droits de mes autres enfants pour mon garçon préféré. Lui seul pouvait reprendre mon affaire, je lui ai tout donné, j'ai même racheté la part de mon associé pour qu'il soit seul maître à bord.

«Aujourd'hui il me demande de lui rendre les clefs d'un chalet acheté avec mes propres fonds, que j'avais mis, pour des raisons fiscales, au nom de la société. Il me dépossède de mon propre bien, alors qu'il me doit tout...»

Et le père n'entend pas la culpabilité qu'il a créée chez ce fils — celle d'avoir accepté de léser ses frères et sœurs. Il n'entend pas que cet enfant-là lui fera payer cher le don injuste de sa fortune, qui l'a privé du plaisir de la gagner lui-même. Vouant une haine sans limite à ce père qui l'a surva-lorisé et fait rejeter par l'ensemble de la fratrie, il le dépossé-dera effectivement de tous ses biens.

Nous n'avons, hélas! pas le pouvoir de modifier
les sentiments de l'autre, de les augmenter, de les diminuer,
de les transformer. Il est déjà difficile d'avoir du pouvoir
sur nos propres sentiments; sur ceux de l'autre, c'est impossible.

Nous pensons que ce serait accéder à la castration symbo-lique que de renoncer à agir sur les sentiments d'autrui. En renonçant à cette toute-puissance de caractère infantile, nous entrons dans la maturité relationnelle.

Et pourtant, inlassablement, nous essayons.

«Ne sois pas jaloux, aime-moi tel que je suis, ne sois pas frustré, n'aie pas de colère...»

«Tu ne devrais pas souffrir de me savoir heureuse. Tu m'as toujours dit que c'était ton plus grand désir...» Il voulait dire, évidemment, qu'il avait souhaité la voir heureuse avec lui... pas avec un autre!

«Arrête de faire des histoires avec cette perte d'argent. Nous n'allons pas en mourir...»

«S'il m'aimait, il s'occuperait de mes angoisses, de ma dévalorisation, de mes déceptions. Et lui, il a l'air de penser: "C'est son problème, pas le mien." Il refuse de prendre en charge ma souffrance, même lorsque c'est de lui qu'elle me vient, ce n'est pas ça l'amour.»

Et lui se situe ainsi: «Lorsque cela me convient, je l'écoute, je tente de l'aider à y voir plus clair en elle-même, je m'occupe de ses angoisses. Ce qui m'est intolérable, c'est que cela soit considéré comme un dû, comme une obligation, par elle et parfois par moi-même.»

La notion de dû qui rejoint le sentiment de dette profondément ancré chez certains d'entre nous va agir comme un détonateur dans certaines relations et déclencher refus, fuite ou agressions.

«Mon mari ne pense qu'à lui et moi aussi je ne pense qu'à lui, à le rendre heureux. Si notre vie de couple est un échec, c'est donc bien à cause de lui, de son égoïsme.»

Elle s'occupe de lui, qui lui-même ne s'occupe que de lui, dans une impossible rencontre. Rien ne pourra ébranler sa théorie que «l'altruisme obligé» est la seule base possible de la relation de couple. Elle ne voit pas que son altruisme est une intense demande de réciprocité, une croyance enracinée que ce qui est donné est dû en retour. C'est la collusion du don et de la demande. Elle lui donne en abondance ce qu'elle lui demande, ce qui fait qu'il ne reçoit rien.

Cette dynamique serait d'une banalité sans histoire si elle ne suscitait beaucoup de frustrations et donc beaucoup de souffrances. Nous l'entendons dans de nombreux couples: «Il me donne beaucoup, surtout ce que je ne lui demande pas, tant il est persuadé qu'il sait ce qui est bon pour moi...»

Beaucoup de femmes ont la conviction profonde que leur partenaire sexuel aura une dette envers elles: argent, prise en charge, continuité, exclusivité, attentions, reconnaissance. Elles ont sans cela l'impression de s'être «fait avoir», quel que soit le plaisir qu'elles aient pris à faire l'amour. Il y a dans notre culture une disqualification de la relation sexuelle fondée sur le plaisir et la seule entente physique.

Nous utilisons les échecs liés à nos théories pour valider encore ces théories:

«Si elles avaient été bien appliquées, il n'y aurait pas eu d'échec; si j'avais été plus ferme, ce ne serait pas arrivé. La prochaine fois je ne me laisserai pas avoir comme ça.»

«Si l'autre, surtout, s'était comporté comme l'énonçait ma théorie, s'il avait su vivre la liberté de l'amour sans se montrer possessif, eh bien on serait encore ensemble, on serait contents l'un et l'autre...»

Car souvent, la croyance intime que nous appelons mytho-logie personnelle comportera un aspect, un point de référence, un comportement que l'autre devrait avoir en réponse à ma conduite.

La psychologie de la première partie du XXe siècle s'est voulue prédicative et anticipatrice et beaucoup lui ont tordu le cou pour la mettre au service de leurs croyances.

Les chercheurs scientifiques modifient leurs hypothèses théoriques au gré des expériences et des découvertes, non sans peine, il est vrai. Car la plupart des découvertes essentielles, nous le savons aujourd'hui, sont le résultat d'erreurs ou de manipulations faussées.

Nos postulats normatifs et explicatifs dans le champ rela-tionnel et affectif paraissent indéracinables, inaccessibles aux preuves de leur inadéquation.

La vie a peu de prise sur elles. Tout se passe comme si c'était à la vie de s'adapter, pas à nous! Le savoir informel cons-titue l'essentiel des résistances individuelles dans une demande de changement personnel.

> *Pour se développer, grandir, il faudra renoncer,*
> *faire son deuil de mythologies tant aimées!*

Le «croire devoir»

Je ne peux pas entendre et reconnaître les désirs, les demandes, les déceptions ou les souffrances de l'autre si je suis prisonnier de mon «croire devoir».

Certains vont se sentir investis de la mission de «réparer» l'autre, de le combler et même de se substituer à lui.

«Je ne lui ai pas dit que son père était gravement mala-de. Pensez-vous! À trois semaines de son accouchement, j'ai cru bien faire en ne la choquant pas...»

«Il est dans le doute et l'ambivalence, je crois devoir trouver une solution à son interrogation.»

«Il fait une demande, je crois devoir la combler.»

«Il dit son découragement, je crois devoir lui remonter le moral.»

Tel autre croit devoir apaiser la peur, l'inquiétude de celle qui dit:

«Tu sais ma mère a eu un cancer à trente-huit ans. J'ai découvert hier que j'avais une boule sous le sein gauche. Je suis sûre que c'est un cancer.»

Nous croyons devoir satisfaire un désir, nous le recevons comme une demande alors qu'il était l'expression d'un émerveillement, d'un enthousiame, d'un rêve.

Le croire devoir se relie à tout un fond de culpabilité, aux messages reçus («Tu devrais t'occuper moins de toi, tu devrais penser aux autres») et aux missions attribuées par les parents à leurs enfants ou à leurs petits-enfants, comme une confirmation que, de toute façon, l'autre est plus important que soi, qu'il mérite notre attention et notre disponibilité.

Le croire devoir peut s'inscrire dans cet infini besoin d'être reconnu, valorisé ou apprécié en faisant le bien d'autrui ou en se dévouant pour lui.

Cette croyance de devoir satisfaire l'autre, voilà ce qui empêche d'accueillir, sans plus, certaines paroles. Au lieu de simplement écouter, recevoir, nous nous lançons dans la réponse, dans la recherche de solutions, dans la mise à plat du problème. Et l'autre, voulant éviter ces réactions prévisibles, n'osera pas se dire, restera dans le silence.

«Je suis déçue que mon mari ait dû annuler le week-end à Paris que nous avions prévu pour célébrer nos vingt ans de mariage. Ce n'est pas grave, mais c'était important pour moi, et je ne veux pas le dire, il se sentirait coupable. Alors je dis que ça ne fait rien… et lui, il est peut-être déçu de mon indifférence.»

Lâcher quelques-unes de ces missions, laisser tomber les injonctions reçues, renoncer au devoir-faire sont autant de chemins pour retrouver plus de possibles, pour s'ouvrir à plus de liberté.

S'affirmer et se positionner, c'est sortir de l'obligation du faire,
quelle que soit l'origine des contraintes et du pouvoir
(réel ou fantasmé) qui pèsent sur nous.

Il nous arrive ainsi de proposer, au cours des sessions de développement personnel, la mise en œuvre de gestes et d'actes symboliques pour recadrer un scénario ancien, pour sortir de la répétition dans une relation.

«Maman, j'ai porté pendant des années ton inquiétude à propos des hommes, je l'ai faite mienne, j'ai été fidèle à ta version, à ta perception d'eux, je les ai perçus comme toi, je les ai vus avec ton regard comme étant des salauds qui ne pensaient qu'à ça...

«Aujourd'hui je te rends ton inquiétude, c'est la tienne, je te rends ta vision des hommes. Tu avais certainement de bonnes raisons de les voir comme cela. Je te rends, maman, ton message; je n'en n'ai plus besoin, je fais confiance à ma propre perception, à mon expérience de vie.»

À travers ce geste, cette déclaration qui peut s'accompagner de la remise d'un objet ou d'un cadeau, nous voyons la personne se réapproprier une vision du monde plus personnelle, plus intime. Nous découvrons aussi la possibilité de renoncer aux ruminations, aux accusations, de lâcher le ressentiment et de remettre en circulation des énergies restées trop longtemps bloquées, immobilisées par la souffrance, les interdits et les censures.

Les fictions

Deux amies se retrouvent trois ans après un grand et aventureux voyage qu'elles ont fait ensemble. Et les voilà parties dans l'évocation des souvenirs.

«C'est étrange, dit l'une, nous n'avons pas les mêmes souvenirs.

— Pourtant je t'assure c'était bien comme je te dis, rétorque l'autre...»

Et elles vont discuter sans fin pour établir l'objectivité de tel événement, de telle rencontre et la réalité de tel danger. Elles vont discuter jusqu'à s'en disputer, puis soudain se mettre à rire: «Nous avons voyagé ensemble, mais ce n'était pas le même voyage. Raconte-moi le tien et je te raconterai le mien.»

Chacun, en toute bonne foi, construit l'histoire de ce qu'il a vu, senti, vécu ou fait, chacun bâtit sa propre fiction autour de tout événement. Mais il peut être insupportable d'entendre la fiction de l'autre à propos d'un vécu commun, surtout si la fiction de l'autre démolit ma propre fiction.

«Je suis heureux d'avoir pu t'offrir cette formation qui t'ouvre de nouvelles possibilités, déclare tendrement un mari à sa femme.

— Comment! mais c'est moi qui l'ai payée ma formation et j'en suis fière! rétorque la femme étonnée et humilée.

— Enfin, souviens-toi, tu m'as parlé de ton désir de faire cette formation et je t'ai dit que j'allais verser chaque mois une allocation sur ton compte.

— Mais bien sûr puisque je travaillais à mi-temps, à cause du ménage et des enfants. C'est avec mon salaire que j'ai payé les cours.»

Le mari se tait; il se dit qu'il est très important pour sa femme de penser qu'elle a subvenu elle-même à sa formation, qu'il ne veut plus contester sa fiction à elle... et il reste intimement persuadé que c'est sa vision des choses à lui qui est objective. Il se conforte en gardant une attitude paternelle: «Oui, il est plus vital pour elle de croire cela que pour moi de confirmer que ce n'est pas ainsi...»

Il est possible ainsi de ne pas accepter l'histoire telle que la raconte l'autre comme une réalité pour soi, mais de l'entendre comme une réalité importante pour lui. De renoncer au désir de le convaincre.

C'est en acceptant le vécu de l'autre — et non en le faisant mien — que je retrouve l'essence de la communication. Nous ne pouvons partager que sur des différences. En témoignant, en laissant l'autre témoigner de sa vérité, nous laissons place au respect dans le partage.

> *C'est un des chemins de la tendresse que de pouvoir confirmer ce qui vient de l'autre sans vouloir le colorer à son profit.*

Chacun communique à partir et en fonction de sa mythologie personnelle, de sa représentation de lui-même et des autres. Cette image de soi, cette fiction personnelle est destinée à soi-même beaucoup plus qu'à l'autre. Mais j'ai aussi besoin que mon mythe soit cru, qu'il rencontre parfois un écho, un miroir, même si ni moi ni l'autre n'en sommes vraiment dupes.

«Tu ne pourrais pas parfois mentir un peu», demandait ce mari à sa femme acharnée dans sa quête de lucidité et de vérité, «me laisser croire que je suis un bon compagnon pour toi?»

Et une autre suppliait un dragon d'exigences: «Tu es si impitoyable avec toi-même que je n'ai aucune chance d'échapper à tes reproches. Je suis vouée à l'imperfection totale.»

Il arrivait souvent à ce père de rappeler à ses enfants: «Je ne suis que votre père, rien que cela et c'est fort peu, je le sais, mais je suis ce père-là que vous avez.»

À travers ces quelques phénomènes, nous touchons du doigt le difficile partage d'un vécu commun.

«Oui, j'avais rêvé que ce jour-là tu serais à moi...»

Quand Marie et Paul vont tenter de raconter la journée de leur mariage, ils découvriront, dix ans après, dans une certaine souffrance, que ce vécu est tellement différent, parfois tellement opposé à celui de l'autre qu'ils douteront un instant de la réalité de cette journée.

Dans sa perception à lui, c'était la journée radieuse et pleine d'un homme comblé épousant l'aimée, entouré de tous ceux qu'il aimait, y compris son fils (issu d'un premier mariage).

Journée de frustrations, d'incomplétude pour elle, de violence à voir son mari dispersé auprès de tant d'autres, durant un jour qui lui appartenait... à elle seule.

Ils ont cru longtemps qu'il s'agissait du même mariage, qu'ils en partageaient la même vision, mais l'inscription de ce jour avait laissé deux traces différentes dans le corps et le souvenir de chacun.

> *Cela nous fait dire qu'en matière de communication,*
> *la vérité a peu de valeur; seul le vécu a force de référence.*

Quand un enfant parle d'un événement, il dit rarement ce qui s'est passé, il rend compte de son vécu. C'est ce vécu qui lui sert de référence, qui le relie à l'événement, aux personnes impliquées. L'adulte qui, dans un premier temps, tentera de contester ce vécu en s'appuyant sur les faits le déstructurera, le mettra dans le doute. Là aussi, il conviendrait de confirmer la perception et le vécu de l'autre en renonçant à imposer sa propre perception.

«C'est vrai, tu l'as vécu comme cela, ça c'est passé comme ça pour toi.»

«C'est comme ça que tu as compris ce qui s'est dit ce jour-là, ce que j'ai fait cette fois-là.»

Cet homme et cette femme qui se connaissent et s'apprécient depuis douze ans sont en désaccord sur le souvenir qu'ils ont gardé l'un et l'autre de leurs premiers échanges. «Je t'assure que c'est toi qui m'as invitée à boire un café après une conférence.

— Mais pas du tout, nous étions dans le même atelier et à un moment donné tu m'as demandé d'être ton partenaire pour faire un exercice proposé par l'animateur.»

Ici, aucun des deux ne veut garder le souvenir d'avoir été le demandeur, chacun veut se persuader qu'il a été choisi. Cette fiction-là semble nécessaire à leur relation et doit être maintenue contre toute preuve.

Ces fictions remplissent une fonction de régulation interne des images de soi, elles sont utiles comme points d'ancrage face à la complexité de la vie et à celle de chaque personnalité.

Les fictions qui portent sur les relations se révèlent de façon tragi-comique lorsqu'on écoute séparément deux personnes parler de ce qu'elles vivent ensemble.

«J'ai un dialogue merveilleux, tellement ouvert, avec mon fils adolescent, sourit cette mère épanouie, il me fait pleinement confiance et je lui dis tout de moi.»

«C'est terrible avec ma mère, dit de son côté le fils, elle a besoin de tout savoir, elle m'interroge sans cesse, m'offre son écoute, m'invite à m'exprimer et surtout elle me raconte toute sa vie conjugale. J'en ai assez, mais je ne veux pas lui faire de peine.»

Cette autre mère nous affirme de façon péremptoire qu'elle sait écouter son fils: «Je ne fais que ça, ajoute-t-elle. L'autre jour il me disait qu'il n'aimait pas l'école, qu'il se sentait rejeté et qu'il voudrait bien apprendre dans un cirque. Je lui ai répondu qu'il était trop tôt pour quitter l'école, qu'il se faisait des idées au sujet de son acceptation, qu'il avait au moins deux bons amis, Michel et Jean, qui venaient souvent à la maison et que je trouvais les métiers du cirque dangereux et pas fiables.»

Cette femme est persuadée de la qualité de son écoute en fonction du bien-fondé (croit-elle) de ses réponses.

Nombre de parents sont, comme cette dame, persuadés d'être à l'écoute de leurs enfants parce qu'ils ne «reculent pas devant les réponses».

---

*Répondre et écouter ne peuvent pas se confondre
si nous voulons communiquer, c'est-à-dire mettre en commun.*

Dans ce couple, pour lui tout va bien: ils ont une vie harmonieuse, sans problème, et il s'en félicite, car «de nos jours les couples réussis sont rares».

Mais elle dira à ses amies, à ses amies seulement, et jamais à lui, que sa relation conjugale est devenue fade, morne, morte même, et que ce faux-semblant lui pèse désespérément.

Les maris seraient stupéfiés s'ils entendaient leurs femmes parler de leur relation et d'eux-mêmes comme elles s'autorisent à le faire dans le premier salon de coiffure venu.

Par la fiction interprétative dont nous recouvrons les événements, nous aurons tendance à nous attribuer le beau rôle, à jeter sur l'autre la responsabilité de ce qui nous affecte.

Cet étudiant de dix-huit ans vit depuis peu chez son père, dans une autre ville que celle où demeure sa mère. Il passe les week-ends chez elle et au retour, le dimanche soir, son père le trouve souvent assez déprimé. «Sa mère le déprime, se dit-il, elle fait peser sur lui ses propres blessures, elle ne le laisse pas devenir autonome. Quand il part le vendredi, après avoir passé cinq jours avec moi, il est en pleine forme.»

Il fait part de sa vision des choses à son ex-femme et elle rit presque de son aveuglement paternel. «Il ne voit même pas que c'est le fait de retourner chez son père qui rend notre fils triste! Bien sûr qu'il est joyeux le vendredi à l'idée de venir chez moi et de quitter son père pour le week-end!»

Chacun impute à l'autre l'état dépressif de l'enfant. Quant au fils, il a probablement une tout autre version pour expliquer ses changements d'humeur.

Le sens donné aux événements est le pivot
de notre vie quotidienne et relationnelle;
c'est l'histoire que nous nous racontons qui fait notre histoire,
son dynamisme et ses répétitions.

«Ma vie a réellement changé, témoigne un vieil homme, au moment où j'ai été convaincu, vraiment convaincu, que mon bonheur ne dépendait pas des autres, ni des circonstances. J'ai découvert que c'était un état intérieur sur lequel je pouvais agir. Il m'a fallu beaucoup d'années pour croire cela, puis pour cultiver cette croyance.»

Cette découverte fondamentale vient malheureusement sur le tard de la vie. L'état intérieur dont parle cet homme est le faisceau où se ramifient nos perceptions, l'arc-en-ciel où se rejoignent toutes les colorations de la vie, le creuset où viennent se fondre et s'unifier croyances, événements, relations. État de sagesse, d'amplitude ou de sérénité vers lequel certains se laissent porter alors que d'autres s'en laissent éloigner.

> *Aimer l'autre à partir de notre plénitude et non de nos manques.*

L'évolution

C'est la modification de la croyance, le changement de postulat et de point de vue qui sera à la base d'une évolution possible. Échanger un mythe contre un autre mythe plus libérateur, qui, à son tour, sera remplacé par une autre version... Substituer une fiction plus acceptable à une fiction douloureuse. Le même scénario ferait simplement l'objet d'un changement de sens, comme dans *Rashōmon*, un film où la même suite d'événements prend une signification différente selon le regard et la parole de celui qui en témoigne.

Le plus souvent les croyances n'évoluent que si elles sont ébranlées par de graves crises, par des expériences bouleversantes, par des rencontres exceptionnelles ou par une démarche ardue, assidue et douloureuse de recherche de soi-même.

Les mythologies personnelles deviennent idéologies lorsqu'elles sont considérées comme applicables au monde entier. Elles peuvent devenir dangereuses lorsqu'elles sont servies par des prophètes intraitables qui savent imposer leurs vues.

C'est le propre de beaucoup de découvertes en sciences humaines que de faire surgir un autre regard, de développer une autre sensibilité, d'ouvrir à d'autres signes et d'élaborer ainsi une théorie et une pratique de vie. Mais attention! Quand les découvreurs se transforment en prophètes, quand les éveillés se veulent des éveilleurs, les portes entrouvertes de la liberté se coincent et le mouvement annoncé se paralyse, se divise, se perd dans des chemins trop balisés.

Ici, il faut nous arrêter un instant à nous, qui écrivons ces lignes, et à vous, lecteur. Nous aussi, dans ces textes, nous sommes porteurs d'idéologies, de mythologies personnelles sur le changement, sur les relations vivantes et les communications en santé. Notre credo est sans cesse réactualisé dans notre pratique d'animateurs, étoffé et structuré dans des conférences, des articles, des ouvrages.

Attention, lecteur! Nous véhiculons, nous aussi, nos mythologies, nos croyances sur l'amour, les relations, la vie. Peut-être
acceptons-nous surtout de les proposer et non de les imposer.
Mais cela aussi est une croyance.

VI

Les grands saboteurs

> *Je suis ouvert à toutes les personnes qui ont les même idées que moi.*

Des relations saines, une communication vivante, c'est le désir de chacun, et le plus souvent les bonnes intentions ou la bonne volonté ne manquent pas. Qu'est-ce donc qui vient les saboter, les rendre caduques?

Il y a en nous des constellations ou des marécages de sentiments contradictoires et d'attitudes profondes qui, malgré nous, parasitent nos efforts. Les dialogues souhaités se brisent sur des lames de fond émotionnelles, irrationnelles, qui nous submergent, qui emportent les intentions et les décisions de «bien faire», de ne pas gâcher cette fois la rencontre, de ne pas blesser la relation.

«Je voulais lui dire calmement, posément, ce qui n'allait pas pour moi dans notre relation. J'avais bien prévu ne parler que de moi, et lui faire des propositions. Dès que j'ai commencé à parler, tout s'est embrouillé; je me suis entendue partir dans les reproches et les jugements, puis banaliser la question et battre en retraite pour finir par basculer dans les larmes et n'avoir plus rien à dire...»

«Je voulais seulement faire entendre mon point de vue. Lui dire combien c'était important pour moi d'être entendue sur cette question, que je m'étais sentie trompée, pas respectée dans notre contrat de départ. Et c'est lui qui m'a accusée, qui m'a lancé d'une voix mauvaise: "Tu ne penses qu'à toi, tu veux toujours avoir raison." Cette phrase a résonné en moi comme une injustice, je suis partie en claquant la porte. Après je ne savais plus comment revenir.»

Moins je reconnais en moi les saboteurs à l'œuvre, plus leur action souterraine se fait sentir dans mes actes et mes paroles. Si je désire que mes relations évoluent vers un approfondissement, il me faudra affronter mes démons intérieurs et transformer leur énergie en osant les regarder en face.

Il me faudra repérer mes zones de tolérance et surtout d'intolérance. Reconnaître au plus vite ce qui est en jeu dans ma souffrance. Cela peut porter sur trois aspects:

- l'envahissement de mon territoire;
- une blessure narcissique liée à l'image que j'ai de moi-même;
- l'appréhension d'une persécution future.

Chaque fois qu'une de ces dimensions est «touchée» chez moi, je suis amené à réagir, à sortir de mes comportements relationnels pour entrer dans des comportements réactionnels.

Pour illustrer ces comportements réactionnels, nous évoquerons sept familles de saboteurs, en sachant bien que leurs innombrables figures sont toutes à double face, qu'elles constituent des forces vitales à la fois créatrices et destructrices. Nous les nommons:

- autoprivation;
- ressentiment;
- jalousie;
- culpabilisation;
- jugement;
- comparaison;
- projection et appropriation.

Ces poisons relationnels semblent issus des multiples peurs qui nous habitent, nous tenaillent et œuvrent en nous depuis notre prime enfance. Ils fonctionnent en fait comme des acides à l'action plus ou moins lente (rumination, corrosion, déstructuration).

On ne peut empêcher les oiseaux noirs de voler au-
dessus de nos têtes, mais on peut les empêcher d'y
faire leur nid.

(Proverbe chinois)

L'autoprivation

Aux niveaux les plus manifestes nous, occidentaux, paraissons vivre une situation d'abondance et de gaspillage. Aux niveaux les plus profonds, nous nous sentons souvent secrètement dans la privation. Le sentiment de manque est parfois si important que nous en arrivons à nier nos besoins immédiats et à nous entraîner nous-mêmes dans une escalade de frustrations en cherchant à combler des manques anciens, véritables béances sans fond, et en oubliant de satisfaire au présent et à son urgence immédiate.

> *Sur le plan affectif, les privations inscrites précocement*
> *dans le corps d'un enfant induisent l'adulte à l'autoprivation.*

«Les phrases qu'il me semble avoir entendues le plus souvent dans la bouche de ma mère sont: "Je n'ai pas le temps" et: "Ne dérange pas papa". Je m'aperçois non seulement que je ne demande jamais à personne de me donner un peu de son temps, mais encore que je ne m'en donne pas à moi-même. Je fais passer les besoins des autres avant les miens et j'ai horreur de demander quelque chose pour moi.»

«J'ai entendu dire durant toute mon enfance: "Ça ne sert à rien de demander, sinon à être humilié par un refus." Et la crainte de ce refus est si vive en moi que demander me semble presque une obscénité.»

Le sentiment de privation affective s'exprime souvent en termes d'avoir: avoir un amant, une épouse, avoir des amis, une partenaire, des parents qui seraient ceci ou cela, qui me donneraient ce dont j'ai besoin. Il se conjugue souvent au passé, à l'imparfait et au conditionnel.

«Je voudrais avoir eu une enfance sécurisante.»
«J'aurais voulu connaître le grand amour.»
«Si j'avais fait d'autres études...»

Cette fixation nostalgique est un puissant moyen d'entretenir la sensation de privation dans le présent. Elle est faite aussi d'un désir de retourner à la relation fusionnelle des débuts de la vie, lorsque nous étions comblés dans l'indifférenciation.

«J'étais entendu sans rien avoir à demander quand je vivais chez ma grand-mère. Elle entendait même mes silences. Et puis mes parents m'ont repris et c'est devenu le désert.»

«Je voudrais être compris sans avoir besoin de recourir à la parole.»

L'attente magique d'une satisfaction: «Je voudrais être aimé sans avoir à le demander ou à prouver quoi que ce soit...» et l'idéalisation des exigences de caractère impérialiste étayent le sentiment de privation.

«Quelque chose m'est dû et ne m'est pas donné...»

«C'est bien moi qui me prive de détente...
en ne prenant pas le temps d'en prendre.»

Nous croyons souvent que notre sentiment de privation serait calmé par des possessions, par tout ce que nous souhaiterions avoir et que nous n'avons pas: une belle maison, davantage de vacances, des tableaux de maître, des tapis somptueux, un ordinateur... Cette accumulation d'objets se traduit chez certains hommes par des achats à répétition. Les Darty[1] du manque font fortune en vendant chaînes stéréo, magnétoscopes, vidéos et sophistications diverses qui remplissent les appartements de toutes leurs carences.

Sachant que l'argent ne fait pas le bonheur, mais n'y croyant pas, certains se privent de bonheur pour avoir de l'argent. L'ouverture boursicotière et l'engouement pour les jeux boursiers de ces dernières années illustrent cette orientation. Gagner de l'argent avec de l'argent, faire «travailler» l'argent, être à l'affût des «coups» à réaliser demande beaucoup de sacrifices sur le temps du bonheur.

Il est difficile d'identifier clairement de quoi nous nous sentons privés, séparés.

Je peux être tenté d'essayer une exploration exhaustive de mes désirs en me demandant si, véritablement, c'est ça que je veux. C'est une longue démarche qui me mènera (peut-être) au cœur de ce qui, pour moi, représente l'essentiel ou qui me découragera devant l'hétérogénéité de toutes les attentes tapies dans les ombres et les lumières de mon histoire personnelle.

> *Car le sentiment de privation est lié à l'attente,*
> *et en cela il est soit un ferment, soit un éteignoir de possibles.*

Qu'est-ce que j'attends des autres, de moi-même, de la vie? Qu'est-ce que j'ai attendu en vain pendant toute mon enfance? Quelles attentes fabuleuses étaient les miennes au temps de l'adolescence? Quel est ce besoin en moi de rester tendu, en éveil dans une attente infinie?

«J'ai besoin de tendresse mais je n'en demande pas; elle ne serait pas valable. J'attends qu'on vienne à moi.»

«Je ne peux être amoureuse que d'un homme inaccessible.»

«J'attends l'impossible et je ne rencontre que le possible, c'est bien décevant.»

---

[1]. Un des grands magasins d'appareils électroménagers et électroniques les plus populaires en France.

«J'attends cette aimée que je recherche dans chaque femme et que je ne trouve dans aucune.»

C'est un long chemin que celui qui part de l'opposition entre le principe du plaisir et le principe de la réalité pour parvenir à les faire coïncider.

«Lorsque je sais recevoir ce qui est disponible, je ne me sens pas privé.»

«Chaque seconde, chaque instant de bonheur est bon à recevoir même s'il s'inscrit dans l'éphémère, le non durable, surtout s'il est fragile et vulnérable; il est d'autant plus miraculeux.»

> *Le bonheur c'est oser dire oui. Le malheur du bonheur,*
> *c'est d'être seul à être heureux.*

Il y a aussi des privations que nous nous infligeons par non-attente. Nous nous coupons de nos propres richesses intérieures.

«Je me suis dépossédé de tout ce que je n'ai pas osé faire.»

«Chaque fois que je réponds par une banale vérité toute faite à une question vitale, je m'ampute de ma faculté de m'écouter et de m'inventer.»

«Chaque fois que je n'ai pas osé sortir de mes peurs, que je ne suis pas entré dans l'imprévisible, je me suis privé d'un possible.»

Toutes sortes d'autocensures viennent rétrécir les limites de mes possibles. Appelons cela la *répression imaginaire:* j'imagine les conséquences épouvantables d'un acte... que je ne vais pas accomplir, d'une parole... que je ne vais pas dire.

Je vais me servir de mon imaginaire sur l'autre pour m'autocensurer. Je lui prête toutes sortes de réactions qui m'empêchent de faire ceci ou cela. Je pense à la place de l'autre pour me limiter.

«Si je lui dis que je pense autrement que lui, il se fâchera et la soirée sera gâchée...»

«Je ne peux pas lui dire la vérité, elle ne le supporterait pas.»

«S'il n'a pas envie de bouger, je me priverai de cette sortie.»

«Je ne leur demande pas de venir, je sais que cela les ennuierait et qu'ils n'oseraient pas refuser.»

Ces projections sont très liées aux expériences de l'enfance. Le flou éducatif, par exemple, l'absence de limites clairement posées suscite chez les enfants sensibles une forte autocensure. Ils s'interdisent à eux-mêmes ce que personne ne leur interdit explicitement. En tâtonnant pour deviner et surtout pour inventer ce qui déplairait à papa, à maman, à grand-mère, ils créent tant de barrières que toute avancée dans l'avenir devient une aventure trop inquiétante.

Devenus adultes ils continuent à prêter aux autres des barrières et des interdits imaginés. Ils évitent de vérifier ces réactions, ne poursuivent qu'un dialogue intérieur stérile et inhibant.

«Je ne vais pas lui montrer le plaisir que j'ai pris à cette sortie avec des amis, cela le blesserait.»

«Pendant cinq ans je n'ai pas osé me séparer de lui, de peur qu'il soit trop blessé et retombe dans l'alcoolisme. Quand j'en ai enfin parlé en tremblant, j'ai découvert qu'il le désirait aussi depuis des années, sans avoir le courage de me le dire, par peur de me détruire.»

La privation la plus subtile et la plus violente est peut-être celle qui mutile mon imagination et l'enferme dans des préjugés et des a priori. Je reste ainsi fidèle et conforme aux constructions normatives que sont mes images de moi.

«Je ne suis pas assez cultivé pour adresser la parole à cet écrivain connu, il faut savoir rester à sa place et ne pas importuner les gens.»

«J'étais tellement persuadé que je n'arriverais à rien, comme mon père me l'avait prédit pendant des années, que lorsque j'ai vu mon nom sur la liste des admissibles à l'université à la suite d'un examen d'entrée spécial que j'avais préparé et passé en cachette, eh bien j'ai cru qu'ils s'étaient trompés. J'ai laissé passer le délai des inscriptions et je n'ai pu poursuivre que l'année suivante.»

Nous nous servons de nos principes comme de remparts pour éviter les chemins inexplorés.

«Une mère consciencieuse ne place pas ses enfants en nourrice pour recommencer des études, surtout quand elle a des moyens financiers (ceux de son mari) pour rester à la maison.»

«On ne quitte pas une femme stérile, même si mon désir d'enfant est devenu si fort que j'ai parfois envie de me foutre en l'air.»

Nous nous privons par croyance aveugle en nos limites, par incapacité à sortir d'un cadre de références donné.

«Je n'ose pas aimer parce que je crois qu'il faut être aimé.»

«Je ne chante pas parce que je crois que je ne sais pas chanter.»

Je suis capable de me priver de tout ce que je ne connais pas, de tout ce que je crois ne pas aimer, comme le petit enfant qui ne veut pas goûter d'un mets inconnu.

> *La pire des privations n'est pas dans ce qui me manque,*
> *mais dans l'ignorance où je suis de tout ce que j'ai.*

Plus profondément encore que la non-attente («Ce n'est pas possible», «Ce n'est pas désirable»), la non-envie est source de privations réelles.

«Quand je sens que je n'ai pas envie, je me demande: Qu'est-ce qui n'est pas en vie chez moi?»

Il m'est arrivé de me forcer à sortir du piège de la non-envie et de découvrir des choses merveilleuses.

«Je n'avais pas envie de sortir ce dimanche, je m'y suis contraint et j'ai découvert l'émerveillement des prés de juin en montagne.»

«Je n'avais pas envie d'aller à cette soirée de peur de m'y ennuyer et c'est ce soir-là que je l'ai rencontrée.»

La non-envie peut être un refus de se laisser stimuler, par passivité ou par besoin de retrait, pour se garder pour autre chose. Il arrive qu'une personne ou une situation, appréhendée globalement, me donne vraiment l'impression qu'elle ne m'intéresse pas. Mais si je suis prêt à me laisser stimuler par un signe, des portes s'ouvriront.

«Cette femme ne me paraît pas très intéressante, mais elle porte un bijou original; je vais lui demander de quel pays il vient...»

«Je m'ennuie dans cette réunion de famille. Et si je tentais d'entrer en relation avec ce neveu presque inconnu et de découvrir son monde?»

«Je prends soin de mes désirs... en m'occupant d'eux et même en les rêvant.»

Les esprits créatifs sont les rêveurs qui trouvent le moyen de réaliser leurs rêves. Ce qui nous manque le plus souvent, c'est de l'audace dans la recherche de ce que nous voulons réellement. Du courage pour laisser notre imagination explorer les cavernes d'Ali Baba de nos désirs.

> *Combien de «J'aimerais bien...» pour un «Je veux...»?*

Seule l'imagination ne triche pas. Car le poète invente en liberté. Et il impose des images inconscientes, des symboles qui me semblent bien plus proches du réel. La vérité est dans l'imaginaire.

E. Ionesco

Il y a des parties de soi qui restent inaccessibles à notre conscience. Certaines nous paraîtraient menaçantes ou honteuses, et, sans le vouloir, sans le savoir, nous les projetons sur l'autre. Elles nous reviennent alors comme des boomerangs.

Ce père affable et doux se trouve complètement déconcerté par l'agressivité vivace de son fils. L'enfant met en actes et en mots la violence que son père, depuis toujours, ignore en lui-même.

La privation essentielle se situe dans le registre de l'être. Mon sentiment de privation résulte de mon aspiration à connaître un état interne complet et parfait. Nous sentons que nous ne serons jamais en possession de tout notre soi.

Il m'arrive parfois de ressentir cette sensation, aiguë comme un coup de couteau, qui me laisse un goût de nostalgie, celle d'avoir un corps trop petit, trop exigu pour contenir la vie qui m'habite. Le sentiment amer d'être à l'étroit, de m'être trompé d'époque et peut-être de planète.

Et aujourd'hui, surtout avec les années qui passent si vite... depuis quelque temps, pas assez d'espace pour laisser entrer dedans tous mes possibles.

Je m'émerveille du mystère de l'homme, de sa fragilité et de la beauté de chacun, du courage appelé par la tendresse.

Marie Ève

Le ressentiment ou quand *le ressenti ment*

Tous ceux qui l'ont vécu savent qu'il est épouvantable d'être pris dans les ouragans, les raz-de-marée ou plus simplement dans les vagues du ressentiment. Une sorte de volonté farouche nous habite et nous entraîne à refuser, rejeter, briser ou détruire à petit feu une relation à laquelle pourtant nous tenons, qui est importante et parfois vitale pour nous.

Le ressentiment, c'est la jungle des sentiments: «À mort», «Vengeance!», «Je te le ferai payer», «Ne crois pas que tu seras heureux, toi, si moi je suis malheureuse».

Je deviens sourd, aveugle, violent et désemparé, petit enfant et redoutable censeur quand je suis dans le ressentiment. J'implose et je ne permettrai à personne de toucher à ma souffrance, qui est unique. Moi seul ai le droit d'en parler ou de la nier.

> *La violence est souvent une mise en acte de l'impuissance.*

Nous avons les uns et les autres des seuils de frustration extrêmement variables suivant les situations, les interlocuteurs et les sensibilités. Peu d'entre nous connaissent réellement leurs zones d'intolérance[(1)], c'est-à-dire cette partie de nous toujours à vif, toujours fragile, faite de blessures jamais refermées, rouvertes à la moindre provocation.

Le ressentiment est l'urticaire des relations, le prurit du manque. Nous avons sans cesse besoin de le tisonner, de l'alimenter, de l'entretenir ou simplement de le gratter. Qui n'a connu ce plaisir ambigu de gratter une plaie qui ne demandait qu'à se cicatriser? Qui n'a recherché cette sensation douçâtre de réveiller une souffrance lointaine et toujours présente?

Le ressentiment ne cherche pas de rassurance, il cherche la confirmation, il fait feu de tout bois et traque sans pitié tous ceux qui pourraient le détourner de son but ultime: souffrir en faisant souffrir.

Les sources profondes du ressentiment sont dans les manques vécus dans notre petite enfance. Manques réels, manques fantasmés, car chez le petit enfant la distance est infinie entre le monde des désirs, la violence des besoins et la source des réponses possibles.

Les mots, le langage devraient être le pont pour relier, la passerelle pour rapprocher et surtout symboliser un chemin possible vers cet inaccessible. Et quand les mots manquent, c'est l'imaginaire qui prend le relais.

---

(1). Dyer, *Les zones erronées*, Éd. Tchou.

Le manque d'une parole vraie est certainement ce qui introduit le ressentiment et suscite ruminations, fantasmes, confusions, distorsions. Une parole vraie sera celle qui nommera,
dira, et ainsi reliera l'enfant au monde, une parole qui fera la
transition entre le réel et la réalité.

> *Dire ce qui est n'est pas transformer le monde en menaces.*
> *Il est préférable de dire: «Il y a une marche près de la porte»*
> *que de dire: «Attention à la marche!»*

Il est possible de dire: «Je me suis senti blessé par tes
paroles» plutôt que d'accuser silencieusement: «Une fois de
plus, il m'a fait passer pour un idiot.»

Le ressentiment naît de la non-acceptation que mes désirs
ne soient pas réalisés, que ce que je dis n'ait pas été entendu,
que mes attentes soient déçues, mes projets contrés ou reportés,
que la vie ne s'ajuste pas à mon regard.

Le monde se présente à certains moments comme un véritable champ de mines... de frustrations. Nous avançons et
posons le pied sur un refus à retardement, sur une non-réponse,
sur le détonateur d'une incompréhension. Certaines périodes
sont fertiles en malentendus, en conflits et en frustrations à
répétition.

L'autre n'a pas répondu à mon attente, la réalité s'est révélée
différente de ce que j'espérais, et cela n'est pas tolérable. Cela
me détruit, en détruisant une image de moi, quand l'autre m'attribue un rôle que je ne veux pas, me donne une réponse qui ne
me convient pas.

«Je voulais le rôle de la jeune première et il m'a fait jouer
la soubrette, ou l'épouse encombrante.»

«Je me voyais en amant merveilleux, elle m'a traité de
profiteur.»

«Je me voulais un père chaleureux, il fait de moi un flic.»

«J'attendais qu'elle m'accueille avec le sourire, qu'elle se
réjouisse avec moi de tout ce que j'apportais... et elle me fait
la gueule, elle me reproche d'être toujours parti.»

Cet écart entre mon espoir, ma vision de la relation et ce qui
se passe va susciter un sentiment de dépossession (dépossess-
sion de ma toute-puissance?) et je vais chercher une issue pour

éviter la dépression. Je vais engranger un dynamisme de reproches, d'autojustifications, d'accusations pour me sauver du rejet, de la dévalorisation, de la perdition.

«Tout cela me met hors de moi!»

Colère, rage et accusations rabâchées vont me permettre de sortir de moi. On dit bien: «Je suis hors de moi», car si je rentrais en moi, c'est la tristesse et le deuil que je vivrais. Je produis de la colère pour ne pas rencontrer ma blessure.

Colère, fuite ou violence sont souvent des sentiments-écrans que je mets en avant, contre l'autre, pour ne pas entendre ou reconnaître ce qui est blessé en moi. Ces sentiments-écrans vont donner lieu à des comportements fictifs qui ne permettront pas à l'échange de se dire ou de se vivre au niveau des sentiments réels, de ce que j'éprouve en moi.

La tristesse est la seule issue au ressentiment, cette douleur qui s'égare en révolte ou en silence. La colère est aussi, parfois, une issue à la dépression, car elle libère la rage que j'avais rentrée, retournée contre moi-même.

«Je m'en veux tellement de n'avoir pas été capable de renouveler notre relation, de la garder vivante et surprenante, que ça me fait du bien de l'accuser lui, et d'inventorier tout ce qu'il a fait, et surtout ce qu'il n'a pas fait, afin de le rendre responsable de cette détérioration. Des dizaines d'exemples me reviennent en mémoire et attisent les flambées de mon ressentiment. J'ai besoin de mon agressivité pour m'arracher à ma nostalgie.»

La colère explosive libère le trop-plein des silences, des soumissions ou des humiliations. Il y a aussi la colère salvatrice qui marque les limites à ne pas franchir, qui dit l'indignation et révèle l'injustice.

Le ressentiment, par contre, est une accumulation. C'est pour cela qu'il a du mal à se dire, à se verbaliser. Il peut être lié à une multitude de petits faits insignifiants, ridicules ou dérisoires quand on les prend isolément. C'est leur répétition et le sentiment d'impuissance, d'injustice qui va donner corps à la rancœur.

«Je t'en veux de me sentir coupable de t'agresser autant.»

Les humiliations subies sans protestation, les frustrations répétées, qui ont des résonances lointaines, vont former un magma pesant et s'inscrire comme une tension de plus en plus insupportable. Cette tension doit se décharger, trouver un exutoire ou un support pour son expression. Le bouc émissaire sera souvent la personne dont j'attendais le plus, celle que j'avais le plus investie d'espoirs. Ce sera celle, proche, qui «aurait dû» me comprendre, me recevoir ou m'aider qui justement se dérobe.

«Dans mon couple, comme dans mes relations d'antan avec mes parents, j'avais attribué à l'autre des missions destinées à combler mes désirs et à défaire mes peurs.»

«J'attendais de toi de me sentir enfin aimée pour ce que je suis et non pas pour les rôles qu'on me donne.»

Parents, partenaires et enfants seront les objets principaux des ressentiments profonds. Ce sont les relations les plus intimes qui sont chargées d'un ressentiment parfois proche de la haine. Plus j'aurai fixé sur eux mon besoin d'être aimé et reconnu, plus je leur en voudrai lorsqu'ils me décevront. Les mots le disent bien: je leur en veux, j'en veux d'eux.

La colère contre l'autre est ainsi un évitement de soi-même. Elle me permet de ne pas voir mon échec, mon insuffisance. Elle signe toujours ma dépendance. Elle peut être aussi une étape salubre d'affirmation et de revendication, un moteur pour mieux me définir et énoncer mes besoins, pour me faire entendre, pour me séparer de ce qui n'est pas bon pour moi.

> Cet homme nous disait: «J'ai des colères exceptionnelles, mais elles sont froides et tranchantes comme un scalpel. Mes colères sont de véritables opérations chirurgicales et, bien sûr, c'est sur moi-même que j'opère.»

C'est au stade de la rumination souffrante au long cours que le ressentiment devient un poison pour soi-même et pour les autres.

> «Il aurait pu me raccompagner jusque chez moi, mais il a préféré rester avec ses amis à boire et à bavarder de tout et de rien.»

Cette femme va ainsi, au souvenir des dernières minutes, massacrer, démolir littéralement la journée merveilleuse qu'elle et son ami ont pu passer ensemble.

Lors de cette rumination, nous nous emparons, dans une situation relationnelle donnée, d'un seul élément avec lequel nous bâtissons un scénario de reproches (culpabilisation de l'autre), de restauration (soins au narcissisme blessé), de vengeance (rétorsion, privation...).

Dans le ressentiment, c'est le plaisir lié à la rumination, à la répétition sans cesse remaniée d'une séquence et d'un dialogue imaginaire, qui empêchera de le dépasser. Nous dépensons ainsi beaucoup d'énergie à alimenter ce qui nous fait tant souffrir.

Renoncer au ressentiment, le lâcher, sera l'un des chemins pour devenir un meilleur compagnon pour soi-même.

Autrefois, la notion de pardon véhiculée par diverses religions prenait en charge ce possible. Aujourd'hui, il s'agit davantage de reconnaître la façon dont nous entretenons le ressentiment, quel que soit l'élément déclencheur, et la façon dont nous en faisons un enjeu de soumission ou de refus dans nos relations essentielles.

Cette lucidité nous aidera à laisser tomber peu à peu ou tout d'un coup, dans un rire ou un soupir, la violence accumulée, après en avoir épuisé les poisons et les bienfaits. Cette fluidité retrouvée nous permettra une légèreté, une distanciation et une réunification possibles entre le meilleur de nous-mêmes et l'imprévisible possible.

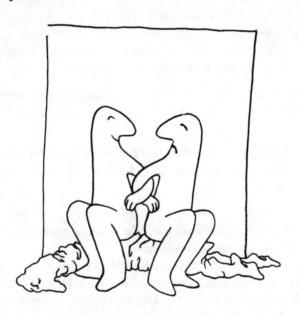

«Je crois qu'il est temps de te quitter, toi qui m'as accompagné depuis si longtemps, mon ressentiment préféré.»

La jalousie

«La jalousie, c'est un sentiment abominable, c'est une des douleurs extraordinaires de l'amour», disait Jeanne Moreau à Madeleine Chapsal[1], et cela me paraît vrai. Car il n'y a pas de jalousie sans amour, même s'il y a beaucoup d'amours qui se vivent sans jalousie.

---

(1). M. Chapsal, *La jalousie*, 1984, Idées, Gallimard.

Le jaloux sera celui qui aime quelqu'un dont il a été aimé. Ce sera celui-là encore qui doute de l'amour de l'autre et le réduira à néant, parfois, par ce même doute, cette suspicion permanente introduite au quotidien des rencontres et des absences.

Il faudrait parler plutôt de l'état de jalousie. C'est un état essentiellement émotionnel et corporel, qui s'appuie sur l'imaginaire et s'en nourrit. Peu de personnes se reconnaissent et s'affirment jaloux; c'est un sentiment qui fait honte à celui qui l'éprouve, car il entraîne souvent une production fantasmatique de violence et de destruction. Violence contre soi-même, violence contre l'autre partenaire ou contre le rival (le tiers).

On reconnaît la jalousie à ses effets, elle possède un puissant pouvoir de corrosion. Elle sature, elle use les sentiments les plus vivaces au départ, les relations les plus belles.

> *La jalousie est le fléau de l'amour… sans remède parfois,*
> *avec souffrance toujours.*

Et là, nous sommes renvoyés à la nature de l'amour ou de l'attachement qui sert de support à la jalousie. Est-ce un amour de l'ordre du besoin ou de l'ordre du désir? Est-ce un amour rêvé, idéalisé, tellement imaginé qu'aucune relation réelle ne le comblera?

La jalousie s'éprouvera surtout dans l'amour de besoin. La jalousie amoureuse, surtout, est un ensemble de sentiments et de sensations incontrôlables à caractère compulsif, qui s'auto-alimente de tous les éléments réels ou inventés puisés dans une réalité mouvante et se nourrit de tous les mouvements du cœur et de l'âme. Ceux qui ont éprouvé de l'amour ou qui ont vécu le sentiment amoureux savent quel mélange de joies et d'inquiétudes, de plaisirs et de douleurs, d'attentes et de déceptions, d'enthousiasmes et de dépressions traverse, habite et colore la passion amoureuse. À cela viendra donc s'ajouter une souffrance spécifique d'une grande intensité si la jalousie s'en mêle.

Les origines de la jalousie

Certains psychologues voient dans l'état de jalousie la persistance et la mise en acte «déguisée» d'une homosexualité latente.

Nous pouvons parfois le pressentir en voyant avec quelle fièvre certains hommes et certaines femmes imaginent et décrivent des scénarios de séduction et de relation amoureuse entre leur partenaire et l'autre. Ils imaginent les scènes avec un luxe de détails et avec un intérêt certain pour le rival du même sexe.

Pour notre part, nous en voyons plus fréquemment la source dans la découverte inévitable que fait tout être humain dans les premières années de sa vie, à savoir qu'il n'est pas unique, que sa mère l'a déjà «trahi», a déjà donné son amour à un autre plus puissant et surtout doué d'autonomie et de moyens.

Cette «trahison» est une des origines de l'angoisse d'abandon, de la peur de n'avoir pas de place, de ne pas être reconnu, d'être lâché dans le vide de l'existence sans être relié.

Plus tard, pour tel autre, la jalousie sera une façon de lutter contre le sentiment mortifère de non-existence, elle sera un excitant pour maintenir le désir, garder vivant l'attrait qu'exerçait l'autre sur lui. C'est pourquoi, même s'il n'a aucune raison «réelle» d'être jaloux, il trouvera inconsciemment de nouveaux prétextes pour l'être encore, car il puisera dans ce sentiment toute l'énergie nécessaire à sa survie.

La jalousie s'alimente de l'imaginaire

Nous imaginons surtout ce que vit l'autre — notre partenaire —, ce qu'il éprouve, ce qu'il n'éprouve plus ou ce qu'il n'éprouve pas. Cet imaginaire va s'inscrire dans le corps avec des sensations physiques d'une violence qui nous surprend et nous bouleverse comme une tornade ou un typhon internes pourraient seuls le faire.

Il sera difficile de décrire l'intensité et l'emprise des sentiments de celui qui souffre de jalousie. Il serait vain, d'ailleurs, de vouloir rassurer ou consoler un jaloux; il revient sans cesse sur un détail, sur un mot ou sur un comportement qui réactive sa souffrance et le chamboule comme le ferait un séisme sans fin.

La jalousie donne à celui qui l'éprouve la panique d'un anéantissement ou d'un impitoyable rejet.

Je sais le goût du néant et l'amertume tenacede la non-existence.

(Un jaloux)

«Quand je découvre un changement dans les sentiments de l'aimé ou un intérêt nouveau pour un autre, quand je surprends la «trahison», c'est mon existence qui est en jeu plus que notre relation. Un torrent de sensations chaotiques, violentes et subtiles m'envahit et me rend à la non-existence. L'envie de disparaître, de couler, de me perdre dans le rien. Et puis, quelques instants après, comme un volcan en ébullition, je suis submergé par des tremblements, par des hoquets, par des images de meurtre.

«Ah! faire mal! Oui me faire mal, au moins dans ce mal-là j'existe, je sens, j'éprouve. Alors je m'accroche à tout ce mal que je me fais et je me lève, épuisé, pour affronter le monde et la vie imbécile qui ne se doute de rien.

«Personne ne peut comprendre la torture secrète qui m'habite. Personne ne peut me déposséder de cette souffrance. Elle, au moins, elle est à moi, à moi seul!»

La jalousie et l'envie *(en vie)* porteront parfois plus sur la relation qui est imaginée ou simplement anticipée que sur la personne aimée. C'est en cela que l'activité imaginaire liée à la jalousie va faire des ravages incroyables. Car la relation ainsi projetée est vue comme porteuse de tous les possibles, de tous les désirs, de tout ce qui n'a pas eu lieu.

Nous le voyons fréquemment dans les entretiens d'accompagnement, quand un homme ou une femme imagine et construit avec mille détails «tout ce qui peut se passer» entre l'autre et le rival ou la rivale. La demande informulée mais réactivée par la jalousie portera sur le désir de contrôler la relation plus que sur le désir de la personne elle-même.

«Je veux savoir, tout savoir ce qui se passe entre eux.»

«Ce qu'elle ne me donnait pas (écoute, amour physique, abandon, engagement), il n'est pas possible qu'elle le donne à un autre. Jusqu'alors, j'avais imaginé que si elle ne me le donnait pas, c'est parce qu'elle ne l'avait pas, cela ne dépendait pas de moi. Et si elle donne à un autre la même chose qu'à moi, les mêmes gestes, les mêmes mots, les mêmes regards, c'est insupportable, cela rend notre vécu dérisoire, il n'a plus aucune valeur. Et surtout cela me confirme que je ne vaux rien... puisqu'elle avait tout ça et ne me le donnait pas, ou le donne à un autre, c'est que je ne valais pas la peine de recevoir quelque chose d'unique. C'est cette nouvelle image de moi qui est insupportable.»

Il y a aussi, dans l'état de jalousie, l'archaïque survivance du désir infantile du «tout vivre», du «tout avoir» de l'autre. Et l'envie aussi: «Je veux ce que tu as.» Il y a également ce désir jamais comblé de contrôler les sentiments de l'aimé. Vieux rêve mythique de pouvoir dicter à l'autre les sentiments qu'il doit avoir, qu'il doit éprouver:

- «Aime-moi entièrement.»
- «N'aime que moi.»
- «Renonce à tous les autres pour moi.»
- «Sois ce que je suis et seulement cela.»

La jalousie fraternelle

Il est devenu banal de parler de jalousie fraternelle, qui s'accompagne souvent d'un sentiment d'injustice. Et cela est vrai que tout amour maternel ou paternel est injuste dans le sens où il ne se manifeste pas de la même façon envers tel ou tel enfant de la famille.

Les enfants issus d'un même couple sont nés à des moments différents de son histoire, de ses cheminements ou de ses tâtonnements. Chacun arrive dans une histoire complexe, il est chargé d'attentes, de désirs, de missions ou d'espoirs tellement différents suivant les séquences de cette histoire.

Les conséquences de la jalousie fraternelle pourraient être atténuées si ce sentiment était simplement reconnu et admis.

«J'avais cinq ans et je tapais souvent avec mon gros camion de bois sur la tête de mon frère âgé de un an. Ma mère me disait: «Tu es grand, tu dois l'aimer, c'est ton frère.» Elle me demandait d'avoir des sentiments que je n'avais pas. Si elle avait pu seulement me confirmer dans mes sentiments réels: "Oui, tu le détestes, tu trouves peut-être qu'il prend trop de place, qu'il est de trop. Ça, c'est ton sentiment à toi, j'entends bien que tu l'éprouves", cela m'aurait aidé à traverser ma jalousie.»

«Oui, toi aussi tu voudrais que je te prenne comme lui sur ma poitrine, que je te berce. C'est vrai, j'ai eu ces gestes-là pour toi, cette inquiétude. Quand tu dormais, je venais te voir la nuit. Je t'ai donné le sein, celui que tu préférais était le gauche, du côté du cœur...»

Cette mise en mots étancherait bien des douleurs, apaiserait bien des attentes.

> *Les mots ne sont qu'un des éclats furtifs et malhabiles de la réalité.*

La reconnaissance des sentiments actuels, tels que nous les éprouvons — au lieu de leur négation —, est une forme de confirmation de soi. «J'existe dans ce que j'éprouve et c'est entendu.» L'erreur parentale ou éducative sera le plus souvent de vouloir nier, minimiser ou transformer le sentiment éprouvé par celui qui est jaloux, qui se sent jaloux, en un sentiment positif... qu'il n'éprouve pas.

La jalousie parentale

Il est moins fréquent de reconnaître et surtout de parler de ces sentiments diffus, honteux ou dérisoires qui traversent le corps du père regardant avec envie, jalousie, son petit garçon câliné dans les bras de la mère, qui est aussi sa femme. Voudrait-il la place de l'enfant (près de la mère), celle de la mère (si proche de l'enfant), du mari (ayant une femme disponible, accueillante, inconditionnelle aux demandes)? Il y a tant d'enjeux dans ces relations triangulaires créées par l'arrivée d'un enfant dans le couple. Bien sûr il y a cette croyance fréquente que l'arrivée d'un enfant va souder le couple, le stabiliser. Alors que très souvent l'arrivée d'un tiers va déséquilibrer la relation, va modifier la dynamique interne du couple.

Combien d'hommes qui ne «veulent pas d'enfant» devraient dire: «Je ne me sens pas capable pour l'instant d'être père» ou «Je n'ai pas envie de mettre un rival entre nous».

Chacun se souviendra de cette scène extraordinaire du film intitulé *Molière*[1], où le père du petit Jean-Baptiste Poquelin, voyant sa femme tuer des poux sur la tête de son fils (poux qu'il avait empruntés à un de ses camarades pour être dans le giron de sa mère), chasse le fils et offre sa tête aux mains accueillantes et disponibles de sa femme avec le désir d'être choyé, reçu, soigné comme l'était ce fils qu'il a repoussé comme s'il était un rival.

---

(1). De la réalisatrice Ariane Mnouchkine.

Les sentiments de jalousie entre mère et fille, au moment de la puberté en particulier, semblent plus manifestes et se traduisent plus ouvertement par un comportement agressif de la mère à l'égard de la fille, qui le lui rend bien. Les enjeux de cette jalousie sont multiples: séduction plus visible de la fille, vieillissement de la mère, attachement au père, conflit de fidélité, vie sexuelle trop manifeste... Résurgence de tous les possibles incarnés par cette fille qui se lance dans la vie et qui les sabote (ce qui est insupportable pour la mère qui revit ses propres sabotages) ou les réalise (ce qui peut être tout aussi insupportable).

La jalousie dans le couple

Dans la vie amoureuse, la jalousie sera associée à la possession de l'être aimé. Vouloir posséder l'autre, le garder pour soi, éventuellement le soumettre à ses désirs et à ses peurs. Voilà le prix à payer pour le sentiment amoureux issu du besoin.

Dans la relation amoureuse, il conviendrait de se définir très vite, très tôt. De baliser son territoire (temps, espace), de redéfinir fréquemment ses attentes, ses besoins, de mieux distinguer désirs et demandes. De reconnaître ses seuils de tolérance et ses zones d'intolérance. Apprendre à dire: «Voilà ce qui est bon pour moi, voilà ce qui est moins bon ou inacceptable pour moi.» Cela semble un long chemin à parcourir dans une relation de couple fondée sur la durée, le projet, l'échange, la mise en commun de sentiments et d'espérances.

Si l'amour pour l'autre est enraciné dans des besoins archaïques exigeants et totalitaires, il sera difficile d'éviter que la jalousie ne vienne polluer la relation. On verra ainsi des moments bons et savoureux contaminés par des reproches, des revendications disproportionnées par rapport à l'élément déclencheur: un oubli, un rire, un regard, un mot malencontreux.

Les armes de guerre préférées du jaloux sont l'accusation indirecte et la culpabilisation. Rendre l'autre coupable d'un:

- «Tu ne me donnes pas assez.»
- «Tu ne t'occupes pas assez de moi.»
- «Tu es égoïste et tu ne penses qu'à toi, qu'à tes intérêts.»

L'autre arme la plus fréquemment utilisée, c'est la dévalorisation, la disqualification de soi-même qui, du même coup, disqualifie l'autre.

- «De toute façon je n'en vaux pas la peine.»
- «Tu m'as choisi sans me connaître réellement.»
- «Je n'ai jamais été aimé.»

Cette autodévalorisation vise aussi à disqualifier l'amour, l'attention ou les marques d'intérêt de l'autre. Tout se passe comme si on lui disait: «Tu es vraiment le dernier idiot ou tu ne dois pas valoir beaucoup pour t'intéresser à quelqu'un d'aussi nul que moi.»

La jalousie sera parfois une tentative désespérée pour garder le contrôle sur l'autre et lui interdire de nous abandonner. Car à la racine de la jalousie, il y a la peur terrifiante de l'abandon, de la perte ou du rejet. L'injonction sera: «Tu ne peux pas me quitter.»

Certains vont tenter de traduire l'immensité de leur amour par des préoccupations jalouses.

«Regarde comme je tiens à toi, n'est-ce pas la preuve de mon amour?»

Le jaloux fait du prosélytisme.

«Si tu n'es pas jaloux, c'est que tu ne m'aimes pas.»

«C'est normal d'être jaloux quand on aime.»

La jalousie ne diminue pas l'amour pour l'autre, elle l'augmente parfois et surtout elle lui donne une dimension inouïe, celle de la souffrance, celle de la douleur qui se ramifie en désespoir et en doutes mais aussi en espoir insensé de reconquérir ou simplement de garder le partenaire aimé. Quand ce partenaire sera perdu (séparation, divorce) la jalousie peut se transformer en haine pour celui-ci ou pour le rival heureux. C'est à ce stade que l'on voit des passages à l'acte passionnels.

«Ma jalousie, toujours présente, attentive, vigilante.»

La jalousie dans la vie familiale et sociale

> *Tout ce que j'ai à dire, c'est que je n'ai rien à dire.*
> *Mais que je voudrais bien dire quelque chose.*
> *Aspirer à prononcer des paroles et des mots, c'est*
> *peut-être déjà une manière de prière, de résistance au*
> *vide?*
>
> E. Ionesco

Dans la vie quotidienne, de multiples situations servent de support à la jalousie et cristallisent beaucoup de tensions. En famille, la table est un lieu où la jalousie se manifeste avec beaucoup d'acuité et laisse des traces profondes. On l'observe:

- Dans les regards: Qui regarde qui? Qui n'est pas regardé? Trop regardé? Pas vu?
- Dans l'écoute: Comment la parole circule-t-elle? Qui est entendu, amplifié, reçu, accordé? Qui voit sa parole tomber dans le vide, ou être recouverte par celle des autres?

- Dans la circulation de la nourriture: Qui est servi en premier? Quels morceaux? Avec quels gestes, quels commentaires? «Toi tu manges déjà trop», «Toi tu n'aimes jamais rien».
- Dans le travail ménager: Qui débarrasse, nettoie, va chercher les plats? (rarement le père... souvent les aînés ou la mère).
- Dans la place qui nous est attribuée: Près de qui? Loin de qui?

«Je ne vois, je ne sens, je n'entends que ce qui va alimenter ma jalousie... et la transformer en souffrance!»

L'habillement et les soins du corps cristallisent beaucoup de comportements de jalousie. Tout est bon, la couleur, la forme, la fréquence, pour alimenter la souffrance.

Le domaine scolaire et les enjeux des bonnes et des mauvaises notes seront un terrain pour la jalousie par la préférence inconsciente de certains parents. Les identifications négatives, «Il sera comme son père... nul en maths» ou positives, «Il est comme moi, un littéraire» marquent profondément l'enfant qui en est le support. Certains seront accablés par les comparaisons («Il fait mieux, moins bien, il échoue comme...»). En classe, le chouchou est envié jusqu'à sept ou huit ans, rejeté et méprisé plus tard.

Les positions relationnelles par rapport aux personnages significatifs (père, mère, aînés) feront l'objet d'une rivalité parfois féroce qui alimente les jalousies familiales.

L'injustice des parts égales

«Il n'a pas à être jaloux, je ne fais pas de différence.»

Cela n'est pas une consolation pour celui qui veut un amour indivisible et absolu, qui veut être l'unique ou au moins se sentir aimé de façon différente, s'il se résigne à ne pas être le seul.

Beaucoup de parents imaginent être justes, égalitaires quand ils font, par exemple, «la même chose pour les deux enfants».

«Quand j'achète un vêtement pour l'un, je fais la même chose pour l'autre, je ne fais pas de différence.»

Justement cette attitude nie la différence, alors que ces deux enfants n'ont pas les mêmes besoins au même moment.

«Ah! l'injustice des parts égales! s'écriait cet homme quadragénaire. Ma mère découpait le gâteau en parts égales en croyant être juste et équitable. Mais moi, j'avais de gros besoins surtout en ce domaine. Je mangeais les restes de mon frère qui avait un petit appétit, mais j'aurais voulu qu'on reconnaisse mes besoins... pas par des restes!»

Il est très difficile d'introduire dans une famille ou une collectivité cette notion de parts égales, c'est-à-dire différentes, et de proposer par exemple de faire plus de parts qu'il n'y a de personnes, et de les couper inégalement en demandant à chacun de choisir. Pour certains il sera plus important d'avoir deux petits morceaux plutôt qu'un gros, pour d'autres ce sera la plus grande part qui est importante et désirée...

Nous connaissons une grand-mère qui prépare délibérément, pour le goûter, des morceaux de chocolat inégaux. Elle répond aux protestations de ses petits-enfants: «Qui a dit que la vie était juste?»

Certains d'ailleurs ont peut-être moins faim que d'autres, ou le foie plus délicat; les uns sont plus avides, les autres se satisfont de peu... ou d'autre chose que de chocolat.

Gérer la jalousie

Comment gérer ma jalousie et celle de l'autre? C'est en parler, parler, parler encore, avec comme unique condition de parler de soi. Surtout ne pas parler de l'autre ou «sur» l'autre. Parler de soi comme on se vide, comme on tanne une peau à l'ancienne en grattant dans chaque repli ces bouts de chair souffrante encore accrochée à l'intérieur du cuir, même s'il paraît impossible de mettre en commun ce foisonnement anarchique de sentiments et de sensations.

Et rire, peut-être, introduire son rire.

Ce couple de jeunes gens traversait une crise. Elle était éblouie et attirée par un brillant collègue qui lui faisait une cour assidue. Il était l'objet des avances flatteuses d'une autre belle jeune fille qui le touchait beaucoup.

Au détour d'un dialogue douloureux, plein d'angoisses et de menaces, ils s'offrirent soudain une séance de décharge qui les fit pleurer de rire et de rage. Chacun se mit à faire un portrait caricaturé et épouvantable, l'un du brillant collègue et l'autre, de la belle jeune fille. Ils rivalisaient d'esprit et de férocité: «Ton bellâtre blondasse imbu de son prestige frelaté!

—Ta bécasse minaudante avec sa bouche en cul de poule!»

Cela dura une heure avant qu'ils ne se tombent dans les bras, encore secoués des hoquets de leurs rires, ayant épuisé dans cette catharsis salutaire quelques-uns des démons qui rongeaient leur relation.

Ne jamais accepter d'entrer dans les faux choix, les menaces proposées par le jaloux:

- «C'est moi ou l'autre.»
- «Je t'avertis, tu n'auras pas les enfants.»

Ne pas se laisser dicter les comportements que le jaloux nous demande d'avoir. Déjouer, et ce sera le plus difficile, la culpabilisation, le «Regarde comme j'ai mal à cause de toi».

Mais c'est vrai que dire à l'autre: «Tes sentiments t'appartiennent, ta souffrance et ton inquiétude sont bien à toi» peut être vécu comme agressant. La réponse la plus fréquente étant: «Tu es égoïste, tu ne penses qu'à toi.»

Nous invitons toujours à différencier les sentiments, le ressenti: «Mon amour semble différent du tien, ton vécu est différent du mien.»

Le jaloux emploie souvent le mot «tromper»:

- «Je me suis trompé sur toi.»
- «J'ai été trompé par toi.»
- «Je me sens trompé par toi.»

Il serait plus juste de dire que le jaloux ne trompe que lui-même; c'est pour cela qu'il aura tant de mal à traverser l'état de jalousie.

> *La jalousie, c'est vouloir garder le futur au passé*
> *et maintenir le présent immobile à jamais.*

La culpabilisation

> *La culpabilité est présente dans toutes les relations,*
> *comme un circuit intégré, sous la plage des apparences,*
> *qui nourrirait les comportements et orienterait les conduites.*

Sans les balises et les avertissements que pose la culpabilité, nos sociétés seraient probablement monstrueuses.

L'étrange sentiment d'être coupable signe-t-il notre coupure? Sommes-nous coupés d'un état d'innocence et de complétude, et une voix intérieure tenterait-elle de nous dire que notre tâche consiste à le retrouver?

D'ailleurs, le mot «sexe» veut dire *coupure*, et la sexualité fera souvent l'objet des culpabilisations les plus intenses et les plus irrationnelles. C'est le terreau, le terrain privilégié de la culpabilité et de la honte.

La culpabilité peut proliférer comme un cancer dans certaines relations et devenir un lien empoisonné. Beaucoup de personnes s'administrent elles-mêmes ce poison («Je me sens en permanence coupable de quelque chose»), d'autres préfèrent le servir à autrui («Je montre à l'autre qu'il est responsable de ce qui m'arrive»). Dans un cas comme dans l'autre, la relation sera viciée, porteuse de mal-être et de confusion.

«Je me sens coupable de lui faire des demandes, car il se sent si coupable quand il refuse et il est si culpabilisant quand il accepte à contrecœur.»

La culpabilité se développe en réseaux enchevêtrés tellement complexes que celui qui la ressent ne sait plus, parfois, si c'est la sienne ou celle de l'autre.

«Je me demande si je m'infantilise pas mon mari en acceptant de faire tout ce qu'il me demande!», s'écrie cette femme de quarante-huit ans, sans percevoir que c'est elle-même qui est infantilisée par les demandes contradictoires de son mari.

Dans cette section nous nommerons «culpabilisations» ces excroissances et exagérations de la culpabilité qui en font une tumeur pernicieuse.

La culpabilité adéquate ne concerne que moi. Elle n'a rien à voir avec ce que pensent ou ressentent les autres. Elle est cette voix de ma conscience qui me signale par un serrement de cœur que j'ai enfreint une loi interne. Elle m'inflige un inconfort intérieur, du remords peut-être, mais pas une plongée dans la honte et la condamnation à mort. Elle n'est qu'un signal, une balise qui guide ma conduite, mon comportement d'être social.

«Moi qui attache tant de prix à la vérité et à l'honnêteté, voilà que j'ai menti, que j'ai triché. Je ne suis pas bien avec cela.»

Se culpabiliser soi-même

La culpabilisation est un amalgame de sensations mal différenciées, un mélange de peurs, de dévalorisation, d'ambivalence et de besoin de puissance.

La peur de la réaction de l'autre

La peur de la réaction de l'autre tient une bonne place dans ce que nous nommons à tort «culpabilité». Je crains les conséquences négatives de mon comportement. Peur de sa colère, peur de n'être pas conforme à ses attentes, de le décevoir, peur surtout d'être rejeté, de perdre l'amour, de perdre l'autre et de perdre ainsi une partie de moi-même.

Un jeune homme raconte les tourments qu'il vit dans sa relation amoureuse: «Nous nous étions un peu disputés, et depuis dix jours nous ne nous étions pas vus. Ce soir-là, elle me téléphone — ce qu'elle ne fait presque jamais — et me propose de venir chez elle. Elle est câline et je comprends bien qu'elle cherche une réconciliation, que je souhaite aussi. Mais je suis très fatigué, je dois prendre un train tôt le lendemain et je le lui dis. Je remets notre rencontre au samedi.

«Dès que j'ai raccroché, je me sens mal à l'aise, coupable, inquiet. J'ai surtout peur. Elle ne me téléphonera plus jamais ainsi à l'improviste pour m'inviter, j'ai bien entendu qu'elle était blessée, j'aurais dû prendre sur moi, elle est si sensible; j'ai toujours peur de lui faire mal et quand je lui fais mal, elle me rejette. Je ne sais plus discerner ma peur de sa peur et cela se traduit par un sentiment diffus et envahissant de culpabilité.»

> *Séparation: garder ce qui m'appartient et perdre...*
> *ce que l'autre emporte avec lui.*

La culpabilisation et la peur des conséquences se rattachent plus souvent à ce que je n'ai pas fait qu'à ce que j'ai fait.

«Je n'ai pas téléphoné, pas écrit, pas fait signe, pas invité.»

Comme l'autoreproche permanent et vague des «Qu'ai-je oublié?» et des «Qu'est-ce que je devais faire?» poursuit certaines personnes qui ont un sens excessif du «je devrais» et des attentes supposées d'autrui!

Car il y a des spécialistes du «je devrais» et du «j'aurais dû». Ces inépuisables instruments de torture savent prendre des tournures incroyablement rusées pour ne pas laisser de répit à ceux qui se persécutent ainsi.

- «Je ne devrais pas me tourmenter avec des «je devrais...!»
- «Je ne devrais pas essayer de répondre à ce que j'imagine être ses attentes envers moi. Si je me plie à toutes ses exigences, il me méprisera.»
- «Je devrais quand même être plus ferme, savoir dire non, ne pas toujours me soumettre; au moins elle me respecterait.»

«Ah! comme l'autre serait heureux sans moi!»

> *Les «je devrais» et les «il faut» sont les coups de cravache*
> *et d'aiguillon avec lesquels certains avancent dans la vie.*

Comment distinguer la culpabilité autonome de la culpabilité liée aux réactions de l'autre?

Un homme de quarante ans s'interroge: «Pendant deux ans j'ai entretenu deux relations parallèles, à l'insu de chacune de mes amies. Je ne me sentais pas coupable, je comprenais bien mes peurs d'un engagement unique, après deux ruptures douloureuses. Je ne voulais vivre avec aucune, je laissais évoluer les choses et peu à peu je m'attachais à l'une d'elles surtout. Un matin de cataclysme, elles se sont rencontrées chez moi, et ensemble, elles ont mis à nu mes omissions, mes silences, ma duplicité, mes mensonges. Je me suis senti affreusement coupable de leur souffrance, un vrai salaud, un goujat.

«Suis-je un salaud? Tant qu'elles ne savaient rien, je ne l'étais pas, j'étais d'accord avec moi-même. Alors? J'aime peut-être mieux devant elles me déclarer coupable que de montrer ma faiblesse, mon indécision, ma peur et surtout mes désirs.»

Nombreux sont les hommes que nous avons entendus témoigner de cela: la monogamie ne correspond pas pour eux à une loi interne, leur culpabilité éventuelle n'est liée qu'aux réactions de leurs partenaires. Ce n'est qu'en se mettant à la place de l'autre — et dans ce mouvement d'identification, ils se réfèrent à leur propre jalousie — qu'ils se sentent fautifs. Le malaise vient de ce que la culpabilisation est liée à la loi de l'autre.

La dévalorisation

La dévalorisation ressemble à la culpabilisation.

«Je suis insuffisant, incapable, minable, pas à la hauteur.»

Ceux qui semblent demander le plus avidement d'être aimé, d'être l'objet d'attentions, véhiculent souvent en eux une croyance indélébile:

«Je ne suis pas aimable, il n'est pas possible que quelqu'un s'intéresse à moi et m'aime pour ce que je suis.»

Un enfant mal aimé ou trop maladroitement aimé concevra la croyance qu'il n'est pas digne d'amour et non pas qu'il a des parents inacceptables. Ce sentiment d'être mauvais et sans valeur est l'une des pires tortures psychologiques que puisse s'infliger un être. Il mène à l'affreuse tentative de n'être pas soi-même, au dilemme le plus destructeur:

«Si je me montre comme je suis, vide, inconsistant, paniqué, je ne serai pas aimé. Si je présente un faux-semblant, je serai aimé pour ce que je ne suis pas.»

La dévalorisation culpabilisante se nourrit de comparaisons.

«Tout ce que je remarque de positif chez les autres, je le ressens comme un manque chez moi.»

«Je manque de confiance en moi.»
Je veux donc combler ce manque.

Comme un besoin de se définir en creux par rapport à ceux qui se définissent en ronde-bosse.

Beaucoup de grands conformistes cachent sous un comportement lisse les affres d'une méfiance fondamentale envers leur être véritable.

Ce n'est qu'à trente-huit ans, en entreprenant une thérapie, qu'Anita a pu parler de cette souffrance bien cachée sous un comportement tout à fait normal: «Je peux être blessée très profondément par un petit rien, un mot, un geste; c'est comme un effondrement, mais je sais bien cacher ce qui se passe en moi. Personne ne s'en doute dans mon entourage. Même quand je ne suis plus qu'angoisse et panique, j'arrive à sourire.

«C'est un cauchemar et personne ne peut comprendre la violence de ce que j'éprouve. C'est comme si je n'avais pas d'identité, je suis envahie par les autres, je ne peux que jouer à la petite fille sage.»

Dans les moments de dévalorisation massive, nous voyons un processus de globalisation d'un manque ou d'une erreur.

Une mère irritée par son enfant se dira avec désespoir: «Je suis une mauvaise mère» au lieu de constater simplement: «Je vis de la colère en cet instant.»

L'écolier qui n'a pas compris une explication se dira: «Je ne suis qu'un pauvre idiot.»

> *La dévalorisation est un grand fléau pour les relations;*
> *elle porte ombrage à celui qui la vit tout comme*
> *à celui qui tente d'aimer une personne dévalorisée.*

L'ambivalence

L'ambivalence peut se trouver à la source d'une intense culpabilisation. Ce conflit intérieur entre l'amour et la haine issue des frustrations, cet épouvantable combat entre l'attirance et le rejet engendre une culpabilité qui tente de contenir des forces destructrices.

Mais qui peut jurer que l'équilibre acquis ne se rompra pas soudainement? Qui peut être totalement sûr que la rage et les pulsions les mieux contrôlées ne franchiront la barrière dans aucune circonstance?

Même bien cachés et tenus en respect, les désirs et les fantasmes agressifs envers nos proches créent une culpabilisation chez celui qui aime et déteste à la fois.

Cet homme nous dira ses rêves de mort concernant la femme qu'il aime: «Je me voyais veuf, entouré de la compassion de mes amis, de ma famille. Je me sentais immensément triste de tout cet amour inemployé, j'étais apaisé au-delà du possible, libéré de tous les reproches que j'avais portés ces dernières années.

«Dans ces rêves éveillés, j'étais le mari idéal que je ne pouvais être dans le réel. Puis je m'en voulais de souhaiter sa mort pour échapper à mes dilemmes.»

C'est la relation de couple qui semble réactiver le plus la dialectique de l'attachement et du conflit que nous vivons dès la petite enfance. Le fait de devenir autonome est vécu comme ayant une composante agressive, une couleur d'abandon de l'autre, parent, enfant ou conjoint.

Cette infirmière de cinquante ans, célibataire, croit devoir consacrer tous ses dimanches à sa mère, qui vit dans un foyer pour personnes âgées. Elle se sentirait coupable de lui faire faux bond. Il y a en elle comme une compulsion à soigner, à entourer sa mère et à lui faire plaisir. C'est pour elle un devoir incontournable, une marque obligée de son amour filial.

C'est dans un stage de perfectionnement sur les relations soignant-soigné qu'elle a soudain découvert l'immense ressentiment envers sa mère qui l'habitait, bien occulté depuis son adolescence et peut-être avant. Les soins assidus qu'elle portait à sa mère, au prix de tous ses loisirs, avaient pour mission de neutraliser en elle-même des torrents de reproches agressifs.

Son dévouement était à la mesure de sa haine coupable. Après cette prise de conscience qui la bouleversa, cette femme retrouva le lien de tendresse qui l'unissait à sa mère et elle s'occupa d'elle beaucoup moins et beaucoup mieux.

L'ambivalence est inévitable dans toute relation. Chacun est tiraillé entre deux pôles nécessaires: les besoins d'indépendance-distance et d'intimité-proximité. Le conflit intérieur et extérieur déclenché par ces tendances opposées sera souvent accompagné de culpabilisation et de jugements moraux. L'indépendance sera taxée d'égoïsme et l'attachement sera vu comme immature...

La culpabilisation omnipotente

«Mes enfants ont divorcé tous les trois; je sais que c'est ma faute, je n'ai pas su les préparer à la vie de couple...»

«Mes parents se disputaient sans cesse lorsque j'étais enfant et j'ai toujours eu l'impression que c'était à cause de moi, je me sentais responsable.»

«Je m'en veux et je me juge sévèrement lorsque des pensées, des désirs ou des sentiments négatifs me traversent. Même mes rêves me culpabilisent, j'y vois des choses vraiment incroyables; j'ai honte en me réveillant.»

«C'est à cause de moi que mon père est mort. Si j'étais intervenu pour l'obliger à arrêter de travailler, à se soigner mieux, il serait encore là aujourd'hui.»

Cette forme de culpabilisation-là maintient une illusion: celle d'exercer un contrôle et un pouvoir absolu sur le bien-être et l'évolution de l'autre. Un pouvoir de vie ou de mort, dans le dernier exemple cité.

Ceux qui ne peuvent lâcher ce lien de toute-puissance sur l'autre et sur soi-même préfèrent entretenir leur culpabilité: mieux vaut se sentir fautif que privé de pouvoir, démuni, impuissant. Cette omnipotence est pourtant angoissante. Elle attribue à nos désirs et à nos fantasmes un terrifiant pouvoir de réalisation. Si les gens dont j'ai souhaité la disparition mouraient sur-le-champ, je serais entouré de cadavres! Prendre l'autre en charge, prendre sur soi le malaise de l'autre mène aux messages paradoxaux.

Ainsi, cette femme qui a décidé de quitter son mari parce qu'elle se sent mal dans cette relation, alors que lui souhaite poursuivre leur union, s'adressera à lui en ces termes: «Je te quitte pour que tu puisses trouver et vivre une relation plus harmonieuse.»

La culpabilité inconsciente

Sans qu'elles sachent pourquoi, certaines personnes s'autopunissent sévèrement. Accidents, échecs répétés, privations et dépressions semblent être des châtiments pour des fautes qu'elles ne savent pas avoir commises, des signes qui attestent de leur indignité. Curieusement elles paraissent soulagées par les tourments qu'elles s'infligent, comme si ces punitions les déculpabilisaient.

«Je souffre, j'expie je ne sais quoi et cela m'innocente...»

D'autres utilisent leurs souffrances pour se culpabiliser davantage encore.

«Qu'est-ce que j'ai fait pour mériter cela?»

Certains iront même jusqu'à commettre des actes de délinquance, qui au moins donneront un support concret à leur auto-accusation diffuse et permanente. Ils laisseront des signaux qui les dénoncent et tout se passera comme s'ils vivaient un soulagement:

«Enfin je suis réellement coupable d'un acte précis et jugé pour cela.»

La culpabilité inconsciente peut se fixer sur des culpabilités-écrans:

«Je me reproche des petites choses sans importance comme s'il s'agissait de fautes graves; j'ai besoin d'un ordre obsessionnel, ma tenue doit être impeccable, je développe une intolérance à toute erreur, à toute imperfection. Je m'accroche ainsi à des mini-perfections pour fuir une angoisse inconnue.»

Au-delà des désirs obscurs, interdits et oubliés de notre petite enfance, nous sommes tous porteurs d'une culpabilité liée à des faits auxquels nous n'avons pas participé, en des temps où nous n'étions pas de ce monde.

Des études ont montré que les enfants des nazis ont des sentiments de culpabilité semblables à ceux des enfants des juifs persécutés. Ils portent le poids de la destructivité ou du malheur de leurs ascendants.

Dans toute transmission d'une génération à l'autre circulent des fautes anciennes et des drames du passé — morts violentes, morts d'enfants, suicides, transgressions sexuelles, avortements, abandons, folie — qui pèsent sur nos vies et nous chargent de missions réparatrices mais aussi dynamiques. Parfois la culpabilité déplacée est si violente qu'elle devient une condamnation à mort.

Un père de famille fut, à cinquante ans, l'instrument tout à fait innocent d'une mort. Une femme sur un vélomoteur surgit d'un petit chemin de campagne et se jeta sur sa voiture, qui roulait normalement sur une grande route. Elle mourut à l'hôpital quelques jours plus tard. Cet homme, dans les années qui suivirent, ne se remit pas de sa culpabilisation. Il devint insomniaque, angoissé, et sans cesse il répétait: «C'était une mère.» Trois ans après l'accident, il se tua lui-même sur cette route, seul dans sa voiture, en percutant un arbre, peu avant l'aube.

Nous pouvons nous demander, au-delà des faits, quelle ancienne culpabilité liée à son ambivalence envers sa mère, ou envers sa femme, cet homme expiait ainsi.

Nos tourments enfantins sont encore agissants dans nos relations présentes, et la culpabilisation s'appuie sur les traces de fautes imaginaires dans notre mémoire inconsciente. Chacun d'entre nous aura à se protéger de l'immense responsabilité de toute la souffrance humaine inégalement mais abondamment répartie sur la terre entière.

Il peut se trouver aussi des culpabilités perverties, se référant de bonne foi à une loi à l'envers.

Ainsi, pendant la guerre, le directeur du camp d'extermination de Treblinka écrivait-il à ses supérieurs de Berlin des lettres désespérées où il se plaignait de ne pas atteindre son objectif de morts. Il ne parvenait pas à éliminer tant de milliers par jour. Il se sentait coupable de ne tuer que les deux-tiers de ce qui était attendu. Il avait fait sienne une idéologie qui le poussait, comme toute idéologie, à éliminer le mal. Et le mal était représenté par les juifs.

> *À un niveau moins effroyable, nous tuons aussi,*
> *au nom de nos croyances, en étouffant*
> *des potentialités créatrices chez nos enfants et en nous-mêmes.*

Culpabiliser l'autre

Certains individus, au contraire, paraissent avoir une déficience de leur capacité à éprouver de la culpabilité. Ils se défendent d'arrache-pied comme si le fait de reconnaître leurs manquements signifiait la fin du monde. Protection personnelle qui se double d'une activité de culpabilisation de l'autre. Avec l'indignation vertueuse des justes, ils savent, eux, qu'ils sont dans le vrai, qu'ils ont raison.

«J'ai toujours dit que l'infidélité ne pouvait conduire qu'au désastre. Tu récoltes ce que tu as semé.»

«Je ne pouvais quand même pas tolérer que mes enfants aient une mère qui trompe son mari. J'aurais tout fait pour les lui enlever si elle n'avait pas cédé.»

> *Histoire: Un poisson insatisfait sortait sa tête de l'eau*
> *pour respirer et chaque fois, il manquait d'air*

Le jugement

Le jugement est un puissant saboteur de la relation et de la communication, un tueur de confiance.

«Ah! pouvoir s'exprimer, se montrer sans déguisement, sans être tout de suite catalogué et enfermé dans un jugement!»

> *Les enfants reçoivent des avalanches de jugements*
> *que tout adulte hésiterait à assener en direct à un autre adulte.*

- «Tu es vraiment paresseux!»
- «Papa, je voudrais faire de la photo!
— Tu ferais mieux de travailler à l'école au lieu de perdre ton temps.»
- «Comme tu es empotée, ma pauvre fille!»
- «Ça, c'est vraiment très méchant.»
- «Tu ne feras jamais rien de bon.»
- «Ah! tu te crois malin!»

Les moqueries et la dérision les atteignent encore plus violemment et les blessent dans leur confiance.

«Ça m'aurait bien étonné que tu finisses le repas sans renverser quelque chose...»

«Tiens, Josette a compris la plaisanterie; c'est pas habituel, ça!»

Nous sommes imprégnés d'une activité permanente de jugements sur nous-mêmes et sur l'autre. Jugements moraux, esthétiques, culturels, psychologiques.

Ma réaction première, lorsque j'écoute quelqu'un, a tendance à être une évaluation intérieure immédiate: c'est normal, c'est bizarre, c'est faux, c'est vrai, c'est bien, c'est juste, etc. Je classe ainsi les opinions et les attitudes de l'autre dans les tiroirs de mes références. Le risque, lorsque je laisse tomber cette évaluation normative pour m'autoriser à comprendre sans préjugés le vécu de l'autre, le risque dis-je, c'est que j'aie à changer. Changer mon regard, quitter mon cadre de références, lâcher mes certitudes bien rangées. Et nous avons tous peur du changement. Si peur de modifier notre sentiment d'identité laborieusement construit et de découvrir en nous-mêmes des résonances méconnues, qui viendront remettre en cause notre image de soi et notre façon de penser.

Écouter et recevoir l'autre sans jugement et sans perdre cependant un esprit critique est terriblement difficile. Il peut être douloureux d'admettre que nos enfants, nos parents, nos conjoints ont des opinions et des réactions différentes face à des situations importantes ou cruciales pour nous.

> «Par conviction religieuse et humaine j'ai beaucoup milité dans un mouvement appelé «Laissez-les vivre». Et voilà ma fille qui vient me dire qu'elle a décidé d'avorter, et qui s'attend à ce que je la comprenne et même que je l'approuve!»

Comprendre autrui ne sera possible qu'à condition de mettre en veilleuse et entre parenthèses notre système de valeurs et nos croyances personnelles. Notons cependant qu'une critique n'est pas une attaque et que la critique bienveillante est indispensable à l'amour et à l'amitié.

La comparaison

Fille du jugement, la comparaison sert à étayer le processus de culpabilisation. Nous comparons ce qui n'est pas comparable, c'est-à-dire une personne à une autre.

> «Ton frère n'a pas besoin de cours particuliers, tu peux bien t'en passer, toi.»

> «Mon premier mari ne m'aurait jamais parlé sur ce ton, lui!»

La demande de *réciprocité* s'appuie aussi sur la négation des différences.

«Regarde ce que j'ai fait pour toi (quand tu étais malade, quand ta mère est venue vivre chez nous, quand tu finissais tes études) et regarde maintenant ce que tu fais (ne fais pas) pour moi (quand je ne suis pas bien, quand mes parents sont là, quand j'envisage de recommencer des études).»

La maladie de l'un n'a pas la même signification, le même retentissement que la maladie de l'autre. Elle va donc déclencher une réponse différente ou opposée. Le séjour de l'un des parents a été accepté, toléré, désiré pour un ensemble de raisons ou d'enjeux qui ne se retrouvent pas nécessairement dans le séjour d'un autre.

Beaucoup de systèmes relationnels sont fondés sur la dynamique du «moi, je..., alors toi, tu...» et sur la culpabilisation. Notre besoin de justice est heurté par l'asymétrie de toute relation. Les échanges humains sont de l'ordre du troc et de la complémentarité plutôt que de la similitude.

«J'admirais tellement le côté entreprenant de mon mari, que j'ai beaucoup essayé de lui ressembler. Ce n'était pas dans ma nature, mais je le trouvais si bien que je me sentais nulle. Ce n'est qu'après notre divorce que j'ai compris qu'il recherchait une femme qui fût... comme j'étais vraiment: confiante et encourageante, mais pas très entreprenante. J'ai cru qu'il fallait être comme lui pour lui plaire.»

Dans un couple les besoins et les désirs de chacun peuvent être complémentaires dans leurs différences, dans un premier temps, puis se ressembler davantage au gré de l'évolution de chacun. Cela provoquera des réajustements nécessaires ou des conflits, voire une séparation.

«J'ai entendu dire à la radio qu'un pays d'Afrique avait échangé avec l'Allemagne des squelettes de dinosaures contre des Volkswagen. Curieusement cela m'a fait penser à ma relation avec mon premier mari. Il était plus âgé que moi et c'était comme s'il m'enseignait tout; il m'apprenait la vie, il m'initiait et je me trouvais comblée. Puis j'ai changé, j'ai voulu apprendre seule, et aussi lui apporter mes connaissances... Ça n'a pas du tout marché, nous nous sommes séparés et il vit maintenant avec une femme à qui il enseigne la vie...

«Que se passera-t-il si ce pays d'Afrique se met à avoir, lui aussi, besoin de musées?»

La comparaison-accusation dénigre souvent le présent au nom d'un «avant».

«Avant, tu faisais des propositions, tu étais enthousiaste, tu m'écoutais, tu me donnais de l'attention. Et maintenant c'est… autre chose.»

Le temps des débuts de la rencontre amoureuse reste souvent un étalon inamovible et nostalgique qui dénonce l'évolution de la relation comme une perte. La dégradation des relations ne permet pas leur vieillissement, comme des objets modernes qui s'abîment et ne se patinent pas. Le désir du retour au «comme avant» contribue à cette dégradation.

«Avant, tu me prenais sur tes genoux, tu me laissais venir dans ton lit, tu jouais à l'éléphant qui attrape la biche… et maintenant tu dis que je suis trop grande…»

Les comparaisons entre frères et sœurs, souvent induites par les parents, semblent parfois durer toute la vie. L'enjeu deviendra la culpabilisation liée aux parents âgés.

«J'habitais la même ville que ma mère et je l'avais tout le temps sur le dos. Ma sœur, qui habitait à deux cents kilomètres, me reprochait de ne pas assez m'occuper d'elle. Je voyais ma mère trois fois par semaine et elle, une fois par mois. Ma sœur disait: "Tu habites tout près, c'est simple pour toi de faire un saut." Puis ma sœur est revenue dans notre ville mais elle continue à ne voir notre mère qu'une fois par mois.»

> À comparer, je sabote mes relations et l'image que j'ai de moi.

La projection et l'appropriation

C'est le propre de toute relation intime que d'être porteuse d'une charge de projections sur l'autre, et en retour, d'appropriation de ce que l'autre projette sur moi. Ce double mouvement favorise les dialogues irréels et les communications folles.

Nous appelons *dialogues irréels* ceux construits à partir de nos réactions, à travers des comportements-écrans, qui empêchent l'expression de notre ressenti profond.

> «*C'est un homme qui verrait loin, très loin,*
> *s'il ne se mettait pas toujours devant lui.*»

La projection

La projection resemble à celle d'un film: l'autre est l'écran et je regarde les images que j'envoie en croyant de bonne foi que cela vient de lui. J'ai beaucoup de choses à projeter:

Mes images parentales

Tous ces messages qui ont imprégné mon enfance, qui viennent de mes proches et que je continue à voir à l'extérieur de moi.

«Ma mère, surchargée, attendait de moi, l'aînée, que j'apporte de l'aide et que je ne demande rien pour moi. C'est exactement la même chose avec mon mari: je ne me sens acceptée que si je suis utile et que je ne réclame rien pour moi, surtout pas un peu d'attention et d'écoute. Il a besoin d'une femme qui se mette au service de ses désirs, et c'est tout.»

Telle est la vision de sa place dans le couple que s'est construite cette femme. Pour cela, elle a sélectionné tous les signes de non-disponibilité émis par son mari pour étayer sa croyance à elle, pour attribuer de bonne foi à son conjoint cette position d'utilisateur.

Lorsque nous avons rencontré le mari en question, nous n'avons pas reconnu le portrait qui nous en avait été fait. Il se plaignait, lui, que sa femme «ne sache pas recevoir, ne demande jamais rien pour elle-même, croie toujours devoir aider et faire quelque chose pour les autres».

Cet homme a été idéalisé par sa mère qui acceptait inconditionnellement tout ce qu'il était et faisait. Il est persuadé que sa compagne a envers lui les mêmes dispositions, et il n'imagine pas qu'elle puisse être intolérante à certains de ses comportements. Pour lui, tout va bien; il aime la patience et la réceptivité de son amie. Celle-ci est prise dans une projection qui la flatte, qui correspond à son idéal de tolérance, elle essaie de s'y conformer, n'exprime pas ses réactions négatives, se les cache à elle-même et renforce ces projections par une tentative d'appropriation du regard déformant de l'autre.

Ces systèmes de projection-appropriation ne fonctionnent que par la collaboration des deux personnes en cause. Il appartient à celui qui est l'objet de projections de réajuster sans cesse la relation en se positionnant, en disant ce qu'il est réellement, en manifestant ses sentiments vrais.

Mes propres sentiments

Il peut m'être très difficile de me représenter que quelqu'un qui m'est cher éprouve des sentiments différents des miens. C'est en passant par moi-même que je tente d'imaginer ce qu'il ressent, et j'interprète ses conduites en fonction de ce qu'elles signifieraient de ma part. Je mesure l'autre à l'aune de moi-même, en ce qui concerne mes sentiments conscients.

«Quand j'étais à la maternité pour la naissance de notre enfant, il passait ses nuits avec une autre. Ses sentiments et son amour pour moi ne valent donc rien puisque, moi, jamais je n'aurais fait ça à quelqu'un que j'aime.»

Nous voyons de nouveau que la demande ou la peur de la réciprocité est basée sur la projection. Selon les situations ce sera:

- «J'ai peur qu'il fasse avec moi comme je fais pour lui.»
- «Il devrait bien faire avec moi comme je fais pour lui.»

J'identifie l'autre à moi, je l'imagine ayant un fonctionnement interne identique au mien.

«Je n'aimais pas ma mère, j'ai maintenu beaucoup de distance entre elle et moi, cela me dégoûtait de toucher son corps. Pendant des années j'ai été persuadée que ma fille ne pouvait pas m'aimer, puisque j'étais sa mère. Elle ne pouvait ressentir que de l'hostilité à mon égard.»

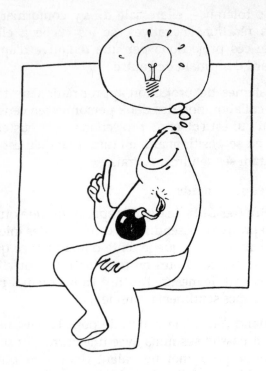

«Il y a du danger partout... même en moi!»

La projection dans ce cas porte davantage sur la relation que sur la personne: «Une relation mère-fille ne peut être aimante.»

> *Rien n'est plus dangereux qu'une idée quand on n'en a qu'une.*
>
> Paul Claudel

«Je suis tellement amoureux de cette fille qu'il n'est pas possible qu'elle n'ait pas la même attirance. Dans le groupe où je la rencontre, elle semble ne pas faire attention à moi, mais je sais bien qu'elle fait semblant, elle ne veut pas se manifester devant les autres, ou peut-être qu'elle a peur de blesser quelqu'un ou alors qu'elle est timide. Quand elle me tourne le dos, je sais bien qu'elle ne pense qu'à moi.»

Les amoureux peuvent être incroyablement inventifs pour interpréter les signes qui prouvent que leur sentiment est payé de retour (ou qu'ils ne sont pas reçus).

«J'ai un esprit très critique, j'ai tendance à juger tout le temps ce que je vois et entends, alors je ne peux croire que les autres ne font pas la même chose à mon égard.»

«Moi, quand j'aime, je ne suis attirée par aucun autre homme, alors si lui a besoin d'autres relations, c'est bien la preuve qu'il ne m'aime pas.»

«Personne ne peut vivre avec moi» dira cet homme qui ne peut vivre avec personne.

Des aspects inconnus de moi-même

Il y a en chacun de nous des facettes multiples qui cherchent à exister, qui poussent pour se manifester et dont souvent nous ne sommes presque pas ou pas du tout conscients.

Ce sera parfois chez les autres que nous imaginerons voir ces aspects de soi interdits ou sous-développés. Cela peut être le bébé en moi ou au contraire l'adulte responsable, le héros valeureux ou la sorcière malfaisante, le sage ou le fou.

«Mon mari a toujours raison, il a un jugement tellement sûr, des opinions bien étayées, une vision claire de toute situation. Ce n'est pas comme moi, qui ne connais que les doutes, qui suis incapable de comprendre. Il m'a dit que ces stages de formation ne servaient à rien. Je ne comprends pas pourquoi je m'y suis inscrite.»

Cette femme semble accepter de prendre à son compte l'immaturité, voire la bêtise, pour projeter sur son partenaire ses propres capacités de penser restées inexploitées.

Certains enfants vont s'approprier les projections plus ou moins conscientes de leurs parents et donner vie aux facettes cachées de leurs géniteurs: ils deviendront artistes ou délinquants, débauchés ou champions d'une grande cause. Pour le meilleur et pour le pire, ils réaliseront des tendances avortées ou réprimées chez les parents.

Les personnes les plus projectives ont surtout besoin d'attribuer à d'autres leurs «mauvais sentiments», l'avidité, la colère ou l'hostilité qu'elles ont tellement refoulées qu'elles ne les reconnaissent plus en elles. Elles trouveront toujours des poubelles où jeter ces parties d'elle-mêmes qu'elles ne peuvent accepter. Leurs opposants politiques ou leurs concurrents peuvent remplir cet office, ce qui est moins douloureux que de faire des projections sur les proches. Mais que surgisse une difficulté familiale et leur système de pensée fonctionnera de même.

> «S'il y a problème, cela tient à l'immaturité, à l'égoïsme ou à l'insatiabilité de l'autre; moi je reste pur et bon, rien ne pourra me disqualifier.»

Plus quelqu'un a besoin de projeter son négatif sur l'autre, plus on peut penser qu'il doit ainsi protéger son équilibre précaire en évitant de se confronter à ses propres défauts ou faiblesses.

Ainsi les grands accusateurs sont-ils pleins de leur propre doute, remplis de leur manque, débordant de leur angoisse... à décharger sur autrui, sur la vie, sur le monde entier.

Mon idéal et mes illusions

La projection idéalisante advient souvent au moment de la rencontre amoureuse ou dans une relation significative avec un maître, un thérapeute, etc. Elle comportera un piège relationnel pour les deux protagonistes: celui qui est l'objet de l'idéalisation ne se sentira pas reconnu tel qu'il est, même s'il cultive avec complaisance une vision grandiose de lui-même, et le projeteur ne pourra créer une relation réelle avec un être réel. Il restera pris dans les filets de l'illusion et dans une pseudo-relation.

> «Dans l'équipe médico-sociale que je dirige, il y a un jeune médecin qui s'obstine à me voir comme quelqu'un qui sait tout, qui a réponse à tout. Parfois je me surprends à tenter de correspondre à cette image qu'il se fait, et parfois je lui dis mes incertitudes, mon ignorance, mon impuissance. Mais là encore, il s'extasie sur ma modestie et mon humilité. Je l'ai entendu dire une fois que je ne me montrais démunie que pour mettre les autres à l'aise.»

Cette projection idéalisante se révèle stérile dans la durée. Ne pouvant alimenter et nourrir cette image que l'autre a de moi, je me révèle alors décevant, frustrant et impuissant.

Des intentions

Prêter des intentions à l'autre, positives ou négatives, là où il n'en a pas, est un grand facteur de malentendus. C'est une façon de projeter mes désirs et mes peurs sur l'autre, de confirmer mes sentiments de persécution ou ma croyance que je suis le centre du monde... et de ses préoccupations. Je me donne en effet de l'importance en attribuant à l'autre des intentions envers moi, même si c'est l'intention de me blesser. Cela me valorise davantage que de réaliser qu'il peut être indifférent, inattentif, oublieux, pris dans un ailleurs où je ne suis pas.

Tel sera le sens de beaucoup de «Tu fais exprès pour me contrarier», «Tu as choisi ce jour anniversaire pour être absent», «Tu veux me rendre jaloux», «Tu fais tout ce que tu peux pour me rabaisser» où l'autre ne se reconnaîtra pas. Il sera parfois sidéré de découvrir l'effet de ses conduites non intentionnelles, messages envoyés le plus souvent pour se décharger ou s'exprimer, mais que l'autre a considérés comme des messages adressés à lui personnellement. Les justifications du premier, «Mais je n'avais aucune intention négative enves toi, j'ai fait ou dit ça sans y penser» seront alors une nouvelle blessure, plus réelle, pour celui qui se sentait l'objet d'une intention. Les intentions délibérées ne sont que très rarement à l'origine des difficultés relationnelles.

L'appropriation

Par l'appropriation je fais mien le regard de l'autre sur moi, comme si je devenais ce qu'il perçoit de moi, sans me différencier, sans faire la part des choses, des êtres, des réactions qui lui appartiennent.

> «Depuis mon adolescence, dit cette femme de trente ans, je me suis habillée dans un style unisexe: des jeans, des pulls informes, les cheveux courts. Maintenant je me sens changer, j'ai envie parfois de me farder un peu, de mettre une robe gaie, de me coiffer autrement. Quand je le fais, mon mari me jette un regard méprisant et il m'a dit deux ou trois fois "Tu joues aux indiens?" Mes désirs sont alors anéantis, je me sens ridicule et godiche. Cette image dans le miroir qui me plaisait devient mascarade. Son regard sur moi est plus important que le mien, la féminité que je sentais pourtant bien en moi s'évanouit et je remets vite mes jeans.»

Nous ne savons pas ce qui est touché chez cet homme lorsqu'il voit une certaine coquetterie apparaître chez sa femme.

Nous voyons seulement que cette femme substitue à sa propre perception d'elle-même la réaction subjective de son mari.

> *L'appropriation est le mécanisme intérieur*
> *par lequel nous nous laissons définir par l'autre,*
> *par ses désirs, ses peurs, ses besoins et ses croyances.*

C'est un processus particulièrement nocif chez les enfants, à un âge où la recherche de leur identité propre est encore très influençable. Combien de potentialités tuées par des «tu es» que l'enfant s'est appropriés.

- «Tu es timide.»
- «Tu es tout à fait comme moi.»
- «Tu es bien le fils de ton père!»
- «Tu es insupportable.»
- «Tu es très généreux.»
- «Tu es extraordinaire.»

«Je veux que tu aies l'air d'une vraie femme... Tu devrais
toujours t'habiller comme ça!»

Une autre forme d'appropriation consiste à prendre sur moi, en moi, ce qui appartient à l'autre.

Son angoisse, par exemple, sa souffrance personnelle, ses frustrations. Je peux me les approprier soit en m'en sentant responsable, soit en les éprouvant moi-même comme par osmose, dans une identification sans distance. Nous semblons absorber ainsi plus facilement le malheur de l'autre que son bonheur, surtout lorsque ce bonheur n'est pas lié à nous.

Je peux aussi m'approprier les désirs de l'autre, en les transformant en demandes que je me charge de satisfaire.

«Il répondait tellement à mes demandes qu'il m'en dépossédait.»

«Mon mari veut donner à notre fils à naître le prénom que mon père voulait me donner si j'avais été un garçon. Il veut ainsi me faire plaisir en faisant plaisir à mon père, et je ne sais plus comment je désire vraiment nommer mon fils, dans cette ronde de «faire plaisir». Vais-je faire plaisir à mon mari en le laissant me faire plaisir de faire plaisir à mon père?»

> *La pensée est un sécateur où chacun*
> *coupe la parole à l'autre.*
> *Jules Renard*

En m'appropriant le désir de l'autre, j'évite d'avoir à rechercher, à écouter et à respecter mon propre désir. Certains vont jusqu'à vivre presque par procuration, par les personnes interposées que sont leurs parents, conjoint, amis et enfants, ou même leur patron.

«Je ne sais pas bien ce que je veux, ni ce que j'aime. Je me lie toujours avec des amis pleins de désirs et d'intérêts. je m'inscris dans leurs projets et leurs activités; j'épouse leurs enthousiasmes et leurs idées et j'y trouve mon compte... Enfin presque...»

Nous connaissons tous des mères de famille dont la conversation est un récit des activités et pensées de leur mari et de leurs enfants.

«Et toi?
— Oh moi, je vis pour eux.»

Ce sont eux qui vivent pour elle.

Bien des parents de bonne volonté s'approprient les projets et les désirs de leurs enfants en les devançant, et en s'emparant de leur réalisation.

«Mon fils était parti aux États-Unis pour se former en gestion et j'avais tout préparé pour lui donner l'occasion de se faire la main sur une petite société que j'avais créée à son intention. À son retour, il m'a annoncé qu'il allait faire le tour du monde. Aujourd'hui il s'est fixé au Japon!», s'écrie avec nostalgie ce père.

Nous pouvons penser que ce fils a mis la distance suffisante entre lui et son père, entre ses désirs à lui et ceux de son père.

«Mon fils voulait se construire une cabane au bout du jardin, alors j'ai commandé des planches taillées sur mesure et tout le nécessaire. Je l'ai faite avec lui trois dimanches de suite, elle est superbe... mais je ne comprends pas pourquoi il ne joue plus à la cabane.»

Il n'y a pas de relation sans un minimum de projection et d'appropriation. Tout lien se construit sur cet échange de subjectivités. Ces mécanismes ne deviennent de grands saboteurs que lorsqu'ils prennent des proportions aliénantes, passent trop inaperçus et ne font l'objet d'aucun réajustement.

Mieux je suis séparé, différencié, mieux j'existe.

Nous avons tenté dans ce chapitre de rassembler quelques-unes des conduites les plus fréquentes qui vont fermer, blesser la relation à soi et à l'autre. Ne pas laisser gambader ou folâtrer notre saboteur favori dans nos échanges, c'est découvrir l'immense champ des possibles de la rencontre, du partage, de la relation.

VII

La plainte

Je me plains donc j'existe.

La plainte circule énormément dans les communications au quotidien. Écoutons autour de nous et en nous. Il n'est pas de jour où nous n'entendions s'élever des lamentations personnelles ou généralisées.

Que dit la plainte? Une insatisfaction, une douleur, un grief? Certainement, mais nous nous demandons surtout à quoi sert la plainte. Lorsque je brandis, répands ou murmure une plainte, je me présente comme la victime d'une injustice; chacun sait que les victimes sont méritantes ou innocentes et qu'il convient de leur apporter compassion et admiration.

Celui qui se plaint a envie de se plaindre; il ne demande pas forcément réparation. Il exprime son impuissance et n'est pas à la recherche d'une solution. Il ne veut considérer que l'aspect négatif d'une situation.

Celui qui se plaint a envie de se plaindre,
il n'a pas envie de faire disparaître le sujet de sa plainte.

Essayez de proposer un remède ou une issue à un plaignant, il vous répondra: «Oui, mais…» surtout si vous lui dites: «Mais tu as tout pour être heureux.»

Cette phrase est offensante, elle renvoie le «chanceux» à ses devoirs de privilégié, alors que la souffrance lui donne des droits et de la valeur. Il en résulte, dans certaines relations ou dans certaines conversations, une escalade pour prouver que «Mes malheurs sont plus grands que les tiens», et surtout que «Les miens ont cette vertu d'être irrémédiables et définitifs, alors que les tiens sont temporaires et relatifs».

J'ai deux façons de me plaindre: je me plains de moi-même ou je me plains de circonstances extérieures à moi: les autres, la société, le destin, la vie, Dieu. Ainsi, chacun a tendance à mettre en cause soit l'intérieur, soit l'extérieur dans ce qu'il considère comme son malheur.

Se plaindre de soi-même

Je me plains de moi, c'est-à-dire de ce que je suis et de ce que je ne suis pas. Parfois je garde cette plainte dans le circuit interne de mes ruminations, parfois je l'administre à un interlocuteur.

- «Je suis tellement maladroit.»
- «Je n'arrive jamais à tenir mes résolutions.»
- «Je suis incapable de dire non.»
- «Je ne parviens pas à me concentrer.»
- «Je suis affreusement timide...»

Que je me noircisse férocement, que je gémisse sur moi-même avec une tendre pitié ou que je m'autocritique avec plus ou moins de bienveillance, de toute façon, quand je me plains, je me déclare sans pouvoir: «Je ne peux ni m'accepter tel que je suis ni me changer.»

Dans la foule des *je* qui m'habitent, qui est ce *je* insatisfait des autres *je* qui le concurrencent? Chaque être humain est une foule de personnages qui ne font pas toujours bon ménage. Parmi eux se trouve parfois, un inexorable censeur nommé Idéal ou Ego; il se désespère en considérant l'écart entre ses attentes et les minables réalisations des personnages qu'il souhaite gouverner. Il ne les encourage pas d'un «Vous allez évoluer», mais il leur déclare plutôt: «Vous êtes nuls.» Le paradoxe, c'est qu'en me dévalorisant je me valorise aussi à mes yeux ou à ceux d'un autre, car ma plainte dit:

«Ne crois pas que je sois content de moi, que je me plaise tel que je suis. Mon idéal de moi est bien différent, bien plus haut. Je ne suis pas un médiocre puisque j'ai une haute conception de ce que je voudrais être. Mes aspirations à être autrement font à la fois mon désespoir et ma grandeur.»

Que va faire l'interlocuteur confronté à un homme, à une femme ou à un enfant qui se plaint de lui-même? Il tentera peut-être de le rassurer, de le gratifier: «Mais tu fais très bien ceci ou cela, mais tu as telle qualité...» Cela sera souvent mal reçu, le plaignant ne se sentant pas entendu. Une femme que son thérapeute tentait de réconforter ainsi s'exclamait: «Il n'a même pas vu que j'étais bête!»

«Je suis tout petit, moi! Au-dedans, personne y me comprend!»

Les conseils en vue d'un changement seront mal acceptés aussi, si le besoin du plaignant consiste à se plaindre et non pas à être guéri. La plainte n'est pas une demande d'aide. Elle peut être une demande de confirmation, un «Tu n'es pas content de toi» ou «Tu ne t'aimes pas ainsi» qui renvoie le plaintif à sa subjectivité et lui permet de s'entendre.

Il y a, pour certains, une érotisation de la plainte dans le sens que le plaisir qu'ils en tirent est plus grand que celui de la satisfaction. La plainte sur soi se fixe parfois sur un aspect précis du corps que l'on a: «Je suis trop gros, mon nez est disharmonieux, mes cheveux incoiffables, etc.» Tel trait physique est investi d'une signification de carence, et l'incomplétude de chaque être est ainsi exprimée par cette plainte.

> *La plainte sur soi-même est le gémissement*
> *d'une âme tiraillée entre les diverses forces*
> *qui la constituent, la dépassent et lui échappent.*

Se plaindre des autres ou du sort

La plainte sur les autres semble au contraire permettre d'éviter un sentiment de dévalorisation et de cultiver l'autosatisfaction. Elle est un instrument de stratégie qui peut viser des objectifs divers.

La plainte-appel

> *Si j'avais du jambon je ferais une omelette au jambon...*
> *mais je n'ai pas d'œufs. (Dynamique de l'omelette)*

La plainte peut être un appel, une demande indirecte. Elle tente de capter le regard et l'émotion de l'autre.

«Au récit de mes malheurs et malchances, l'autre ne pourra que me donner des marques d'affection.»

Les personnes malheureuses ne sont-elles pas plus dignes d'intérêt, plus riches, plus profondes que les gens sans problèmes? Ma souffrance particulière est mon signe le plus distinctif.

La plainte-appel est d'un maniement délicat, le dosage doit être bien mesuré pour provoquer l'effet voulu. Car les plaignants au long cours, les intarissables de leurs infortunes font fuir. Ils provoquent le rejet et un cercle vicieux s'installe alors: rejeté par son entourage las d'entendre ses plaintes, le malheureux se plaint à juste titre d'être rejeté et provoque plus de rejet encore.

La plainte est une manœuvre de séduction (amener l'autre à soi) qui échoue souvent. Elle peut être une survivance de souvenirs enfantins. Certains témoignent qu'ils n'ont été dorlotés que lorsqu'ils étaient malades ou blessés, ou qu'ils sont tombés malades pour enfin recevoir des soins chaleureux.

Il y a ceux qui compensent le manque d'amour
par l'avidité du manque.

La plainte-reproche

La plainte est parfois un reproche indirect adressé à celui qui l'écoute. Cette femme qui ne reproche rien ouvertement à son mari se plaint constamment de ses malaises, de sa fatigue, de son travail, de ses voisins, de son vieillissement ou de la société. Ses proches entendent bien là une revendication floue à leur égard, mais sans savoir où ni comment ils ont manqué. Et surtout sans pouvoir se défendre d'un malaise persistant, car ils sentent bien que le reproche sous-jacent les concerne.

La plainte-reproche indirecte crée un état de stagnation dans les relations. Elle permet d'éviter de faire des demandes et de manifester de l'agressivité. Elle permet également d'éviter l'affirmation de besoins ou de désirs propres. Faisant l'économie des crises et des conflits ouverts, elle semble exprimer un désir de changement, mais elle sert surtout à l'empêcher.

> «Si je lui disais ce qui me ferait plaisir et qu'elle se conformait à mes vœux, je ne pourrais plus me plaindre; je serais dépossédé de ma revendication cachée, qui est qu'elle fasse spontanément ce qui me convient.»

Lorsque mes reproches me semblent injustifiés, informulables, je les transforme en plaintes.

- Ce mari ne peut pas reprocher à sa femme de donner son temps à sa mère mourante. Il se plaindra longuement des tracas ménagers et du comportement des enfants.

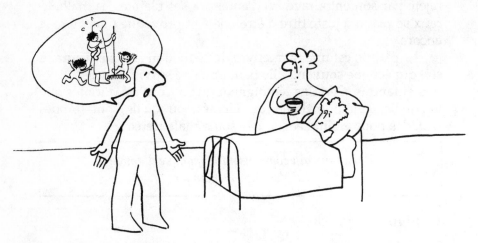

«Si tu crois que ça m'amuse, moi, de ne pas être malade!»

- Cette femme ne peut pas reprocher à son mari le fait qu'il ait des enfants d'un premier mariage. Elle se plaindra de migraines lorsqu'ils viennent en vacances.

- Cet adolescent ne peut pas reprocher sa surdité à son père. Il se plaindra surtout des professeurs qui ne comprennent rien.

- Cet homme trop occupé, incapable de faire des choix, se plaindra du temps qui se dérobe, qui le fuit et l'empêche… de tout vivre.

- Cet employé ne peut pas reprocher à son patron d'être plus intelligent et plus efficace que lui. Il se plaindra beaucoup de ses conditions de travail.

La plainte impossible est ainsi déviée sur un tiers objet.

Ceux qui s'engagent dans une relation d'aide devraient être attentifs à cette dynamique de la plainte dérivée de son sujet réel. Cela leur éviterait de chercher des solutions pour l'objet apparent de la plainte et les amènerait à s'interroger:

> «De quoi se plaint-il vraiment et à qui s'adresse-t-il, parmi les personnes significatives de son passé ou de son présent?»

> *Les meilleurs reproches ont besoin d'être injustes.*

La plainte-attaque

La stratégie de la plainte-attaque consiste à atteindre les failles de l'autre et à le rendre responsable de ce qui, chez moi, ne va pas.

«Regarde où j'en suis à cause de toi! Vois ce que tu m'as fait faire!»

«Je me détruis pour toi, regarde, je fais une dépression à cause de ton comportement.»

«Avec toi je n'arrive jamais à l'orgasme et cette insatisfaction me rend boulimique; j'ai encore pris trois kilos.»

«Je n'aime pas cette maison où nous habitons; moi qui suis si sensible à l'esthétique, ce cadre me déprime.»

Cette forme de plainte qui confronte l'autre à ses insuffisances assure une position relationnelle haute, celle de la victime persécutrice, car elle place l'autre dans le rôle de persécuteur. Il est très difficile de pardonner à l'autre le mal qu'on lui a fait, et celui qui se voit défini comme nocif accumulera du ressentiment contre sa victime accusatrice.

> *Le pire des ressentiments est de ne pouvoir pardonner à l'autre le mal qu'on lui a fait.*

La plainte-justification

En me plaignant des autres, en les mettant en cause dans ce qui m'arrive, j'évite de pénibles sentiments de culpabilité ou de responsabilité.

La plainte concernant les parents, comme celle qui s'adresse à la société en général, est une source inépuisable de justifications.

«Ils m'ont inhibé, empêché de développer mes potentialités, ils m'ont trop contraint; ils ne m'ont pas assez guidé; ils ne m'ont pas donné une image satisfaisante de la vie de couple; elle ne m'a pas appris à être une femme; il m'a donné le message qu'il ne faut pas montrer ses sentiments, etc.»

La litanie est sans fin. Toutes mes insuffisances, tous mes manques, mes échecs, toute ma médiocrité, c'est de leur faute. Les carences de mon enfance ont créé cet irrémédiable, je n'en suis pas responsable.

Dans les démarches de développement et de changement personnel, nous travaillons à restaurer cette dynamique d'auto-responsabilité face aux conduites d'accusation et de démission entretenues par beaucoup d'entre nous.

Les autres, la société locale ou «l'époque où nous vivons» peuvent avoir pareillement bon dos.

«Dans cette ville, ce pays, on ne peut pas créer, innover. Tout est tellement sclérosé, routinier, le système étouffe mes dons.»

«De nos jours il n'est pas possible d'établir des relations spontanées et vivantes. Les gens sont méfiants, repliés sur eux-mêmes, ils sont tellement matérialistes, individualistes et égoïstes.»

«On ne peut rien contre eux (eux, les fonctionnaires, les médecins, les enseignants, les policiers... l'autre).»

Cet «on ne peut rien» sert d'alibi justificatoire pour ne pas essayer autre chose et s'installer dans une passivité innocentée.

Par ma plainte, je tente aussi de faire entende mon impuissance, de la conjurer en quelque sorte.

«Depuis quelques semaines, un déséquilibré met le feu aux pinèdes avoisinantes, et moi qui ai débroussaillé, raclé chaque bruyère, je me plains de mes voisins qui laissent leur terrain à l'abandon. Je suis vraiment impuissant face aux actes imprévisibles de celui qui met le feu.»

> *«Ah! si je pouvais au moins me plaindre*
> *de tout ce qui va bien en moi et autour de moi!»*

La plainte-valorisation

Lorsque je raconte les épreuves qui ont jalonné ma vie, les coups du sort, les accidents et les malheurs que j'ai affrontés, je dis par là mon courage et mon mérite. Ma plainte témoigne de ma valeur, puisque j'ai surmonté tout cela. Que vaudrait le voyage du héros sans les épreuves qu'il rencontre et les obstacles dont il triomphe?

«Mon mari m'a quittée, me laissant seule avec trois petits enfants; personne ne m'a aidée. Je n'avais pas une bonne santé et les enfants non plus. Mes parents n'avaient pas pu me payer une formation professionnelle...»

Tout cela dit combien cette femme est valeureuse d'avoir continué à vivre et d'être là, aujourd'hui, avec sur les lèvres un petit sourire modeste qui semble signifier: «Je ne me plains pas, mais admirez-moi.»

Les *self-made men* sont fiers de l'être («Je suis parti de rien») et les fils de famille n'aiment guère qu'on fasse état de leurs privilèges.

La plainte-valorisation est fréquente chez les personnes âgées. Elle énonce les malheurs comme s'il s'agissait de richesses:

«J'en ai des choses qui ne vont pas. Il n'y en a pas beaucoup qui tiendraient le coup, qui continueraient à vivre comme je le fais.»

Leurs proches s'irritent de ces plaintes, ils se sentent culpabilisés d'être plus heureux. Les ex-enfants ont de la peine à entendre la plainte de leurs parents sans la prendre en charge, sans tenter de les déposséder de cette valeur sûre: une plainte qui ne s'use pas, même si on s'en sert.

«Si tu savais tout ce que j'endure, je ne te dis pas tout pour ne pas te faire de la peine, mais c'est dur, tu sais, toute cette solitude...»

Nous retrouvons ici, sous un autre aspect, l'équation souffrance = valeur. Souvent les petites annonces de recherche d'un partenaire mentionnent, parmi d'autres qualités énumérées, «ayant beaucoup souffert». Quel impact ce message est-il censé avoir sur l'homme ou la femme éventuellement intéressé par la proposition de relation? Que le nouveau venu «ne doit pas faire souffrir», que de toute façon «quoi qu'il fasse, quoi qu'il soit, il ne fera pas souffrir autant». Défi, invitation, négation de la souffrance à venir, autant de stimulations pour indiquer une valeur sûre.

> *Dans les hiéroglyphes de la douleur, la plainte est*
> *un signe charnière entre blessure et souffrance.*

La complicité dans la plainte à propos d'un tiers

Se plaindre à quelqu'un d'un tiers absent est une pratique qui occupe une place importante dans les conversations. Les femmes se réunissent pour parler de leur mari ou de leur ami, les écoliers pour se plaindre de leurs professeurs ou de leurs parents, les hommes pour se plaindre des politiciens, des événements ou des patrons. Cela crée un lien de complicité, un sentiment d'appartenance à un groupe d'opprimés, une illusion de solidarité ou même une solidarité défensive réelle. Un ennemi commun est un lien puissant, tout comme une critique partagée ou approuvée qui s'adresse à un absent. La cohésion défensive devient parfois persécutoire.

Cette femme rend visite à ses parents tous les deux mois environ. Chaque fois qu'elle se trouve un moment seule avec son père ou sa mère, celui-là ou celle-ci en profite pour se plaindre de son conjoint.

«Elle ne veut jamais sortir.»

«Il continue à boire.»

«Elle est toujours de mauvaise humeur.»

«Il n'a pas encore réparé la chaise cassée il y a trois mois.»

«Il me laisse tout faire dans cette maison, on ne dirait pas qu'il est à la retraite, il n'est jamais là.»

Chacun essaie d'entraîner sa fille dans une alliance contre l'autre. La fidélité des enfants est mise à rude épreuve dans ces situations, car le parent plaintif demande aussi une approbation de sa propre conduite, de sa bonne foi. La fille se sent importante en tant que confidente, mais elle reste ainsi dans un leurre, car elle ne réalise pas que ce n'est jamais elle-même qui est le sujet de l'intérêt ou de la conversation, le conjoint absent ou défaillant occupant toute la place.

«Mon père, après s'être plaint de ma mère, me quittait souvent en disant: "Heureusement que tu existes!" Cela me faisait chaud au cœur.»

Avait-elle vraiment existé dans cette rencontre?

Se plaindre ainsi de l'autre (elle fait ceci, il est cela) est un déguisement de la véritable plainte: celle qui dirait les sentiments réellement éprouvés, la frustration ou la déception, les désirs et les attentes.

La plainte paradoxale

Pour certains, la vie est une vallée de larmes; elle est douloureuse, ennuyeuse, pénible, décevante et, par-dessus le marché, elle est trop courte!

> *Si je parle, ma douleur ne sera point adoucie. Si je me tais, en sera-t-elle diminuée?*
>
> Job

La plainte-soupape

La plainte a parfois une simple fonction de soulagement. Cela me fait du bien de pouvoir m'exclamer que j'ai trop de travail, que mes collègues sont vraiment impossibles, que j'en ai assez d'avoir mal à la tête ou que mes enfants m'épuisent.

Je voudrais que ma plainte soit reçue pour ce qu'elle est: l'expression d'un trop-plein momentané, et je me sentirais déchargé et allégé. Et surtout qu'on ne me rétorque pas: «C'est toi qui l'as voulu» ou «Il y plus malheureux que toi» ou encore «Tu devrais t'organiser autrement»! J'ai besoin de pouvoir, de temps en temps, geindre à haute voix ou protester à grands cris et devant témoin, avant de repartir d'un bon pied.

La plainte peut être une façon déguisée de s'étirer, de bailler, de lâcher l'incongruité gênante. En me plaignant, je me donne du bon temps au dépens du confort de l'autre et sans le lui demander.

Se plaindre de conditions que de toute évidence nul ne peut modifier fait partie des rituels de soulagement et des passe-temps sociaux. Cela concernera souvent en effet le temps qu'il fait et le temps qui passe. Les conversations météorologiques sont les plus prisées, et les perpétuelles plaintes qui les entourent sont semblables aux chœurs antiques qui annoncent l'inépuisable du malheur.

La plainte est une décharge et un partage. Les stoïques qui se l'interdisent nient leurs blessures ou les lèchent seuls dans un coin. Ils deviennent parfois semblables à une plainte silencieuse et meurent sans un cri! Trop conscients d'être responsables de ce qui leur arrive, trop fiers pour dévoiler leurs faiblesses, trop méfiants envers leurs semblables ou trop pénétrés des malheurs des autres, ils ne puisent pas au grand réservoir de la compassion humaine.

> *«Ah! que c'est bon de se plaindre!*
> *— Oui, mais à doses homéopathiques.»*

VIII

Quand le silence des mots réveille la violence des maux

Rien n'est coupé de rien et ce que tu ne comprendras pas dans ton corps, tu ne le comprendras nulle part ailleurs.

L'Upanisad

Nous avons, pour nous dire, et surtout pour ne pas nous dire, de multiples langages. Les langages non verbaux sont infinis et leur vitalité n'a d'égale que leur diversité, que ce soit par l'ensemble de la gestuelle consciente et inconsciente avec laquelle nous tentons de mettre au-dehors... ce qui est au-dedans, ou par des rituels (répétitions, passages à l'acte...) avec lesquels nous tentons d'apprivoiser le dehors... pour l'intégrer au-dedans.

C'est surtout notre corps qui émet et reçoit une infinité de messages. Nous savons aujourd'hui que les somatisations sont des langages symboliques avec lesquels nous tentons de dire à un entourage significatif (et ce ne sont pas toujours nos proches) *nos sentiments réels*, quand ils sont censurés ou interdits par des peurs.

Nous verrons plus loin qu'ils expriment surtout un vécu concernant les pertes et les séparations, les situations inachevées, les missions de fidélité et les conflits interpersonnels et intrapersonnels.

Les maux constituent en eux-mêmes un véritable langage codé, structuré, qui vient parfois combler les lacunes d'une relation perdue ou devenue impossible.

Le corps, dont la mémoire est inaltérable, porte en lui les messages de confirmation ou d'information reçus dans l'enfance. Messages de fidélité, de loyauté à tel ou tel parent, missions de réparation, de restauration des blessures cachées de ces mêmes parents (que l'enfant entend très tôt et va tenter de soulager en se donnant la tâche de les soigner).

L'enfant est d'une habileté inouïe pour énoncer de façon symbolique, mais souvent avec beaucoup de maladresse ou de violence, le non-dit de ses parents ou de son entourage; blessés par ces comportements, les parents les combattent, les disqualifient et vont même jusqu'à faire traiter leur enfant... sans entendre qu'il exprime justement ce qui ne va pas chez eux, en eux, entre eux. Et les ex-enfants que nous sommes utilisent aussi avec une incroyable créativité le langage des maux pour tenter d'exister et d'être reconnus.

Il me paraît vain aujourd'hui de poursuivre ou d'entretenir une fausse querelle entre troubles physiologiques (allopathiques) et psychosomatiques, et plus essentiel de sortir des classifications, des schémas et des interrogations sur la recherche des causes.

De ne plus se laisser enfermer dans les dynamiques «explicatives» afin d'entrer dans des dynamiques de compréhension, même contradictoires, issues des conflits existentiels et relationnels par lesquels une personne tente de maintenir un état de santé et de bien-être (ou d'entretenir, malgré elle, un état de souffrance et même de violence dans son corps).

Les questions de santé ne relèvent pas seulement de la médecine même si aujourd'hui elles aboutissent «à la médecine». Elles relèvent pour l'essentiel d'un réapprentissage de la communication avec soi-même et avec autrui. Elles relèvent d'un recadrage des relations significatives à chaque étape essentielle de notre vie (naissance, petite enfance, adolescence, âge préadulte, âge adulte et vieillesse).

Elles relèvent également de notre capacité à devenir un agent de changement pour la conduite de notre vie. De notre pouvoir de mieux nous définir comme sujet face à un autre sujet, plutôt que d'accepter d'être défini par lui et de courir ainsi le risque de rester un «objet» enfermé dans ses désirs, ses peurs ou son système de valeurs.

Les maladies sont des langages symboliques avec lesquels nous tentons parfois d'exprimer avec acharnement, avec désespoir ou... avec plaisir ce que nous ne pouvons pas dire avec des mots, avec nos langages habituels, ce aussi à quoi nous n'avons pas directement accès et qui pourtant se crie en nous.

Les maladies sont les cris du silence.

Si la communication avec autrui est vitale pour chacun, la communication avec nous-mêmes reste essentielle. Il s'agit d'écouter les répercussions de notre histoire récente ou passée sur notre corps et sur notre imaginaire. Il s'agit souvent de sortir de l'autoprivation relationnelle, affective, émotionnelle, qui nous enferme et nous mutile. Les mots du silence sont aussi violents à l'égard de nous-mêmes qu'à l'égard d'autrui.

> *Quand on ne peut le dire avec des mots,*
> *on va le crier avec des maux.*

Cette affirmation préliminaire peut sembler un paradoxe et risque de blesser, de heurter le lecteur. Car celui qui souffre pense sutout à se débarrasser de son mal, ce qui équivaut (si nous comprenons ce mal comme un langage) à le bâillonner avec des soins, donc à ne pas l'entendre.

> *Mal-à-di(re) et maladie doivent s'entendre dans*
> *différents registres pour que nous puissions accéder au gai-rire.*

Sur le plan des relations humaines, nous constatons aujourd'hui deux phénomènes apparemment opposés et certainement complémentaires.

- D'un côté, il y a une *incommunicabilité* de plus en plus grande entre les individus (je parle ici de la communication proche, intime, de la communication vitale, et non de la communication de masse confondue avec une surinformation, avec une stimulation constante à consommer des mots et des images qui ne... nous nourrissent pas pour autant).

Autour de cette incommunicabilité, de cette difficulté à se dire, à être entendu, à recevoir, il y a une immense souffrance, une infinie détresse assimilée à la négation ou à la dévalorisation de soi (ou de l'autre, vécu comme mauvais, inaccessible ou barré) qui conduit à la solitude. Double solitude, non-rencontre de l'autre, non-rencontre de soi. (La pire des solitudes, ce n'est pas d'être seul, c'est d'être un mauvais compagnon pour soi-même.)

- D'un autre côté, il y a un *intérêt*, une recherche de plus en plus exigeante, individuelle, personnelle, pour tenter de mieux se connaître, de mieux vivre, d'être un meilleur compagnon pour soi-même et conséquemment pour autrui.

Et cette recherche nouvelle, urgente pour un nombre de plus en plus grand d'hommes et de femmes, me semble essentielle et vitale, car il y va de notre survie. En effet, nous avons peu de prise sur les phénomènes sociaux qui nous environnent (et qui nous conditionnent). Ce sont les multinationales qui prévoient (sans nous) notre alimentation de demain, nos modes de loisirs, nos habitats et nos éléments de vie. Ce sont des entités anonymes, politiques ou bureaucratiques qui anticipent nos besoins, qui programment des réponses, qui aliènent déjà notre futur. Notre pouvoir réel et personnel sur les options sociales est quasi nul; nous avons peu de maîtrise sur tous ces phénomènes qui nous échappent.

Il nous reste un pouvoir potentiel, celui d'agir sur nous-mêmes, sur la conduite de notre vie quotidienne et surtout sur ce qui en fait l'intérêt: nos relations proches. Il nous reste cette fidélité fondamentale sans cesse menacée, toujours à défendre, celle de rester en bonne santé.

> *La seule aventure humaine qu'il nous reste*
> *est celle des relations humaines, avec la découverte*
> *de nos possibles et de nos impossibles.*

C'est sur ce courant de responsabilité que nous souhaitons nous appuyer, car notre santé mentale et physique s'y trouve liée.

En effet, malgré les progrès étonnants, fabuleux, de la médecine et de la chirurgie, nous constatons qu'il y a de plus en plus de gens, non pas malades, mais en difficulté, en état de souffrance physique et psychique. (La surconsommation de médicaments est souvent liée à la non-convivialité avec autrui et avec soi-même.)

La maladie ou la santé ne nous tombent pas dessus comme ça, au hasard. Les bactéries, les bacilles, les virus ou les accidents, nous les recevons, nous les accueillons et très souvent nous les gardons en les entretenant avec beaucoup de soins! C'est bien notre corps, notre organisme qui les accueille, les entretient ou les rejette. Il serait même possible de dire que nous fabriquons nos affections (ah! que ce mot est ambigu!), que nous les créons pour remplir une fonction qui nous échappe.

Élément structurant de la personnalité, le langage est un élément constituant de la santé. Mais encore faut-il se rappeler les règles élémentaires d'une *communication vivante*.

Celui qui parle veut être entendu dans le registre où il s'exprime (verbal, non verbal, émotionnel).

«Si je parle à mon mari de mes peurs, je veux qu'il entende que j'ai peur et non qu'il minimise ce que je dis, je ne souhaite pas qu'il se moque ou qu'il essaie de me rassurer, car je sens cela comme une non-reconnaissance de moi...»

Dans une relation intime et confiante, je dois avoir la liberté de demander, de donner, de recevoir ou de refuser. Si l'un de ces aspects manque, ma relation est malade et je souffre.

«Je n'ose pas demander ce qui est important pour moi, j'attends qu'elle devine... et je suis souvent déçu et frustré.»

«Je ne sais pas dire non, j'ai le sentiment que l'autre doit passer avant moi, qu'il faut que je lui fasse plaisir en priorité.»

«J'ai beaucoup de mal à recevoir, je ne me sens pas digne d'accepter. C'est comme si je ne méritais pas qu'on m'aime ou qu'on s'intéresse à moi.»

Dans un échange, il doit y avoir la double possibilité de dire non seulement les événements, mais aussi le vécu et le retentissement, c'est-à-dire vers quoi cette rencontre, cet événement nous renvoient dans un passé lointain ou plus proche.

Je dois avoir également la possibilité de m'exprimer dans les trois registres essentiels de la communication:

- le réaliste,
- l'imaginaire,
- et le symbolique.

Dans beaucoup d'échanges il y a des zones «aveugles» chez l'un ou chez l'autre qui «n'entend pas» ces différentes dimensions qui permettent d'accéder à une relation en santé.

Quand les *mots* ne trouvent pas un chemin pour être entendus et reçus, un autre langage prend naissance... celui des *maux,* qui se développent en maladies, en dysfonctionnements ou en troubles organiques.

Il nous paraît important que le personnel soignant puisse être à l'écoute de ces différents langages pour qu'il leur permette de se dire autrement que par la violence sur le corps. Je propose ainsi la notion de soins relationnels. J'appelle *soins relationnels* l'ensemble des attitudes, des comportements et des paroles de l'accompagnant qui devraient permettre à une personne malade de:

- tenter de comprendre le sens de sa maladie dans son histoire personnelle et familiale;
- se relier à son entourage;
- clarifier sa relation au traitement et aux personnages clefs qui le prescrivent (médecins et spécialistes);
- se réapproprier ses choix de vie du mieux qu'elle peut.

Si nous acceptons l'idée que les maladies, quel que soit leur élément déclencheur, sont des langages symboliques, la formation du personnel soignant devra s'inscrire autour de la notion d'accompagnement (pour justement qu'ils ne deviennent pas des «soi-niant»).

Les jeunes enfants sont des spécialistes imbattables des langages non verbaux. Leur corps est un véritable centre de messages émis en direction de l'entourage qui ne les entend pas comme des messages, mais comme des «comportements gênants ou inquiétants» qu'il faut donc réduire.

Cette jeune puéricultrice raconte comment elle put s'adresser au petit Maxime, âgé de quatorze mois, hospitalisé depuis quelques semaines après une crise de démence de sa mère, qui fut, quant à elle, internée en service spécialisé.

Chaque nuit, Maxime se réveillait, hagard, pleurait, se cognait la tête contre le bois du lit, s'arrachait les cheveux. Une nuit, elle le prit dans ses bras et lui dit simplement: «Maxime, tu n'es pas responsable de la souffrance de ta mère.» Le bébé la regarda longuement, eut quelques hoquets puis cessa de pleurer et s'endormit jusqu'au matin.

Oui, les langages du corps parlent non seulement de nos souffrances mais aussi de nos aspirations, de tout ce qui fait l'envie de la vie.

Nous allons tenter d'illustrer nos réflexions par quelques exemples vécus, recueillis et explorés dans les sessions de formation portant sur le développement et le changement personnel. Il ne s'agit pas de proposer un modèle explicatif totalisant ni de tomber dans des généralisations abusives et donc aveugles, mais bien de tenter de comprendre un ensemble de phénomènes dans lesquels nous sommes parties prenantes, non pas sur un mode volontaire mais plutôt sur un mode interactionnel et interrelationnel.

Chacun d'entre nous peut avoir observé, repéré, écouté quelques-uns des phénomènes psychiques, quelques-uns des vécus décrits plus loin qui se sont inscrits soit comme des stress, soit comme des portes ouvertes à l'agression externe, soit comme des appels au soma.

Que disent nos maux?

Les maux (qui deviennent parfois des maladies) sont des langages symboliques avec lesquels nous allons tenter de dire:
- les conflits intrapersonnels et interpersonnels;
- les situations inachevées (et en particulier le ressentiment lié à ces situations) qui restent comme autant de blessures ouvertes dans le secret de nos corps;
- les séparations, les pertes, quand elles n'ont pas été apaisées par le deuil;
- les messages anciens de fidélité, de réparation, de soumission ou de conformité que nous acceptons (ou auxquels nous nous opposons avec une dépense énergétique considérable et vaine le plus souvent). Par la cupabilisation, nous restons liés aux souffrances de l'autre, prisonniers de nos loyautés.

> *De tous les actes inachevés, de tous les gestes que nous n'avons pas menés jusqu'au bout, de tout cet à-peu-près dont nous tissons nos nuits et nos jours, de toutes les rencontres avortées avec soi-même et les autres naît un jour la crise.*
>
> Christiane Singer
> *Histoire d'âme*

Voici les grands stimulants qui sont à l'origine d'une somatisation ou d'un passage à l'acte somatique.

Les conflits intrapersonnels et interpersonnels

Les conflits intérieurs surgissent chaque fois qu'il y a un décalage, une contradiction entre ce que je ressens et ce que je fais, entre ce que je montre et ce que j'éprouve. Quand je suis tiraillé entre un désir et une peur, entre deux désirs, entre deux contraintes, je crée alors en moi un état de tension, de violence, qui me persécute et me déséquilibre.

«Le téléphone sonne, et une amie m'apprend que je suis invité à une soirée, qu'elle a pris un engagement pour moi. Sur le moment même je ne dis rien, je réponds des banalités et je raccroche. Dans l'heure qui suit, j'ai des réactions fébriles, ma gorge me fait mal, j'ai tous les symptômes d'une angine...»

Combien d'angines, de grippes ne sont-elles que «l'expression» mise en acte d'un refus qui n'a pu se dire, d'une expression personnelle qui n'a pu trouver son passage pour se faire entendre? Si je prends conscience assez vite du lien entre mon début d'angine et le coup de téléphone, je peux guérir mon angine en me réappropriant ma parole: appeler mon interlocutrice, dénoncer l'engagement qu'elle a pris pour moi, retrouver la liberté de m'engager.

Cette femme a épousé un alpiniste émérite, voire téméraire, qui l'entraîne chaque été sur les plus hauts sommets alpins. Elle suit son mari, mais elle a une peur terrible de certaines ascensions et voudrait surtout faire entendre sa demande, qui serait de... rester au chalet à lire, à rêver, pendant que lui «ascensionne». Chaque été, elle produit un herpès qui lui mange la moitié de la lèvre... elle «profite» de ce dérangement pour refuser les relations sexuelles. Le jour où elle a pu entrer en conflit ouvert, c'est-à-dire confronter ses besoins réels avec ceux de son mari... et prendre la décision de respecter davantage les siens, l'herpès a totalement disparu. (Nombre d'infections vaginales tenaces et douloureuses s'installent sans «causes» évidentes, avec des analyses négatives: elles disent souvent les malentendus, les refus non exprimés, les «violences» relationnelles.)

Cette autre femme a eu, à quarante-quatre ans, un cancer du sein. Traitement, ablation et guérison. Vers cinquante ans, elle nous dit comment elle a vécu cette aventure: «J'ai caché tout cela à mon entourage, personne n'a su ce que j'avais. J'ai profité de mes vacances pour me faire opérer. Même ma famille n'était pas au courant...»

Nous l'avons invitée à relier l'âge qu'elle avait au moment de l'apparition de son cancer avec ce qui avait pu arriver à sa mère lorsqu'elle avait le même âge. Après un premier temps de négation («Il ne s'est rien passé de particulier...»), elle nous dira: «Oh, oui! Je me souviens! Ma mère a eu ma petite sœur; au début de sa grossesse, elle était honteuse et elle avait laissé croire qu'elle souffrait d'un fibrome. Comme je faisais des études pour devenir puéricultrice c'est moi qui me suis occupée du bébé.»

Un peu plus tard elle reconnaîtra combien cette naissance avait «empoisonné sa vie»: «On me prenait pour la mère du bébé et je n'osais rien dire, je laissais croire. Je n'ai rien dit de mes sentiments réels. Mon frère, lui, en revenant du service militaire, quand il a découvert le bébé, il a cassé la porte du salon.»

Nous retrouvons là le même mécanisme: cacher, ne rien dire, taire la violence ressentie.

Michèle, dix-huit ans, vit chez ses parents et sort avec un ami devenu son amant. Elle doit rentrer avant minuit. À chacune de ses sorties, durant le temps de la rencontre, elle se sent malade. «Une barre, là, sur le front, des crispations à l'estomac, des crampes dans le bas-ventre. Toute la soirée, j'étais mal foutue, vraiment patraque. C'était devenu un fait notoire. Cela s'arrêtait vers onze heures trente. Je proposais alors qu'il me ramène. Les dix dernières minutes se passaient bien. On a toujours fait l'amour dans la voiture, juste avant le retour.»

Tout se passe comme si l'état de conflit interne avait besoin de «se dire» à l'extérieur par un symptôme-langage.

Les situations inachevées

Le corps garde la mémoire de tout ce que nous avons vécu (une mémoire inflexible, même si le souvenir s'est dilué ou évaporé au fil des ans), des événements qui nous ont marqués... ou qui nous sont apparus comme bénins, mais qui se sont inscrits avec violence en nous. Telle petite phrase ou remarque va «s'inscrire» comme une agression, va demeurer comme une blessure.

Les situations inachevées de l'enfance sont infinies dans notre corps et elles vont se «dire» pendant longtemps dans des langages qui nous étonnent... et nous rendent sourds le plus souvent.

Quand les parents de ce petit garçon de huit ans ont déménagé en cours d'année scolaire, il a perdu sa meilleure amie, Claire, son premier amour. Et chaque année à la même époque, en février, il fera une otite.

«Je n'aurais jamais dû accepter de déménager avec mes parents... quand papa a été nommé à Paris!»

Les otites «du refus», du «Je ne suis pas entendu», sont fréquentes chez les enfants blessés par l'incompréhension de l'entourage. Tout se passe comme s'ils disaient: «Vous êtes sourds, là, à cet endroit que je vous désigne avec mon infection...».

«Ma mère ne m'avait jamais parlé de ma naissance. Un jour où je lui disais mon désir d'avoir un enfant avec mon amie, elle m'a raconté comment j'étais né. "On t'a mis sous une tente à oxygène, le médecin t'a massé le thorax avec force et on t'a aspiré plein de mucosités, comme on vide un égout" a-t-elle ajouté. Quelques jours après, j'ai revécu cela, à vingt-neuf ans: étouffement, mucosités dans la gorge et dans les sinus, maux de tête, allergie violente à la lumière, qui semblait soudain trop vive...; j'ai le sentiment que je suis né trop tôt, aspiré trop vite, que j'avais besoin de plus de temps...»

À l'annonce de la mort (dans un accident de voiture) de son ami qu'elle fréquentait depuis quatre ans, Paule reste très calme. Elle repose le téléphone et continue à se maquiller car elle devait sortir: «J'étais comme anesthésiée, m'étonnant de ne pas sentir de souffrance.» Quelque quinze ans plus tard, Paule est mariée depuis dix ans. Son mari doit changer de lieu de travail. Il est absent depuis dix jours et un soir il lui téléphone pour lui annoncer qu'il vient d'avoir un accident de voiture, qu'il n'est pas blessé, que seule la voiture est détruite. En raccrochant l'appareil, Paule se met à trembler, à claquer des dents, agitée de soubresauts: «Des cris montaient en moi, une envie terrible de hurler, de casser, de faire du mal; tout mon corps vibrait. Quand j'ai pu téléphoner à mon mari, je l'ai appelé (sans m'en rendre compte) du prénom de mon premier ami. Je crois qu'il a très bien compris et cela m'a aidée à traverser toute une période de violence. Après cela, nous avons pu nous dire des choses que nous avions tues pendant des années.»

Les situations inachevées débouchent sur beaucoup de frustrations, de ruminations. Elles entretiennent le sentiment de non-valeur, de non-existence, et elles alimentent également des colères rentrées, des désirs de vengeance, des violences refoulées... qui vont tenter de se dire avec des maux, en particulier avec des symptomatologies à répétition (psoriasis, coliques néphrétiques, ulcères, etc.). Elles vont se dire aussi avec ce que nous appelons des passages à l'acte somatiques: accidents, blessures accidentelles, coups reçus.

«Je n'avais pas eu d'accident de voiture depuis quinze ans. Le premier, c'était en allant rejoindre la jeune femme que j'aimais, alors que je n'avais pas encore osé quitter celle que je fréquentais. Et le deuxième, aujourd'hui, quinze ans après... je l'ai eu en me rendant chez le notaire pour une séparation de biens, justement pour me séparer de cette même femme que j'étais allé rejoindre il y a quinze ans. Chaque fois, quelque chose est resté inachevé dans ces deux relations pourtant si différentes.»

Les séparations et les pertes

Les séparations sont vécues à des degrés divers, suivant l'âge et la phase de développement. Souvent, l'émotion, les sentiments réels qui s'y rattachent ne sont pas directement exprimés, ne peuvent être dits; le travail de deuil ne peut se faire... et cela va s'inscrire dans le corps, dans un signe, une trace qui se révélera plus tard à partir d'un petit événement déclencheur.

Cet homme de cinquante ans raconte, avec une émotion intense faite de désespoir et de colère mêlés, cet épisode de ses sept ans, lorsque, au retour de l'école, il découvrit «Boum Boum», son ami le cochon, éventré contre le mur de la ferme. Son père avait tué son meilleur ami, son confident. Il se cacha toute la nuit avec un immense sentiment de culpabilité. «Je n'avais pas su protéger mon ami.»

Et pendant de longues années, au temps de Noël, il trouvera toujours moyen de se blesser, de se tailler, de se couper, de se mutiler. Son corps porte la trace de nombreuses cicatrices... qui témoignent de son impuissance à sauver son animal préféré — «l'être le plus cher au monde» — dans cette période de sa vie, et de sa culpabilité transformée en punition.

Cette femme, mère de quatre filles, souffre d'allergies «depuis toujours». (Il faut toujours s'interroger sur quand commence le «toujours» dans une vie.) Elle est allergique à certaines odeurs et à certains pollens liés à la perte d'une poupée jetée à la décharge parce que «trop vieille, trop sale». «Tu ne vas pas garder cette cochonnerie dans ton lit» avait décrété sa mère. Et chaque année, au mois d'octobre (mois où la poupée avait été jetée), elle produit une sinusite infectieuse, tenace, agressive. Ces traces en elle furent retrouvées le jour où, rangeant le grenier, elle découvrit la première poupée de sa fille aînée et éclata en sanglots... sans comprendre.

La petite Louise avait neuf ans quand elle perdit sa mère nourricière, la seule mère qu'elle ait connue. Celle-ci avait soixante ans au moment de sa mort et, cinquante ans plus tard, Louise, devenue grand-mère, fit une dépression nerveuse. Elle dira, longtemps après, à son fils: «Tu sais, moi aussi je pensais que je mourrais à soixante ans, comme ma mère.»

L'angoisse de mourir au même âge que ses géniteurs, ou la culpabilité de leur survivre, d'aller plus loin qu'eux, est fréquente et tenace chez beaucoup d'adultes.

Cette jeune femme de trente ans a parlé un jour à son père de ce qui s'était passé pour elle à douze ans et demi, en classe de quatrième. «J'étais dans une classe où je me sentais bien, j'avais tous mes copains, toutes mes amies, et un jour, le professeur principal vous a appelés pour vous dire que j'étais douée et que vous devriez me mettre dans un autre lycée, plus sélect, plus rigoureux. Vous m'avez inscrite dans un autre établissement l'année suivante, brutalement, vous m'avez arrachée, transplantée dans une classe où il n'y avait que «des fils de cons, des bourgeois prétentieux, infects» desquels je ne me suis pas sentie acceptée et vous n'avez pas remarqué que, peut-être, il y avait un lien entre la primo-infection que j'ai faite cette année-là et cette situation! Je suis allée en préventorium; là, j'ai trouvé un milieu bon pour moi...

«Toi, papa, quand tu plantes un arbre, tu prépares soigneusement le terrain qui va l'accueillir. Tu fais ça pour un arbre... mais pas pour tes enfants.»

Oui, la lucidité des enfants et leurs exigences pour des relations de qualité devraient nous réveiller plus souvent. Et ce père entendait, plus de dix-huit ans après, le lien qu'il y avait entre une primo-infection et le fait de déraciner, d'enlever une petite fille de son milieu.

Angèle, jeune femme de trente-deux ans, mariée depuis cinq ans, nous a dit dans un groupe de formation que, depuis son mariage, elle a de fréquentes infections urinaires; elle ajoute: «C'est curieux car j'ai vécu pendant six ans avec mon mari sans être mariée et jamais je n'ai fait d'infection...» Elle a découvert «sa blessure» en écoutant une autre participante qui parlait de son chagrin d'avoir perdu son nom (le nom de son père) en se mariant, et de son désir de retrouver «son nom» auquel elle tenait tant.

Quelques semaines plus tard, Angèle nous écrivait pour nous dire le chemin parcouru, la disparition totale de ses infections, les relations renouées avec son père, son sentiment d'harmonie plus grand. Nous pouvons entendre dans cette situation combien Angèle avait subi son mariage comme une amputation de son nom, blessure mal cicatrisée qui continuait d'être purulente et de se dire à travers une infection urinaire.

C'est un des mystères du corps de se dire par des chemins imprévisibles... chez chacun. Et notre étonnement est grand, chaque fois que nous pouvons nous relier à un événement significatif, de découvrir que...

> *La mise en mots supprime la mise en maux.*

Ce garçon nouveau-né fut abandonné le jour de sa naissance par une jeune mère désemparée, affolée, elle-même menacée d'abandon. Il fut adopté très jeune par un couple d'agriculteurs qui avait déjà, après de nombreuses fausses-couches, adopté une fille qui était morte brusquement en très bas âge. Le garçon qui prit place dans cette famille peu après hurla toutes les nuits pendant les six premiers mois.

La mère et le père adoptifs se levaient alternativement et le berçaient pour faire taire ses pleurs. Il s'endormait dans cette présence, mais se réveillait une demi-heure plus tard et reprenait ses cris angoissés et angoissants.

Quarante ans plus tard, en évoquant l'angoisse d'abandon, toujours tapie en lui, et les explosions de colère que déclenche cette peur réactivée par une parole ou un geste blessants, l'homme s'interroge: Ce bébé criait-il pour s'assurer de la présence de ses parents, pour se faire confirmer qu'il ne serait pas de nouveau abandonné? Criait-il pour prouver à ses parents traumatisés que lui, il ne mourrait pas subitement, dans la nuit, comme la petite fille décédée?

Ces cris étaient un langage. En les faisant taire par le bercement, les parents empêchaient l'enfant d'exprimer son angoisse. En le laissant crier sans venir, ils auraient laissé l'angoisse l'envahir. Une parole vraie aurait pu prendre place là... «Oui, ta mère t'a lâché le jour même de ta naissance et tu as peur d'être abandonné de nouveau. Nous sommes là et nous ne te laisserons pas tomber. Oui, la petite fille qui était là avant toi a soudain oublié de respirer. Mais tu n'en es pas responsable, ce n'est pas sa place que tu as prise; c'est toi qui es là, vigoureux et vivant. Tu n'as pas à porter cette mort et notre chagrin.»

Les messages anciens de fidélité ou de réparation

Les enfants, comme les ex-enfants que nous sommes devenus, sont souvent les réparateurs des blessures cachées de leurs parents. Tout se passe comme si nous devions incarner dans notre corps les blessures, les déceptions, les manques de nos géniteurs. Ainsi va se créer un vaste réseau de fidélités et de réparations en relation étroite avec des atteintes corporelles (maladies, accidents, blessures diverses...).

Il y a aussi les «missions» qui seront attribuées à tel ou à tel enfants, mission de réussir, d'être heureux, de ne pas être heureux, d'échouer, de prouver, d'appartenir à... Les enjeux de ces missions se jouent sur le mode de la soumission, de l'identification, de la dette ou de l'opposition.

> Jean, trente-sept ans, produit plusieurs fois par an des sinusites, de mauvais rhumes qui se prolongent longtemps. Jusqu'à ce qu'il puisse dire à sa mère, avec quelque trente ans de retard, «la vérité» sur un événement de son enfance. À sept ans il avait failli se noyer et avait caché cela à ses parents. Ce jour-là, en l'écoutant enfin, sa mère ouvrit ses bras et lui dit: «Mon pauvre petit.» Il put pleurer longuement et «lâcher» à ce moment-là toute l'eau angoissante qu'il avait gardée pendant tant d'années dans le silence; il put ainsi lâcher ses sinusites chroniques.

Fidélité à des messages anciens, à des engagements à tenir, à des réparations à faire.

> Cette ex-petite fille a voulu redonner et offrir ainsi à sa mère le petit bébé que celle-ci avait perdu lors d'une fausse-couche, un petit garçon qui aurait comblé de joie la grand-mère. Mais dans l'histoire conjugale de ce couple, il n'y a pas eu de garçon, «seulement» trois filles... et quelques années plus tard, cette femme (l'ex-petite fille) produira un kyste sur l'ovaire gauche. (À la table familiale, sa mère était était toujours à sa gauche.)

Quand nous écoutons, quand nous acceptons de laisser s'associer tant de signes produits par le corps, nous commençons à entendre des histoires fabuleuses... et pas nécessairement dramatiques.

Histoires de liens, d'attachements. Histoires de filiation, quand, par un symptôme typique, tel enfant tentera de dire: «Vous voyez bien que je suis *aussi* un Durand» (quand la lignée des Dubois tente de s'approprier l'enfant).

«*Si j'écoutais mes sinusites ou mes angines, j'entendrais... mes peurs et particulièrement tout le silence autour de mes peurs.*»

La mémoire du corps est incroyablement riche et il n'y a rien d'étonnant à ce qu'elle se dise. Il arrive ainsi au corps de hurler dans le silence des mots.

Il va tenter de parler, de lâcher les conflits, de déposer des sentiments trop lourds, des demandes refoulées, de se libérer des sentiments de dette ou de réparation. Ainsi, le corps peut devenir un champ de bataille extraordinairement fécond par les «discours» contradictoires qui s'y affrontent.

Le dilemme des écoutants et des soignants est le suivant: «Si je soigne, je détruis le symptôme; je bâillonne donc ce qui tente de se dire par cette médiation.»

C'est pour cela que la médecine classique, qui vise à rétablir le fonctionnement, à supprimer les conséquences d'une infection, risque de passer à côté de l'essentiel: entendre ce qui se dit, ce qui se crie, ce qui se débat dans l'expression d'une somatisation.

Il conviendrait bien sûr de «soigner» tous ces aspects. Les soins relationnels que nous proposons viendraient en appui, en renfort des actions thérapeutiques proprement dites.

Très souvent, sans que cela soit nécessairement conscient, il y a quand même réparation symbolique dans la relation avec le soignant. Ce sera à l'occasion d'un geste, d'un parole, d'une association que se rétablira le lien dans une chaîne de signi-fiants qui échappent à la fois au soignant et au soigné. C'est la qualité de certains thérapeutes d'introduire ainsi dans la rela-tion des équivalents symboliques qui restaurent cette dimen-sion chez l'autre. La force d'une attitude, d'un geste, d'une écoute sera proportionnelle à sa dimension symbolique.

La cause ou le sens de la maladie

L'ensemble des soins relationnels proposés devrait viser à per-mettre au malade de se relier au sens de sa maladie, à sa fonc-tion symbolique. Dans trop de démarches de compréhension et de «soins», il y a confusion entre la recherche de la cause (pour expliquer, justifier la maladie) et la tentative d'en comprendre le sens.

Cet homme de quarante ans a repris ses études pour devenir animateur social. Quelques jours avant la date où il doit défendre son mémoire de fin d'études, de violentes douleurs l'assaillent; son médecin diagnostique des fissures ulcéro-anales et l'invite à se faire opérer d'urgence. Il se sent abattu et relie cette situation à ce qui s'est passé pour lui à différents moments de sa vie, chaque fois qu'il avait une épreuve, une confrontation à vivre: crise d'appendicite au moment du brevet d'études, hépatite au moment du bacca-lauréat, dépression nerveuse avant un examen important.

En reliant tous ces faits, il va se donner les moyens d'affronter positivement cette situation dont la répétition lui a fait retrouver le message reçu très tôt dans sa vie: «Oh! toi, tu ne réussiras jamais, ce n'est même pas la peine de te pré-senter quelque part!» Toutes ces réussites possibles étaient comme des transgressions; le risque d'être infidèle à ce mes-sage se traduisait par un conflit dont son corps manifestait la présence.

Trop souvent, en effet, nous voulons donner une explication à la maladie, c'est-à-dire que nous trouvons soit une cause matérielle ou physiologique, soit une cause psychologique.

«Depuis que mon mari m'a quittée, j'ai des insomnies.»

Cette tentative d'explication d'une somatisation, d'un dérangement, d'un dysfonctionnement constitue pour moi un leurre. Il ne s'agit pas de rechercher la cause, d'expliquer la maladie ou le traumatisme, mais de rechercher sa signification. De concevoir la maladie comme un langage dans une chaîne de signifiants qui nous échappent.

Ainsi, les insomnies de cette femme peuvent avoir comme sens une autoprivation, un punition qu'elle s'inflige pour avoir désobéi à son père qui lui avait dit: «Tu ne devrais pas te marier avec un type comme ça. Tu me déçois beaucoup.» Cherche-t-elle à renouer avec son père? À lui marquer son allégeance? «Tu avais raison, papa, regarde comme je suis punie.» Nous n'en savons rien, mais en «travaillant» sur la recherche du sens plutôt que de la cause, nous obtenons souvent un changement, l'abandon du symptôme, la restructuration d'une relation essentielle.

Quelle signification prennent ces otites chez ce bébé? «Maman, tu ne m'entends pas, tu n'entends rien.» Il s'agit bien d'oreilles à déboucher, mais pas de celles que l'on croit.

Combien de psoriasis invincibles, traités, soignés depuis plusieurs années par des dermatologues compétents... mais parfois sourds, vont «éclater», se dissoudre littéralement, quand la violence qui les contient pourra se dire? La colère terrible de cette femme de trente ans contre sa sœur, qui lui avait volé le prénom de sa poupée... à cinq ans, lui permettra de «lâcher» un psoriasis tenace... qui ne demandait qu'à être entendu!

C'est le retour du refoulé qui va libérer ces points de fixation, ces points d'ancrage et permettre ainsi de lâcher prise sur une «inscription», un germe de conflit, un point de tension.

Bien sûr, la mère de cette adolescente de treize ans ne sait pas qu'elle inscrit dans le corps de sa fille un jugement sans appel contre «ces gens qui ne savent pas aimer une seule personne à la fois». (Elle parlait peut-être de son ami qui a plusieurs relations.) Et quand cette jeune fille de quinze ans va se sentir attirée par deux garçons à la fois... elle sera prise de violentes crises (diagnostiquées comme étant des crises d'appendicite). C'est son conflit qu'elle dira («Je tiens à eux, à tous les deux») et son attachement à sa mère («Je ne veux pas la décevoir»). Et aussi le conflit interne à l'égard de l'image qu'elle a intériorisée («Je ne veux pas être vue comme une fille facile ou comme une putain...»).

À la troisième crise (quelques minutes avant qu'elle parte à l'hôpital pour subir une opération à l'appendicite), un échange avec un ami de passage «ouvrira» le conflit, fera éclater l'abcès de ses contradictions et lui permettra de s'accepter mieux dans ses attirances multiples... sans passer par la mutilation d'une opération. «L'appendicite s'est dégonflée comme une baudruche.»

Stéphane a huit ans. C'est le soir de son anniversaire. Sa mère, célibataire, a réuni autour de lui ses grands-parents et un tante. Tout s'annonce bien, il est joyeux, détendu. Et puis le téléphone sonne, c'est l'ami de sa mère qui souhaiterait passer quelques jours avec elle. Elle l'invite donc. Très peu de temps après l'arrivée de l'ami, Stéphane commence une poussée fébrile; il est ausculté, palpé; on prend sa température; il a 40,8 °C. Il s'alite. Le repas d'anniversaire se déroule sans lui... «autour» de l'ami de maman. Tout se passe comme si Stéphane se punissait et punissait sa mère de n'avoir pas su faire un choix... vers lui.

Cette petite fille de dix ans et demi fut prise, en rentrant d'un camp de ski, de violents maux de ventre, de vomissements et de malaises. Cela dura plus de deux mois, jusqu'au moment où elle put dire à sa grand-mère qu'elle avait embrassé un garçon sur la bouche et qu'elle avait entendu à la radio que le sida pouvait s'attraper par le baiser.

L'angoisse dite avec le corps est connue de la plupart des pédiatres et, cependant, c'est encore trop souvent le symptôme qui est traité!

Paule, mariée depuis douze ans et mère de deux enfants, est enceinte pour la troisième fois. Son mari n'accepte pas sa grossesse et lui dit: «Si tu gardes ce troisième enfant... je divorce.» Paule s'est résignée à un avortement et, depuis, elle a des hémorragies importantes, brutales, irrégulières.

Sur le plan physique «tout est en règle». Qui lui permettra «d'entendre» où se trouve sa blessure? Qu'est-ce qui saigne en elle? Qui l'écoutera pour qu'elle entende, elle, cette partie blessée, révélée par l'interruption de sa grossesse?

Paule mettra ainsi six ans (avec l'aide d'un tout petit événement) à découvrir et à reconnaître que ce qui était blessé, fissuré, en elle, était la relation avec son mari. L'ultimatum qu'il avait posé («C'est moi ou l'enfant?») avait cassé quelque chose dans leur relation... et le sang des hémorragies disait cette béance entre eux, la blessure ouverte dans leur relation qui saignait.

Il s'appelle Jean et c'est le prénom du frère de sa mère, mort très jeune. Il porte comme une trace, celle de la blessure vécue par sa mère qui, étant petite fille, adorait son grand frère. Comment peut-il avoir du plaisir et se présenter comme un être de sensualité? Sa fidélité... lui dictera de s'autopunir, de s'anesthésier sur le plan des sens et du plaisir et de ne pas trop entretenir la vie qu'il porte.

Jean a une relation suivie avec une jeune femme depuis six ans, mais il n'éprouve «aucun plaisir avec elle». Ses érections ne le conduisent qu'à s'introduire puis à attendre... et il ne se passe rien. Son «impuissance» à entrer dans le plaisir le conduit à consulter un sexologue.

Quand Jean acceptera de rendre à sa mère la souffrance qui était la sienne, celle d'avoir perdu un frère aimé, quand Jean acceptera de renoncer à ce prénom trop mortifère pour se donner un prénom vivant... toute sa dynamique personnelle se mettra à changer, et il nous écrira pour nous dire «la sortie de son impuissance, l'accession au plaisir».

Pierre est un Israélien qui fait ses études en France. Il fréquente une jeune fille avec qui il vit. Dans quelques mois il aura son diplôme d'ingénieur. Ses parents décident de venir le voir, avec l'intention de lui rappeler ses engagements à l'égard de son pays, c'est-à-dire qu'il devra rentrer après avoir obtenu son diplôme. Pierre est partagé; il aime son amie, il s'est attaché à la France et n'envisage pas de retourner «tout de suite» dans son pays.

Quand ses parents décident d'abréger leur séjour et de repartir, Pierre propose de les accompagner en voiture à l'aéroport. Sur l'autoroute, juste à quelques kilomètres de l'aéroport, il s'arrête dans un parking pour satisfaire un besoin élémentaire et, simplement en descendant de sa voiture, il se casse une jambe (double fracture, hospitalisation, plaques de fixation...).

Pierre, lui, ne croit pas du tout que cet «accident» ait un quelconque rapport avec son conflit et sa relation à ses parents... ou à son amie. Si nous ajoutons que la première épreuve de son examen devait avoir lieu la semaine suivante... qui faudra-t-il convaincre? En attendant, il traite sa fracture comme une fracture, sans plus.

Jeanne a décidé de se marier, quoi qu'il arrive, avant la fin de l'année. Le jour du Nouvel An, au cours du réveillon, elle s'engage à l'égard d'un ami, de façon impromptue mais formelle. Toute la famille est présente. Et le lendemain matin, elle se réveille malade «comme une bête». Pendant trois mois, elle sera malade tous les jours avec les mêmes symptômes (maux d'estomac, brûlures, maux de tête...). Au bout de trois mois, elle part pour le Maroc avec son ami et décide de prendre la pilule. Au retour, les symptômes s'amplifient et se polarisent sur les huit jours précédant ses règles. «Chaque fois, pendant toute une semaine, j'étais malade à en crever.»

Elle se marie à l'automne et, pendant seize ans, elle sera ainsi chroniquement malade, dérangée et souffrante plusieurs jours par mois... sauf pendant ses deux grossesses: «Les nausées de la grossesse, connais pas...» Dans son couple, pendant toutes ces années, pas de disputes, pas de reproches, pas de revendications: «Jamais un mot plus haut que l'autre mais jamais plus bas non plus. Nous étions vus comme le couple idéal» ajoute-t-elle.

Un jour un conflit éclata entre son mari et elle. Véritable explosion libératoire dont elle fut la première étonnée: «Je n'en croyais pas mes oreilles d'entendre ce que je disais; une sorte de révolte m'a prise. J'ai hurlé "Je suis malade depuis que je te connais, je n'avais rien eu avant... Tu te présentes comme une victime, mais c'est moi qui suis coincée dans notre relation." Après cette "sortie" sauvage, véhémente, mes maux disparurent et je retrouvai ma santé de jeune fille... mais la relation avec mon mari, elle, devint difficile, c'est-à-dire réelle.

«J'avais commencé à changer et surtout à reconnaître combien mon "engagement du réveillon de fin d'année" était un passage à l'acte et non un véritable désir... que j'avais payé pendant tant d'années avec mes somatisations. J'ai pu dire plus tard à mon mari que la colère que j'exprimais envers lui était dirigée contre moi, car je m'étais dupée moi-même.»

Marie, mère de trois enfants a perdu, à neuf ans, son père qui en avait trente-neuf. Elle se souvient bien de l'événement. Elle faisait ses devoirs à la fin de l'après-midi, à la tombée de la nuit, quand son père s'est levé, a fait quelques pas, puis est tombé comme une masse près de la cheminée. Pendant des années elle a vécu ce moment précis, la «tombée de la nuit», avec agitation, irritation, «une sorte de malaise». Elle reliera son comportement au souvenir de la mort de son père le jour même de son anniversaire... à trente-neuf ans.

Les associations de dates sont inscrites en nous et se réactivent à des moments clefs ou dévoilent une situation difficile ou inachevée. Nous proposons une démarche d'archéologie familiale pour entendre les liens cachés qui relient non deux êtres, comme nous le croyons, mais deux histoires de vie. Il est intéressant, lorsque survient une maladie ou un accident, de s'interroger sur ce qui s'est passé pour notre père ou notre mère lorsqu'ils avaient l'âge que nous avons au moment de tels événements. C'est une recherche difficile, car elle peut concerner deux ou trois générations ou même nos enfants.

Tel homme découvrira que l'infarctus qu'il a eu à quarante-deux ans trouve son équivalent chez son père: à quarante-deux ans, celui-ci avait eu un accident de voiture grave qui avait failli lui coûter la vie.

Cette femme dont la mère était malade depuis sa naissance s'était trouvée, à dix-sept ans, brusquement propulsée dans le rôle de soignante, de responsable de la maisonnée (sept frères et sœurs), lors de l'hospitalisation de son père pour un cancer et de l'alitement simultané de sa mère souffrant de sciatique. Elle géra cela avec dévouement et compétence tout en passant son bac et continua de mener pendant des années une vie surchargée d'activités dans sa profession de soignante (de soi-niante).

À trente-neuf ans, elle se découvre un cancer du sein. En cherchant le sens (et non la cause) de cette affection, elle s'aperçoit que sa fille aînée a exactement l'âge qu'elle-même avait quand elle a dû prendre ses parents en charge. Tout comme si elle avait attendu, pour enfin se laisser porter, soigner et mettre un terme à son hyperactivité, que sa fille soit en âge de reprendre le rôle qui lui avait été attribué: celui d'être la mère de ses parents.

Les répétitions et les scénarios de vie vont ainsi jalonner toute une existence... si on les laisse faire!

«Chaque fois que je me mets en situation conflictuelle sans pouvoir exprimer ma position, sans pouvoir être entendu, j'ai un accident de voiture, jamais grave mais... coûteux (tôles froissées, phares, portières, roues...). Aussi, j'ai pris l'habitude, après un conflit non ouvert, de prendre un taxi...»

Les prescriptions symboliques

Si nous acceptons l'idée que les «maux» produits par le corps (et qui deviennent parfois des maladies et des somatisations fonctionnelles) sont des langage symboliques, cela veut dire qu'il sera possible de les soigner non seulement à partir de leurs symptômes mais à partir du sens, du discours caché dans lequel ils s'inscrivent, et de les traiter par des réponses symboliques.

Ainsi nous proposons parfois des «réponses symboliques» qui seront entendues et deviendront des éléments actifs dans la guérison ou provoqueront la disparition des symptômes.

Le petit Thomas, six ans, souffre d'asthme depuis deux ans et demi. Son père a quitté sa mère quand il avait trois ans et demi (c'est l'élément déclencheur). Il joue seul, refuse d'intégrer frère ou sœur dans ses jeux, refuse la vie sociale proposée par sa mère, se coupe de tout. Il dit souvent: «J'aime pas l'air de cette maison, je préfère l'air de papa.»

Nous proposons à la mère d'utiliser une grande bouteille (appelée dame-jeanne) sur laquelle elle collera une étiquette affichant «Bombonne d'air de Papa», avec un petit tuyau pour aspirer. Et le jour même où la mère apporte la bouteille d'air, Thomas joue dans la baignoire, appelle sa mère et lui dit: «Regarde, je fais le poisson, je respire sous l'eau.» Elle nous dira: «Il n'a plus fait de crise d'asthme depuis ce jour. J'étais très émue de cette réconciliation symbolique.»

Nous proposons aussi ce que nous appelons des jeux, des prescriptions symboliques qui portent sur un aspect du discours ou du symptôme entendu comme ayant une forte charge symbolique. Il nous est arrivé de prescrire à une personne de faire écouter du Mozart à ses reins ou à son foie. D'imaginer sa nuque comme une éponge desséchée qui se gonfle d'eau lentement en descendant dans la mer...

Le petit René, quatre ans et demi, va à l'école maternelle pour la première fois et, dès le troisième jour, se met à déféquer dans sa culotte. Son père se fâche, le menace et lui promet une raclée s'il continue: «Tu es grand maintenant.» René dira à sa mère: «Je ne peux pas me retenir, ça sort tout seul, ça pousse et ça sort.»

Nous proposons à la mère de lui raconter sa naissance. Elle éclate en sanglots en disant: «Je ne lui ai jamais parlé de ça pour ne pas le traumatiser, il est né par césarienne.» Elle accepte cependant de lui dire son vécu à elle, la décision prise par l'obstétricien... Elle nous dira ensuite que les difficultés anales de René ont disparu dès le lendemain de ce récit.

Cet enfant avait douze ans lorsque son père s'est suicidé par pendaison. Le silence autour de cet événement, tant dans la famille que dans sa vie, fait que souvent il a mal au larynx (étouffements, étranglements). Pendant trente ans de sa vie, il subira de multiples opérations: amygdales, kystes, ganglions à la gorge, au cou, à la nuque. Dans un jeu symbolique, il parlera à son père et lui dira sa colère... et son amour, sa fidélité à travers toutes ses cicatrices. Autant de preuves de l'existence de ce père qui s'est dérobé trop tôt... et à qui il a été impossible de dire: «Je t'aime et je t'en veux.»

Un ami chirurgien a accepté de laisser un témoignage symbolique de «ce qu'il enlève à ses malades».

«Ma relation avec eux est totalement changée. J'ai remarqué également une diminution des complications postopératoires.»

Nous proposons par exemple de filmer les césariennes en vidéo et d'offrir la bande cachetée aux mamans. Elles décideront elles-mêmes si elles veulent *voir* comment est né leur enfant.

Dans ce domaine qui est celui de la créativité, nous pouvons oser beaucoup de choses, introduire la fantaisie et la magie du symbolique. Nous pouvons inventer des petits contes pour nos enfants en laissant notre imagination faire des associations, librement et activement, à partir d'un symptôme, en reliant ainsi différents aspects de leur monde intérieur à la vie quotidienne, en leur donnant des images, des fables qui rendent compte de la réalité et du vaste domaine de l'inconscient.

> *Vivre les mots au-delà de leur sens*
> *Vivre les sens au-delà de leurs maux*
> Dominique Meunier

Dans cette démarche qui consiste à écouter les maux du corps pour mieux l'entendre se dire, l'écueil à éviter sera la confusion entre la cause et le sens. Nous avons trop tendance à rechercher la cause, c'est-à-dire l'explication d'une chose. Nous remplaçons trop facilement la compréhension, qui est une recherche du signifié, par l'explication, qui est une recherche de savoir, de contrôle et de maîtrise.

Trop souvent nous parlons *de* notre corps... nous parlons *sur* lui au lieu de lui laisser la parole. Nous pouvons aussi «parler» *à* notre corps avec les multiples langages symboliques qui sont à notre disposition. Il a besoin d'être entendu plus que d'être contrôlé.

Toutes les maladies, tous les maux ne sont pas aussi négatifs qu'ils le paraissent dans un premier temps; ils sont porteurs de sens et, d'une certaine façon, ils représentent *un moyen de rétablir un équilibre* dans un système interne menacé, un moyen pour révéler le non-dit.

L'organisme individuel est en soi un écosystème qui ne peut pas exister sans être relié à un écosystème plus vaste, celui de notre entourage et de nos relations proches. Chaque maladie, chaque atteinte a une ou plusieurs fonctions cachées qu'il sera possible de découvrir pour passer des soins à la guérison.

*À l'écoute de notre corps, à l'écoute d'une meilleure relation
avec soi-même. À l'écoute de notre être face à autrui
pour nous permettre de rester vivants et en santé. Pourquoi pas?...*

IX

Le terrorisme relationnel
ou «si vraiment tu m'aimais»

Sans imagination, l'amour n'a aucune chance.
Romain Gary

Le terrorisme politique fait usage de la violence pour provoquer un changement d'attitude chez les autres en les impressionnant par un climat d'insécurité. Il en est de même du terrorisme relationnel. Sa perversité tient au fait qu'il n'invoque pas la haine ni la guerre, mais que c'est au nom de l'amour familial ou amoureux qu'il exerce une violence. Ce sont les sentiments généreux, la loyauté et la peur de perdre l'amour qui sont exploités pour amener l'autre à se conformer.

Le terrorisme relationnel se joue quotidiennement autour des tables familiales, à la douce clarté des lampes du foyer, dans les lits conjugaux ou non, dans les voitures qui roulent vers le soleil des vacances. Famille, couple, relations proches, lieux d'implication et d'attentes affectives intenses, la violence exercée sur les autres sera à la mesure des désirs et des peurs projetés sur eux et des déceptions ressenties. Les mots utilisés par ceux qui se sentent victimes d'un terrorisme affectif sont violents: possession, étouffement, écrasement, emprisonnement, tyrannie, paralysie, momification, mort («Je suis comme mort»).

226

«Devant lui, je n'existe plus.»

«Quand elle parle comme ça sur moi, je me désagrège, je perds toute unité.»

«Je ne supporte plus d'entendre parler sur moi, cela me démolit.»

À la clef du terrorisme se trouve une tentative de substitution:

- Substituer mon désir à celui de l'autre.
- Faire passer mon besoin avant le sien.
- Remplacer son idéologie par la mienne.

Le terrorisme relationnel peut prendre la forme douce de la bienveillance: «Il vaudrait mieux pour toi que tu...» ou du paternalisme: «J'ai pensé que ce serait mieux pour toi de ne pas partir seul en vacances, aussi j'ai demandé à Jean de t'accompagner» ou une forme plus ouvertement violente (critique, chantage et reproches): «Si tu ne te maries pas à l'église, c'est que tu ne nous aimes plus, tu n'es plus mon fils», «Si tu revois cette personne, je ne t'adresse plus la parole».

Cela peut prendre encore les terribles formes de l'injonction paradoxale (messages contradictoires) ou du déni (faire comme si l'autre n'avait rien dit, comme si ses opinions et désirs personnels n'existaient pas). Une des formes subtiles du déni consiste à s'emparer de la parole de l'autre en lui répondant:

«Oui je sais.»

«Je savais que tu allais me parler de ça.»

La pensée de l'autre est ainsi privée de valeur puisque je la possédais avant lui.

Un arsenal varié

Le terrorisme peut être subtil, sans drame apparent ni pugilat. Ses armes comprendront le mutisme boudeur, le sarcasme, les signes d'intolérance tels que les soupirs et les regards chargés, les remarques acerbes, les coups d'œil assassins, les exhortations, les appels à l'altruisme et aux sentiments de pitié, de culpabilité ou de honte. Les refus sexuels ou autres, les silences pesants, les gestes irrités, les larmes, l'inquisition, le dénigrement et bien d'autres tactiques encore. Dans ce domaine, il y a de véritables artistes, des jongleurs de la relation, des funambules incroyablement habiles sur le fil aigu de la manipulation.

Quand nous pouvons prendre du recul ou que nous ne sommes pas impliqués directement, il est même possible d'en rire ou d'admirer les numéros de haute voltige relationnelle visant à provoquer le malaise, le déséquilibre, voire la folie, chez l'autre.

Mais dans quel dessein cet arsenal infiniment varié est-il mis en œuvre? Le but poursuivi semble être soit de faire changer l'autre, soit de l'empêcher de changer, mais, de toute façon, de l'utiliser (comme poubelle, comme faire-valoir, comme auxiliaire, comme source de gratifications, etc.), de le maintenir en dépendance, de le lier à une situation, à une personne.

Lorsque je ne peux pas me donner à moi-même suffisamment d'amour, d'attention et de soins, il va falloir que mes proches me les procurent. S'ils ne le font pas spontanément, de la façon qui me convient, je leur ferai violence pour qu'ils répondent à mes attentes. Par la culpabilisation ou par la séduction, par la force, je tenterai d'obtenir ce qui ne m'est pas donné de plein gré.

Ainsi la dynamique terroriste survient-elle lorsque, dans une trop grande mesure, je fais dépendre mes besoins des autres, lorsqu'il m'est insupportable que ceux qui me sont chers ne correspondent pas à mes espoirs, lorsque je ne tolère pas qu'ils diffèrent de l'image que j'ai d'eux. Le terrorisme est basé sur l'ensemble des intentions, désirs et peurs exprimés, projetés sur l'autre, accrochés à l'autre, sous prétexte d'amour.

Lorsque j'étais bébé, il suffisait que je crie ou que je grimace pour que quelqu'un devine mes besoins et les satisfasse. Cette puissance-là est difficile à lâcher!

> *«J'ai besoin de toi et je vais m'arranger*
> *pour que ce soit ton besoin.»*

Bien sûr, dans toute relation circulent des souhaits que l'autre pense, agisse ou sente autrement qu'il ne le fait. Cela fait partie de cette recherche de confirmation que l'autre est sensible à mon amour, à la relation que je lui propose, que je lui offre:

«Je voudrais qu'il me parle davantage.»

«J'aimerais que, comme moi, mes enfants aiment la haute montagne.»

«J'aurais envie qu'elle soit plus joyeuse et accueillante quand je rentre à la maison.»

«Tu ne peux pas me faire ça»

Ces désirs portés sur l'autre ne deviennent terroristes que lorsqu'ils se transforment en exigences et que divers moyens de pression sont utilisés pour violer et violenter l'existence de l'autre.

Ainsi, cet adolescent de quinze ans qui hurle au téléphone quand sa mère lui annonce qu'elle ne rentrera pas comme prévu à midi, mais pour le repas du soir:

«Tu dois rentrer, tu ne peux pas me faire ça, tu dois prendre la route tout de suite. Tu entends? Je veux que tu reviennes comme prévu...»

Ce ne sont pas nos sentiments ni même nos désirs qui font violence aux autres. Ce sont nos mécanismes de défense, ce sont nos peurs et nos crispations:

«J'ai si peur de perdre l'estime de moi que j'ai besoin de dévaloriser l'autre.»

«J'ai si peur d'être abandonné que je surveille jalousement ma partenaire.»

«Pour ne pas risquer de me tromper, je ne prends jamais d'initiative.»

«J'ai si fort le sentiment d'avoir raté mon couple et ma vie que j'oblige ma fille à réussir partout, à vivre pour moi, à être heureuse pour moi.»

> *Comment se débarasser de quelque chose qui nous manque?*
> *Comment se débarrasser, par exemple, du manque de confiance?*

Les abandonniques, ceux qui vivent dans l'angoisse permanente d'être rejetés, exercent sur leur entourage des pressions impitoyables (en fait, elles sont pitoyables) et pathétiques. Rien ne peut les rassurer et tout sera interprété dans le sens de leur dévalorisation profonde.

«Tu ne me demandes plus rien, c'est que tu ne comptes plus sur moi, que je ne t'intéresse plus, que j'ai très peu de place dans ta vie...» Et quelques jours plus tard: «Tu me demandes tout le temps de faire des choses pour toi et après tu ne me dis même pas si ce que j'ai fait t'a convenu, tu ne dis pas merci, comme si tout allait de soi. Je n'existe pour toi que si je te suis utile pour tes travaux et encore...!»

Le reproche et la plainte sont utilisés comme des ancrages pour retenir l'autre et en même temps comme des rejets de l'autre, pour qu'à son tour il rejette. Ainsi sera faite la preuve de l'intime croyance abandonnique:

«Je ne peux être que rejeté, surtout si je me montre comme je suis. Et si je montre un faux-semblant, ce ne sera pas moi qui serai aimé. Je me montre insupportable en demandant à l'autre de m'accepter ainsi sans condition et de me rejeter.»

Ces doubles messages adressés à soi-même et à l'autre déclenchent de l'angoisse et l'impression qu'il n'y a pas d'issue, c'est-à-dire pas d'autre porte de sortie que le rejet ou l'aliénation. Avec une ténacité désespérée, l'abandonnique — et nous le sommes tous plus ou moins — tente à la fois d'éviter et d'amener la répétition ou l'avènement du drame qui l'obsède. Tout est bon, surtout quand ça va bien, pour «menacer» la relation, la rendre au découragement, l'amener au bord du désespoir.

Ce week-end prévu dans l'enthousiasme et qui se présente sous les meilleurs auspices se transforme la veille en débâcle, à cause d'un détail qui va servir de cheval de Troie au sabotage systématique du projet.

«Mais moi, j'attendais ton coup de fil pour savoir si ça tenait toujours.

— Écoute, je t'ai appelée il y a trois jours et nous avons encore parlé du projet; je dois venir te prendre à dix heures...

— Oui, mais si ce week-end était réellement important pour toi, tu m'aurais appelée ce matin. Pour toi c'est une affaire banale, ordinaire. Tu t'en fous, si ça ne marche pas, tu as d'autres possibilités...

— Il n'est pas question d'autres possibilités, mais de ce week-end avec toi.

— Je n'ai plus envie de venir, je sens que tu n'attaches pas d'importance à notre relation...»

Et ainsi, c'est parti pour des heures de réassurance, de promesses, de témoignages et d'attention. Ce week-end, avant même qu'il soit entamé, est chèrement payé...

Les bonnes intentions

«Si tu m'aimais tu ne serais pas si souvent absent.»

«Si tu m'aimais tu aurais du désir pour moi au moment où j'en ai pour toi.»

«Si tu m'aimais» signifie *tu ne m'aimes pas* et celui qui aime se trouve piégé par ces mots qui lui dictent comment il doit faire la preuve de son amour, tout en niant cet amour.

«Je t'aime et je désire continuer à habiter dans mon deux-pièces» disait à son ami une jeune fille qui avait récemment quitté ses parents. «Si tu m'aimais vraiment, répondait l'ami, si tu m'aimais comme je t'aime, tu désirerais comme moi une vie quotidienne commune.»

L'amour est ici assimilé à la ressemblance, à la similitude des goûts, des désirs et des sentiments. Il est confondu avec la relation. La personne qui entend cela pourrait dire:

«Je me reconnais de l'amour pour toi, différent du tien, mais ce dont je te parle, en voulant vivre seul quelque temps, c'est de ma relation à toi et à moi.»

Différencier système relationnel et sentiments est une des choses les plus difficiles à vivre. Il est ardu de démêler ces deux registres et cela d'autant plus que l'un ou l'autre des partenaires trouve son intérêt dans le maintien de la collusion.

«J'en ai assez de tes études: tu es souvent absente, tu n'es jamais là; les enfants se plaignent aussi. Il faut que tu choisisses: c'est moi ou tes études...»

«Pendant des années, j'ai eu des migraines presque tous les week-ends, raconte une femme. Mon mari a été merveilleux de patience et d'attention. Il s'occupait des enfants, il me dorlotait. Maintenant, à la suite d'une démarche de développement personnel et de soins homéopathiques, je n'ai plus de maux de tête. Mais mon mari continue à me demander sans cesse, surtout le samedi, si ça va bien, si je n'ai pas mal, si je ne suis pas fatiguée. Sa sollicitude me devient insupportable, elle m'agresse. A-t-il besoin que j'aille mal?»

Cette femme s'est révoltée un jour, en criant qu'elle ne voulait plus être traitée comme une malade, comme une femme fragile et irresponsable. Devant cette expression paroxystique, son mari est resté calme, puis il lui a dit avec compassion: «Je vois que tu es bien fatiguée, tu ne domines plus tes nerfs, tu devrais aller te reposer. Ne t'inquiète pas, je m'occuperai de tout.»

Il utilisait ainsi, avec de bonnes intentions, l'arme du déni, cette façon de ne pas prendre en compte la parole de l'autre. Sans le vouloir, il poursuivait son œuvre de répression. Dans ce cas, il réprimait le changement de l'autre qui menaçait son équilibre à lui. Nous pouvons, dans cet exemple, distinguer la révolte, qui est un mouvement spontané et réactionnel, de la répression. Celle-ci paraît structurée, organisée sous forme d'implacables tactiques terroristes.

L'histoire de ce couple et la démarche de cette femme vers son autonomie passèrent par un effroyable procès de divorce, où la répression exercée par le mari trouva un appui auprès du juge. Furent retenus contre la femme, comme preuves de son désordre mental, la description des démarches auxquelles elle avait participé, tel que le rebirthing ou le cri primal, et des passages de livres qu'elle lisait, ceux de Janine Fontaine et les *Dialogues avec l'ange* de Gitta Mallaz. Ses enfants lui furent retirés, le juge lui disant: «Vous êtes par trop indépendante pour être une bonne mère.»

Dans l'effort qu'il fait pour maintenir l'autre faible ou malade, nous pouvons pressentir l'immense désarroi de celui qui se cramponne ainsi à une position haute. Mais c'est un désarroi qui ne sera jamais dit, qui sera nié et combattu par la violence envers l'autre, au nom de beaux principes et de bons sentiments. Cette violence des «BPBS» fait des ravages durables qui vont séparer à jamais deux êtres… surtout quand ils restent ensemble.

Au nom de l'intérêt que je porte à l'autre, je vais tenter de lui imposer le mode de vie que je *sais* être bon pour lui…

> Cette jeune femme, issue d'une famille nombreuse, exhorte sa mère à sortir davantage, maintenant qu'elle n'a plus d'enfants à charge: «Tu devrais aller voir des expositions, t'acheter des vêtements, faire des voyages, avoir des projets.» À chaque visite elle insiste: «Alors qu'est-ce que tu as fait de neuf?»
>
> La mère se sent coupable d'avoir envie de rester tranquille, de vivre enfin sa fatigue, de se laisser aller. Sa fille la tarabuste, car elle a de la peine à concevoir que sa mère en est à une tout autre étape de la vie que la sienne, et qu'elle a une énergie et des envies différentes.

L'intolérance est fondée sur un manque d'imagination qui empêche de se représenter que l'autre a des réactions et des besoins différents; elle est fondée sur une identification sans distance.

Faire la tête

La mine assassinée et assassine fait partie de la panoplie du terroriste. Elle projette sur l'autre la frustration que l'on n'a pas su gérer.

«Tu as pris du plaisir sans moi, eh bien je vais en saboter même le souvenir!»

Cette femme et sa fille sont allées passer un week-end à Paris: musée Picasso, Opéra, restaurant. À leur retour, elles s'amusent encore de leurs découvertes. Sur le palier, la mère imite le ténor et la fille, l'héroïne. La porte s'ouvre sur le visage fermé du «père-mari»: «Je croyais que vous deviez rentrer par le train de dix-neuf heures trente.»

Elles se taisent, puis disent ensemble: «On est crevées, on va se coucher tout de suite.»

Faire la tête s'accroche à un farouche refus de dire avec des mots ce qui paraît indicible à mon orgueil: «Je suis blessé, je suis jaloux, je me sens exclu.»

Au retour d'un bon week-end passé en montagne avec des amis, cet homme sentira s'évanouir la joie du récit qu'il portait en lui à la vue du visage fermé et douloureux de sa compagne l'accueillant par ces mots: «Alors, ça c'est bien passé pour toi…!»

Elle lui avait pourtant dit: «Vas-y, amuse-toi bien, ne t'en fais pas pour moi…»

«Ça fait des heures que je vous attends,
tout triste et désespéré… d'imaginer votre plaisir sans moi!»

Ce besoin de parler et cette peur de dire.

M. Benin

À l'origine du terrorisme relationnel se trouve souvent un vécu douloureux porté dans le silence, la fuite et les compensations. Les blessures faites sont de l'ordre de l'indicible.

«Je me sens blessé sans pouvoir dire de quoi, sinon de cette douleur portée en moi comme une atteinte à mon intégrité.»

Celui qui s'enferme dans sa bouderie affiche en effet colère et souffrance, mais ce qui reste caché, c'est la blessure. Il est beaucoup de souffrances qui occultent, même à la conscience de celui qui les vit, la blessure qu'elles entourent.

> *Le propre d'une souffrance insupportable est*
> *de dire et de cacher en même temps la blessure secrète.*

Certains protagonistes, enfants ou adultes, jouent au jeu du silence appelé aussi «se faire la gueule». Il consiste à ne pas parler à l'autre tout en respectant un certain code. Pour ne pas se déjuger, il faut attendre que l'autre fasse le premier pas. Cela exige une grande concentration et beaucoup d'attention portée... à l'autre. Le fonctionnel est maintenu avec une certaine emphase.

«Ma femme n'est jamais aussi jolie ou attentive à moi que quand elle me fait la gueule. Elle s'adresse à l'enveloppe de moi-même et je n'existe pas.»

Certains groupes d'enfants peuvent conduire l'un d'eux au désespoir par la mise en quarantaine.

«Allez les filles, on ne lui parle plus, elle est capable de tout dire à la maîtresse.»

«J'avais huit ans quand un des caïds de la classe a fait courir le bruit que j'avais des origines africaines. «Il est lippu, ça se voit non? Si encore il acceptait de le reconnaître, on n'a rien contre les négros!»

«Et moi, je tentais de dire que mon arrière-grand-père était italien... Pendant deux années, je fus rejeté par la quasi totalité de l'école. Je haïssais mes parents d'avoir conçu un tel enfant.»

«C'est toi le mauvais»

Lorsqu'il y a conflit, difficulté, séparation ou désaccord douloureux dans une relation, le terrorisme consistera à tenter de rejeter tout le mauvais sur l'autre. Pour garder de soi-même une
image moralement parfaite, pour se sentir du bon côté, il
semble nécessaire de prouver à l'autre que tout est de sa faute.

> «Il m'est insupportable de voir en moi des «mauvais»
> sentiments, des failles et des insuffisances. J'ai besoin de
> rejeter à l'extérieur tout le négatif. Je vais donc m'acharner à
> montrer à l'autre comment il est à l'origine de tout le pro-
> blème dont je suis la victime innocente, malgré toute la
> bonne volonté dont j'ai fait preuve.»

Chacun est persuadé que ses démons intérieurs n'apparaissent qu'en réaction à ceux de son vis-à-vis, et ne seraient pas
là avec un autre partenaire. Certaines dépressions, lors de la
perte d'un conjoint vu comme «mauvais», sont liées au fait de
ne plus pouvoir projeter le négatif sur un autre et de devoir le
reconnaître en soi.

> «La pire des choses qu'il pouvait me faire, il l'a faite en
> se faisant tuer bêtement par un chauffard...»

Cette femme, qui s'est mariée à dix-huit ans pour fuir
sa famille, reprochera toute sa vie à son mari de ne pas
être comme elle le souhaite. «Tu n'as pas su prendre ton
rôle d'homme, de père. Regarde, c'est encore mon père
qui t'a prêté de l'argent pour monter ton affaire. C'est toujours moi qui prends les décisions: changer d'appartement,
faire les démarches pour acheter un pavillon, organiser les
vacances des enfants... Même la demande en mariage,
c'est moi qui t'ai poussé à la faire à mon père... qui me
poussait, lui, à ne pas me marier trop vite...» Ce que cette
femme tente de mettre sur le dos de son mari, c'est sa
propre difficulté à se distancer de son père, à lâcher sa
profonde fidélité à lui qui l'empêche de reconnaître un
autre homme.

Ce père fatigué a donné une gifle à son fils qui n'obéis-
sait pas assez vite. Un sentiment de culpabilité l'envahit, et
c'est alors qu'il devient terroriste; il doit convaincre son fils
de la légitimité de son acte et lui «refiler» sa culpabilité: «Tu

fais exprès de m'irriter quand je rentre à la maison, tu n'écoutes jamais ce que je te dis, tu... tu ... tu...»

Ce besoin du père de se justifier et de se rassurer en déléguant à l'autre l'agressivité qui est la sienne sera pour l'enfant plus pesant et nocif que la claque reçue.

Les enfants sont souvent généreux et dépendants, ils acceptent facilement de prendre sur eux tout ce qui ne va pas dans la famille. Ils font aisément des boucs émissaires consentants et coopératifs. Même cela n'est pas reconnu tant est vivace la croyance qu'«un bon père a toujours raison» et que de toute façon «ils [nous] remercieront plus tard».

La confusion entre éducation et amour est fréquente, elle reste inscrite dans nos amours d'adultes.

«Si je ne me conforme pas, je ne serai pas aimé.»

«J'avais l'espoir toujours déçu mais jamais éteint d'être mieux aimé si je faisais comme j'imaginais qu'ils souhaitaient... C'était une tâche impossible, sans fin. Je vivais sans cesse en état d'autoprivation, espérant ainsi être comblé par mes parents et prêt à recevoir ce qu'ils «devaient» me donner... et que je n'ai jamais reçu.»

Le besoin de transformer l'autre en «mauvais» peut être réactionnel à une blessure.

Pour cette femme que son mari a quittée, la dévalorisation est intolérable. Dans son désespoir, elle lui crie: «Tu pourras tout détruire, sauf les enfants: ça je ne te le laisserai pas faire.» Elle va donc jusqu'à prêter à ce père l'intention de détruire ses enfants. Cette tentative de transformer l'autre en persécuteur lui sert à se remonter le moral. Elle fait un recadrage permanent en sa propre faveur et charge l'autre pour éviter une vérité sur elle-même.

Pour ne pas affronter la part négative de soi-même, le meilleur moyen est d'attribuer à l'autre le mauvais rôle, le rôle du «mauvais» et de justifier par son comportement la violence qui nous habite.

Très tôt les enfants savent définir toute dispute par un «C'est lui qui a commencé» brandi sur le ton de l'innocence outragée. Ils blanchissent ainsi le plaisir qu'ils ont pris à agresser. Ils ouvrent aussi la porte à une des dynamiques actuelles des plus fréquentes, celle de l'irresponsabilité: «Ce n'est pas ma faute à moi.»

Les routes et les autoroutes ne semblent être fréquentées à certaines périodes de l'année que par des irresponsables. Je les appelle «les Justes». Ils n'ont jamais vu que leur manœuvre de dégagement exécutée avec une très grande habileté a fait sursauter celui qui arrivait en face, au point de le jeter dans le fossé. Le Juste, lui, est déjà loin, supputant la possibilité d'une prochaine manœuvre habile. Il y a aussi les donneurs de leçon qui sont prêts à prendre tous les risques pour provoquer une peur salutaire ou, mieux, une prise de conscience chez l'autre, le distrait ou le maladroit qui a pu les déranger... même s'il l'ignore.

Je ne dis rien

Celui qui ne dit, ne demande et n'impose rien peut se révéler le plus subtil des terroristes. Il veut obtenir de l'affection et de l'attention sans en demander, sans en montrer le besoin. Il contraint celui qui l'aime à sans cesse deviner, supputer et guetter ses réactions.

Les «Fais ce que tu veux», «Ça m'est égal» ou «Comme tu veux» sont des poisons pour la relation. Celui qui les énonce ne se définit pas, il donne cette responsabilité à l'autre. Dans une vie familiale ou conjugale, cela déclenche chez l'autre un rejet, une violence souvent contenue qui s'exprimera alors par des passages à l'acte et des déplacements.

> «Qu'est-ce qui te ferait plaisir pour ton anniversaire?
> — Ce que tu veux.
> — J'ai pensé à un pull marin comme tu aimes?
> — Si ça te fait plaisir.»

Mais celui qui ne demande pas ne cherche pas toujours à recevoir; il peut indiquer ainsi la «bonne distance» qui est la sienne et vivre les attentions, les réponses de l'autre comme des intrusions, des atteintes à son intimité.

Ce père qui adopte une attitude de laisser-faire au nom de la liberté et de l'autonomie fait, à sa façon, violence à ses enfants. Il fait passer son besoin d'être approuvé et d'éviter les confrontations avant le besoin de ses enfants, qui pourrait être de recevoir des consignes et des réactions claires. Il n'édicte pas de règles, mais son attitude supplie: «Ne fais pas ce qui me rendrait malheureux.»

Cette forme d'indulgence doublée d'une pression affective silencieuse est une véritable agression. Cela est d'autant plus fort que les enfants ont besoin d'un positionnement clair de la part de leurs parents. Ils ont besoin de voir, de sentir où ils se trouvent par rapport à tel problème, à telle interrogation.

> *Certains silences sont trop tonitruants pour ne pas être entendus.*

Les somatisations

> *Le corps a besoin d'une parole pour s'entendre*
> *et d'une oreille pour se dire.*

La maladie dans ses multiples fonctions peut jouer un double rôle dans les dynamiques de terrorisme relationnel. Elle peut être une arme et une défense stratégique. Elle possède un puissant pouvoir de culpabilisation lorsqu'on l'évoque, par exemple, au cours d'une conversation téléphonique:

«Tu sais, je ne vais pas bien. Je me fais vieille, mais ne t'inquiète pas. Pars en vacances quand même...»

«Je ne sais pas ce qui s'est passé, l'autre jour où tu es partie pour ton stage de formation, j'ai eu un malaise dans la cuisine. Tu te rends compte si les enfants étaient restés seuls! Tout va bien, j'ai appelé le service médical d'urgence, ils n'ont pas pu venir. Après ça allait mieux. Je dois aller passer un examen de contrôle. Ne t'inquiète pas...»

La maladie sera aussi un moyen défensif contre le terrorisme relationel de l'autre par la possibilité qu'elle donne de refuser sans avoir à se confronter.

«Tu sais bien qu'avec mon dos douloureux je ne peux pas voyager longtemps, comment veux-tu que je t'accompagne chez ta mère?»

«Mes cystites et mes sciatiques sont quand même pratiques. Mon mari ne me demande même plus de faire l'amour. Avant il n'arrêtait pas de me harceler, sa demande était vraiment trop pour moi.»

«Depuis que j'ai ma scoliose, papa ne m'oblige plus à désherber le jardin.»

Terrorisme sur soi contre terrorisme de l'autre, les maladies ont aussi cette fonction de proposer un moindre mal dans une relation trop asymétrique.

La collaboration

Le terrorisme ne peut s'exercer que grâce à la collaboration de celui qui en est la victime. Il y a, d'ailleurs, souvent deux victimes, car le terrorisme peut être réciproque et la force de la faiblesse est immense. Celui qui se soumet attribue à l'autre une toute-puissance fantasmée, ou du moins lui prête et même lui donne un pouvoir surfait.

Evelyne est venue en consultation. Écoutons-la, en nous centrant sur elle, sur ses façons de se comporter, et non sur celles de son mari, piste sur laquelle sa parole aurait tendance à nous entraîner.

«Je voudrais souffler et faire un peu le point sur ma vie avant de prendre la décision de recommencer à travailler ou de me séparer.» (Elle dissocie ces deux décisions sans entendre qu'elles ont le même sens). «J'étouffe, je n'en peux plus de cette vie où je n'existe que pour le bien-être de mes enfants et de mon mari, et même pour celui de mes beaux-parents qui se mêlent de tout. Pour mon mari, être ensemble n'est pas considéré comme une envie mais comme un dû.

«Ça commence le samedi matin par une question de François: "Alors qu'est-ce qu'on fait aujourd'hui et demain?" Je n'ai même pas le temps d'émettre une idée; il a déjà une proposition toute faite, toute construite. Moi, je suis prise de court. J'aimerais lui répondre: "Rien, rester là, ensemble." Mais je me sens fautive et moche de ne pas m'enthousiasmer pour un projet qui ne me convient pas. Je n'en peux plus, il m'étouffe, il me pompe l'air.

«Et l'argent! Ah! l'argent! Ça a commencé il y a quelques années avec l'arrivée du troisième enfant qu'il ne voulait pas. Il me faut à la fois être élégante, varier les menus, gérer sans erreur l'argent du ménage, c'est-à-dire le sien, et faire en plus des économies. Parfois j'ai l'impression que je lui ferais plaisir si je lui donnais, si je lui rendais de l'argent. Je l'ai fait une fois, j'ai versé un chèque sur son compte. Il m'a dit: "C'est bien, ça, je vais pouvoir te donner moins alors!" Lequel de nous deux est inconscient à ce point? Le plus souvent c'est: "Mais comment tu t'y prends, avec tout l'argent que je gagne?" Oui, il confond l'argent qu'il gagne avec celui que je dépense pour gérer l'institution familiale.

«Ce qui me blesse le plus, c'est quand enfin je propose une sortie et qu'il répond: "Mais tu penses à quoi? À quelle heure on va rentrer, je travaille, moi!" Moi aussi je travaille, et dur, sans rien gagner! J'y gagne l'humiliation d'être entretenue, d'être toujours en dette envers toi, et le désespoir de penser que ce sera sans fin. Je ne réplique pas pour ne pas envenimer la situation. Je traîne en moi le sentiment d'une faute jamais réparée et d'une insuffisance. L'autre est mieux que moi, et surtout, il doit avoir raison.»

Aujourd'hui, après une longue réflexion accompagnée, Evelyne découvre combien elle s'est maltraitée, négligée, aliénée dans la toute-puissance de son mari. «Au début, je prenais sa rigidité, ses exigences comme de la force de caractère. Lui, il savait ce qu'il voulait; moi, j'étais si souvent indécise!»

Lentement, elle a réalisé qu'elle avait la possibilité d'être autrement, de se donner de la valeur sans la chercher dans une révolte réactionnelle. Elle peut affirmer son point de vue autrement que par des refus ou des sabotages. Elle manquait d'air, elle a commencé à faire du yoga, mais: «Ce n'est pas suffisant, il faut que je trouve mon espace à moi.» Elle se découvre des désirs propres, différents de ceux de François. Ses poumons coincés par le pouvoir attribué aux autres commencent à se dilater. Elle s'entend et se respecte dans ses aspirations. C'est François, maintenant, qui vit mal le changement, et de nouveaux ajustements vont être nécessaires.

S'énoncer et non dénoncer.

La collaboration au terrorisme de l'autre devient ainsi une forme de terrorisme envers soi-même, par l'autorépression et l'autocensure. La prise de tranquillisants peut aider à cette démission. Soixante-six à soixante-dix pour cent des consommateurs de tranquillisants sont des femmes. Les femmes déprimées par des violences conjugales se voient plus fréquemment prescrire des psychotropes que les hommes. Cela calmera l'épouse et l'aidera à endurer plus longtemps sa situation de victime. Ce sera comme un sparadrap posé pour masquer le trouble relationnel, le problème de solitude et d'impuissance.

Cette mise au silence rejoint la pression qui s'exerce dans beaucoup de familles pour que ne soient pas abordés certains sujets.

«Maman, pourquoi tante Micheline est enceinte puisqu'elle n'a pas de mari? C'est comme la Vierge alors?

— C'est pas comparable. Tu dis des âneries. Finis ton assiette et tu iras jouer dehors.»

«À l'école, ils ont dit qu'il y a des pères qui font des choses avec leurs filles et qu'il faut en parler. Tu crois que papa, il ferait des choses comme ça?

— Tu veux une gifle, non? Tu es folle d'imaginer des choses comme ça! Ah! ils t'en apprennent de belles à l'école maintenant!»

À partir d'un certain nombre de réponses mutilantes, la répression ouverte devient inutile, les enfants s'autocensurent avec soin et ils continueront dans leur vie relationnelle adulte. Leurs moyens d'expression resteront les passages à l'acte, les accidents, les somatisations ou la parole en conserve des lieux communs.

La grande majorité des adultes que nous rencontrons se plaignent du terrorisme du silence qui régnait dans leur famille d'origine.

«Pas de mots, il n'y avait pas de mots pour dire. C'était le silence. À table, partout.»

«Ma mère faisait à manger, elle ne disait rien.»

«Ma mère parlait tout le temps, elle ne disait rien.»

La plupart se plaignent aussi d'avoir perpétué ce silence dans une forme de répression interne, régie par l'imaginaire.

«Si je lui dis cela, il ne comprendra pas, de toute façon, et il se fâchera.»

«Si je montrais ce que je ressens réellement, les autres se moqueraient, me mépriseraient et moi-même aussi, je m'en voudrais.»

«Ça ne sert à rien de parler, ça ne change pas la réalité, je ne veux pas risquer de blesser quelqu'un.»

«Pourquoi parler de ma tristesse à me retrouver seul, elle est bien normale non?» (Comme si ce qui était normal ne valait pas la peine d'être dit.)

Les enfants sentent très tôt que cette mise en mots, pourtant vitale et nécessaire, risquerait de déclencher encore plus de menaces, de violence ou de rejet, alors ils se taisent.

Pour aller au-delà du terrorisme relationnel

Le nerf du terrorisme sera la peur. Sa puissance est liée à la rencontre et à la combinaison de deux peurs, la mienne et celle de l'autre. Nous sommes des êtres aux peurs multiples, aux peurs entrelacées du présent, du passé et du futur, tissu incroyablement ramifié d'imprévisible, d'inconnu et de connu.

Lorsque j'exerce une pression, une violence, c'est toujours à partir de ma peur:

«Ne t'habille pas comme cela.»

«Je trouve que tu te laisses aller avec tes copains.»

«Je ne vois pas à quoi ça t'avancera de faire des études, de partir comme cela à deux cents kilomètres d'ici pour ta formation. Tu es bien comme ça, tu vas te créer des problèmes inutiles...»

«Tu ne crois pas que tu devrais arrêter de...»

> *Le pire des terrorismes est de laisser croire à l'autre que c'est bien son point de vue que l'on exprime.*

«Ne parle pas à d'autres de notre relation.»

J'ai peur qu'il parle sur moi, qu'il donne une image déformée, qu'il révèle mon intimité. Je ne lui fais pas confiance, je lui
enjoins le silence. Je veux définir sa parole, la maîtriser même
en mon absence. J'ajoute des moyens de pression sous forme de
jugements ou même de menaces.

«C'est infantile ce besoin de parler à ta mère, de tout lui
dire sur nous. Cela risque de nous séparer.»

«Si tu dis ce qui se passe entre nous, moi je ne peux pas
me laisser aller.»

Au-delà de la peur, il peut y avoir, bien sûr, le désir de préserver une intimité, de garder précieuse une relation, de lui
ménager un espace privilégié. Et l'autre qui a peur du jugement
et de la séparation obéira, entravera sa parole et sa liberté. Il
n'osera pas se situer et dire, par exemple:

«Je dirai ce que je veux, à qui je veux, mais je tiens
compte de toi.»

Ou bien il parlera tout de même et, à son tour, fera pression
sur son confident.

«Ne lui dis pas que je t'ai dit...»

Sa peur l'amènera à obéir ou à désobéir en se cachant.

Obéir, se conformer

Qu'est-ce qui fait que j'obéis aux messages et aux injonctions de
l'autre, donnant ainsi prise et efficacité au terrorisme relationnel? Mes peurs certainement, mais aussi la difficulté que j'ai à
me définir moi-même, c'est-à-dire à savoir clairement ce que je
veux, ce que je sens, ce que je pense, ce que je suis en ce
moment. À le savoir, d'abord, puis à oser l'affirmer, le poser
devant l'autre et le maintenir. Ce qui m'amène, m'entraîne,
m'oblige parfois à me laisser définir par l'autre, c'est aussi le
sentiment d'une dette, d'un devoir.

«Je dois accepter de me couper les cheveux, sinon il sera
malheureux.»

«Je dois aller voir ma mère (même quand je n'en ai pas
le désir), car elle me dira que je la délaisse, qu'elle est trop
seule...»

Les relations mère-enfant sont fréquemment chargées de certaines demandes qui sont de véritables injonctions, d'impitoyables définitions de l'enfant pour qu'il se conforme aux attentes de sa mère. Certains de ces ex-enfants devenus adultes ne peuvent exister, avoir de vie propre, car celle-ci se trouve sans cesse définie par l'autre. Nous entendons fréquemment en thérapie cette soumission, cette révolte rentrée.

«Je ne peux pas faire autrement, je résiste, je fuis, je me débats, je fait une crise et puis je fais comme elle attend de moi.»

Certains toxicomanes comprennent leur dépendance à la drogue comme une sorte de coupe-feu servant à mettre un écran infranchissable entre eux et leur mère. La drogue comme un tiers séparateur qui va aussi les envahir, les dévorer avec une violence telle que parfois il n'y a pas d'issue.

Dans beaucoup de situations relationnelles, l'alternative se pose: *je me définis ou je me laisse définir par l'autre?*

«Si je me laisse définir par toi, maman, comment vais-je grandir?»

Les messages parentaux les plus aliénants sont ceux qui définissent l'enfant dans ce qu'il est. Les «tu es» marquent plus violemment que les «tu devrais». Le «tu devrais» laisse un peu le champ au libre arbitre, à la possibilité de ne pas se conformer. Le «tu devrais» porte sur le faire, sur les conduites et non sur la personne comme le «tu es». Le «tu es» fige une image de soi qui s'inscrit comme une définition incontournable dans une personnalité qui n'est pas encore structurée.

«Tu es comme ma sœur aînée qui ne pensait jamais aux autres.»

«Tu n'es pas fait pour les études.»

«Tu as un tempérament d'artiste.»

Les images les plus flatteuses n'en enferment pas moins, car elles imposent de ne pas décevoir. Elles créent un défi permanent, l'obligation de se conformer au modèle proposé. Elles «obligent» à ne pas décevoir.

«Tu es plus intelligent et raisonnable que tes frères.»

«Je sais que je peux toujours compter sur ton aide.»

L'enfant sensible va ordonner ses potientialités et son être selon la forme qui lui est ainsi attribuée et plaquée. Il sera une réponse à l'attente et à la définition de l'autre. Cela, bien sûr, dans une dynamique de soumission.

Pour l'adulte aussi, se définir soi-même est malaisé. Chacun de nous a mille facettes. Chacun de nous a en lui tant de multiples désirs contradictoires, tant de potentialités. Le kaléidoscope de nos peurs, de nos désirs et de nos idées forme des images sans cesse changeantes. Nous sommes pris dans un tourbillon d'aspirations qui sont aussi nos richesses et nos tâtonnements face à l'immensité de la vie.

Quand l'autre tourne d'un cran mon kaléidoscope et me signifie: «Voilà la figure que tu es ou que tu devrais être», j'ai la possibilité de me reconnaître ou de reconnaître certaines parties de moi dans la projection qu'il me présente, dans la définition qu'il fait de moi. Il m'entraîne sur son terrain et j'y suis aussi chez moi. Je peux sentir un *oui* en moi, «Oui je suis comme toi», «Oui je suis comme tu me vois», «Oui je suis comme tu désires que je sois», même si un instant auparavant je me situais autrement. Il ne s'agit ici ni de versatilité ni d'éparpillement, mais, bien au contraire, de ma dynamique interne où se côtoient, s'interpellent, s'amplifient ou se paralysent mille tentations d'être et autant de ne pas être ceci ou cela.

Alors la question centrale pour me définir moi-même pourrait s'énoncer ainsi: «Qu'est-ce qui, en ce moment, dans cette situation, domine en moi?»

- Est-ce le besoin d'être approuvé et d'être d'accord, en bonne entente, qui domine et me fera taire mon jugement, ma critique et mon opposition? Ou suis-je vraiment d'accord et convaincu?
- Qu'est-ce qui domine en moi? L'envie de lui faire mal en disant mes réaction agressives à sa trahison? Le désir de le comprendre et de l'accepter? Le besoin de me taire et de m'éloigner, d'oublier?
- Qui en moi vais-je écouter?

Dans cette opposition intérieure entre de multiples forces, il sera parfois plus simple de me laisser définir par l'autre et par sa demande réelle ou présumée. En me laissant définir ainsi, j'échappe à mes propres choix, trop difficiles, et à mon ambivalence; j'échappe à ma propre définition, qui ne peut me contenir en entier.

L'agressivité que j'éprouvais envers l'autre pendant son absence trop prolongée s'évanouit à l'instant où je le rencontre, souriant et chaleureux, confiant, sûr de mon accueil inconditionnel. Lequel de ces deux *moi* vais-je lui montrer? Celui qui remâchait la frustration et les attaques ou celui qui se trouve comblé et apaisé?

À refouler l'un ou l'autre je me trahirai de toute façon. Alors je me laisse gagner par le sentiment désiré par l'autre, celui qu'il attend et qui est aussi en moi. La colère rentrée ressortira ailleurs et autrement!

Toute relation est une interaction. Je me sens coloré, modifié, réconcilié parfois par la rencontre. C'était quand j'étais seul, confronté avec mes propres sentiments divergents que j'étais en conflit. Dans ma tête, dans mon cœur se combattaient différents aspects de moi et, pour mieux les combattre, j'en projetais une partie sur l'autre.

Je peux aussi me positionner en m'énonçant dans ces deux vécus:

- ma rumination vengeresse;
- ma joie, mon plaisir.

«Voilà ce que j'ai traversé en t'attendant. Voilà ce que j'éprouve à te voir.»

> *J'ai appris à dire* oui *en osant dire* non.

Maintenir sa position

Ce père a des soucis. Sa fille adolescente traverse une crise. Elle se montre hostile, fermée, révoltée. Il a la conviction qu'elle aurait besoin de parler à un tiers, car lui-même est mal placé pour entrer en dialogue avec elle. Il lui donne, un jour, l'adresse d'un centre dont on lui a parlé, où elle trouverait une écoute et une aide. «Pourquoi me donnes-tu cela, s'exclame la fille, tu sais très bien que je n'irai pas!» Le père reprend le billet posé sur la table de la chambre de sa fille, et s'en va, amer. «Elle ne veut rien recevoir de moi, rumine-t-il, elle refuse tout ce que je veux lui donner...»

Il s'est laissé définir et arrêter dans son offre par sa réaction à elle («Tu sais très bien»); il n'a pas *maintenu* sa position. Il lui aurait pourtant suffi de dire:

«Moi, je te donne cette adresse. Toi, tu verras ce que tu en fais.»

«C'est vrai, en faisant cela, je témoigne de mes soucis pour toi. Je fais quelque chose pour mes soucis. Si tu les reconnais, peut-être feras-tu quelque chose pour les tiens.»

La fille est placée ainsi devant un carrefour de choix ou enfermée dans un dilemme:

- Se reconnaître dans la perception du père et accepter le signe envoyé.
- Ne pas se reconnaître et ne pas prendre le signe.
- Entendre l'inquiétude du père, sans s'y ajuster, mais la reconnaître chez le père, qui se sentira ainsi entendu.

Ne pas entretenir le système proposé par l'autre

Les dialogues en «tu» sont souvent des tentatives réciproques de définir l'autre, généralement en lui attribuant le rôle négatif et en renforçant ainsi sa propre position de victime ou de «bon».

Cette mère âgée et esseulée demande à sa fille de lui téléphoner tous les dimanches soirs. Elle définit donc la fréquence et le moment où sa fille doit «prendre l'initiative» d'appeler. Maintient-elle ainsi l'illusion que sa fille désire lui téléphoner régulièrement?

La fille n'a pas su comment se situer, elle a dit oui, et puis elle oublie souvent. Elle téléphone ce lundi et, bien sûr, les premiers mots qu'elle entend sont une plainte et un reproche: «Tu n'as pas téléphoné hier soir.»

Elle va alors se justifier, expliquer qu'elle était sortie, etc. Des raisons et des conséquences de ce non-appel elles vont débattre longuement, sans se rendre compte que c'est le système qui est piégé et que la fille n'adhère pas à la définition de la relation posée par la mère. Elle pourrait par exemple se positionner ainsi: «Je serai chez moi vendredi soir. Si tu désires m'appeler, c'est possible entre vingt heures et vingt et une heures trente.» Ou encore: «Je ne désire pas cette régularité. Je t'appellerai selon mes disponibilités.»

L'autodéfinition

Confirmer le désir de l'autre pour pouvoir en sortir.

La seule réponse désaliénante au terrorisme relationnel semble être de s'autodéfinir sans relâche, tout en reconnaissant la demande ou le sentiment de l'autre.

«Je comprends combien il serait important pour toi que je me marie à l'église, mais pour moi, actuellement, cela n'a pas de sens.»

Il est possible aussi de se protéger contre la «sadisation» en s'éloignant intérieurement, en gérant mieux ses propres émotions sans s'identifier à elles. «Cela passera aussi.» Personne n'est obligé de mettre son nez sous le pot d'échappement de l'autre, avant de se lamenter à propos de la pollution, ou de laisser les peurs de l'autre résonner trop fort sur les siennes propres, avant de l'accuser d'être un tyran.

L'opposant

L'opposant collabore souvent au terrorisme relationnel dont il est l'objet. Contrairement aux apparences, celui qui s'oppose, qui, systématiquement, se déclare n'être «pas d'accord», qui lutte contre le point de vue de l'autre, se laisse en fait définir plus qu'il ne se définit. Il se définit «contre», mais souvent il ne présente pas son propre projet ou désir. Il n'arrive pas à sortir du réactionnel pour entrer dans le relationnel.

> «Mon amie voudrait que nous construisions une maison ensemble; elle a plein d'idées. Moi je ne suis pas d'accord. Je ne sais pas ce que je voudrais, mais au moins je sais que je m'oppose à son projet.»

Les «protestants» se sont ainsi définis, par le nom qu'ils se sont donné, uniquement comme les contestataires des pratiques d'une Église établie.

Le leurre de la pseudoconsistance fondée sur l'opposition et la révolte est une étape nécessaire aux adolescents avant qu'ils puissent construire leur propre système de références. Certains restent fixés toute leur vie à la position «je conteste» et font ainsi l'économie de définir leurs propres positions.

La résistance au terrorisme

Le terrorisme *agi* et subi signe nos peurs et nos faiblesses. Il y a tout de même une différence essentielle entre le terrorisme politique et le terrorisme relationnel. Le premier est voulu, concerté, prémédité, conscient. Le second est agi sur un mode généralement compulsif, c'est-à-dire non volontaire et le plus souvent inconscient... Il s'introduit dans les relations avec une habileté, une subtilité et une constance incroyables, déjouant les prévisions, contournant les intentions, sabotant les meilleures résolutions.

Nous pensons que le terrorisme relationnel ancien ou actuel est à l'origine de beaucoup de maux physiques et psychiques qui deviennent chroniques pour permettre à une personne — et c'est là un paradoxe — de survivre dans un chaos qui serait sans cela intolérable.

Comment développer une immunité face à celui qui, au nom de l'amour que nous nous portons et de l'intérêt qu'il éprouve pour moi, tente d'influencer les émotions, le comportement, la pensée et le mode de vie que je désirerais avoir?

- Si je me soumets, c'est de lui que je prends soin, c'est lui que je rassure à mon détriment.
- Si je me rebelle, je lui déclare la guerre et je risque la rupture.
- Si je ne tiens pas compte de ses pressions, il les renforcera.
- Quand je lui dis qu'il ne me laisse pas libre, il le nie.

Comment être pour ne pas se laisser contaminer par les peurs, les manques ou les convictions forcenées de l'autre?

«Elle est si habile à me montrer par petites touches quotidiennes que je ne suis pas un mari satisfaisant.»

«Mon père me fait tout le temps comprendre qu'il n'a pas confiance en moi, que je le déçois si je fais ceci ou cela. Cela sape mon estime de moi et renforce mes doutes.»

Nous sommes nombreux à avoir le sida relationnel, à ne pas être immunisés contre les angoisses de l'autre qui ricochent sur les nôtres.

Comment se préserver?

Certains choisissent la fuite et vont reproduire ailleurs un système semblable s'ils ne sont pas suffisamment sortis des mécanismes qui les poussaient à induire et à entretenir ces schémas relationnels.

D'autres, échaudés, préfèrent la solitude.

Pour notre part, nous tenterons de poser, dans les chapitres qui suivent, quelques balises qui pourraient indiquer un chemin vers davantage de différenciation et de responsabilisation, afin de devenir, en premier lieu, un meilleur compagnon pour soi-même et, par là même, pour les autres.

Il faut des limites pour pouvoir aller plus loin.

X

Les responsabilités

Notre position relationnelle la plus fréquente consiste à dénier la responsabilité de ce que nous éprouvons par un déplacement.

«L'autre est responsable de ce que je ressens»

«Si j'éprouve quelque chose, c'est bien à cause de quelqu'un ou d'un événement, c'est donc bien l'autre ou la situation qui est responsable de ce que j'éprouve.»

Voilà, brièvement énoncée, une des mythologies relationnelles les plus tenaces.

«Ma colère, ma déception, ma tristesse, c'est parce qu'il a oublié notre rendez-vous, parce qu'elle n'a pas compris, parce qu'elle me dit qu'elle m'aime et me tourne le dos dès que nous sommes au lit, parce qu'il n'a pas répondu à ma lettre…»

Le «il» ou «elle» mis en accusation est généralement un parent, une personne aimée, quelqu'un de proche. Il devient ainsi un être décevant qui a frustré nos attentes, et nous allons le charger parfois de tout notre ressentiment, l'accuser de toutes les insuffisances, le rendre responsable de ce qui nous advient, du bon comme du mauvais, de nos succès comme de nos échecs, de nos rires comme de nos pleurs.

Cette toute-puissance attribuée à l'autre a pour résultat de nous déresponsabiliser de notre prise en charge de nous-mêmes. Tout se passe comme si nous étions irresponsables et démunis.

«Je suis perdu, paniqué, souffrant... donc ce n'est pas à moi de faire quelque chose pour moi.»

Et lorsque l'autre fait de même, nous rencontrons les cercles vicieux relationnels bien connus.

«Si je récrimine c'est parce que tu es si souvent absent.
— Si je suis souvent absent, c'est parce que je fuis tes récriminations, ta mauvaise humeur et tes plaintes.»

«Je fais la tête parce qu'elle fait la tête... de me voir faire la tête.»

Nous sommes capables de trouver des combinaisons infinies pour ne pas nous sentir responsables de ce qui nous advient, pour évoquer toujours une cause extérieure à nous-mêmes et souvent pour ne pas faire un choix ou prendre une décision.

C'est l'autre qui m'a dit... qui a voulu... qui s'est comporté de telle façon que je ne pouvais pas faire autrement que de l'agresser, le quitter, l'aider, faire à sa place ou le prendre en charge...

Au printemps, Gérard parle à Odette de son désir de prendre seul deux semaines de vacances l'été suivant. Odette n'est pas contre cette idée (est-elle pour?) et elle fait le projet de passer ce temps dans un camp de nudistes. Gérard réagit violemment: «Je ne suis pas du tout d'accord!»

Odette renonce. Le couple fait alors quelques projets éventuels de vacances communes, mais en juin, Gérard parle de nouveau de partir sans elle. Il emmènera volontier leur fils avec lui. Et il ajoute: «Si vraiment tu tiens à cette expérience de nudisme, vas-y.» Odette tente de s'inscrire dans un camp, mais il n'y a plus de place; elle cherche d'autres organismes, il n'y a de place nulle part. Elle est furieuse. «Quel sabotage! Il m'a empêchée de réaliser mon projet, il m'a interdit d'y aller, puis me l'a permis quand cela n'était plus possible; il a tout gâché, il m'a manipulée.»

Odette s'interroge sur les changements d'avis de Gérard, mais pas sur sa soumission à elle ni sur sa façon de se laisser manipuler, de se laisser dicter ses décisions par l'autre. Elle ne se demande pas: «Et qu'est-ce qui me conduit à lui obéir?» Ses vacances gâchées ont créé un choc. Elle apprendra par la suite à sortir de l'accusation unilatérale pour chercher un équilibre entre les deux tendances qui l'habitent (et se combattent en elle).

«J'ai l'impression de vivre comme une sauvage et de risquer des conséquences graves si je suis mon chemin sans tenir compte des réactions de l'autre. Je ne me sens pas moi-même quand je suis influencée par les désirs et les peurs de l'autre.»

La stratégie relationnelle fondée sur la conviction que l'autre est responsable de ce que j'éprouve risque de mener à l'impuissance, à la stagnation, voire à la folie. Mais elle fournit justifications et alibis, surtout lorsqu'elle se réfère aux expériences de l'enfance.

«On ne m'a jamais laissé m'exprimer, je ne peux donc pas manifester ce que je ressens.»

«On m'a forcé à me contrôler, je ne peux pas me laisser aller.»

«On m'a présenté la sexualité comme mauvaise, je resterai frigide.»

Sans nier le conditionnement créé par la dépendance sensitive, émotionnelle et psychique de l'enfant, c'est la façon dont nous entretenons ce conditionnement qui est frappante.

> *Il y a ce qu'on fait de nous, à un moment donné de notre histoire,*
> *et il y a ce que nous, nous continuons à entretenir de tout cela,*
> *au cours des années ou des décennies suivantes.*

Jurons-nous ainsi, implicitement, fidélité pour toute la vie aux messages parentaux que pourtant nous récusons? Nous transférons le plus souvent la mission parentale sur les personnes significatives de notre vie, dans nos relations proches ou nos contacts socialement élargis. Cette dynamique est fréquente dans le couple où l'un des protagonistes va représenter chez l'autre le pôle inacceptable de lui-même; dans ce cas, l'autre est aussi généralement considéré comme la cause de l'évolution de nos sentiments.

«Si tu ne m'avais pas forcée à avorter, je t'aimerais encore.»

«Si tu ne m'avais pas sans cesse rappelé et recherché, je serais aujourd'hui détaché de toi et je ne souffrirais plus.»

«Si tu n'étais pas si dépendant, je me sentirais libre.»

L'autre est considéré comme la source de nos sentiments et ressentiments; par conséquent, il devra s'en charger, les réparer, en subir les retombées.

«C'est à cause de lui que je suis comme cela; il doit donc arrêter de se comporter ainsi et tout ira mieux.»

Il y a là un paradoxe qui consiste à la fois à prêter à l'autre une toute-puissance sans limite et à se croire suffisamment puissant pour l'obliger à changer par la charge de notre malheur, la pression de notre culpabilisation, la violence de notre victimisation. Une sorte de bras de fer fantastique (fantasmagorique ou réel) s'engage ainsi dans certaines relations proches (conjugales ou parentales) et perdure pendant des années. Guerres conjugales ou parentales qui se poursuivent sur plusieurs générations à partir d'une loi informelle, totalement folle. «Je revendique l'irresponsabilité de ce que je sens, de ce que j'éprouve.»

Et donc, nous voulons changer l'autre pour son bien ou pour le nôtre.

Je veux changer l'autre

La perspective (dans ce que je vis, dans ce qui m'arrive) de la responsabilité de l'autre va m'entraîner dans ce piège relationnel très courant: la tentative de faire changer l'autre. Cela semble si logique, si évident.

«Je ne supporte pas la nervosité de mon collègue, elle finit par me gagner. Il est clair que c'est lui qui doit devenir moins nerveux. D'ailleurs ce serait bon pour lui.»

«Je voudrais que mon ami me résiste, pour que je puisse m'affirmer, me définir. Il est toujours d'accord et je ne sais où j'en suis avec lui.»

«Je n'arrive jamais à me situer avec elle, car elle reste vague et confuse dans ses projets et ses intentions avec moi.»

«Je suis tout le temps frustré dans la communication avec mon père car il n'exprime jamais ses sentiments. Cela fait des dizaines d'années que j'attends une communication plus authentique avec lui. Il doit quand même ressentir des choses, mais jamais il ne les dira, je ne peux jamais non plus parler avec lui. Alors je l'attaque et je le conteste; il se fâche et coupe la relation.»

«Ma mère m'envahit de ses désirs et de ses peurs, elle devrait apprendre à se contrôler, à ne pas déverser ses angoisses sur moi.»

Ce désir profond que l'autre change pour qu'enfin nous puissions aller mieux, pour que cesse notre souffrance ou notre malaise, voilà une de nos aspirations les plus légitimes et les plus frustrées. La tentation de changer l'autre, de commencer par l'autre, a la vie dure. Elle cimente et fait durer les relations en les maintenant statiques, sur un terrain connu et familier.

«Je sais d'avance comment cela va se passer. Je vais lui dire ceci et il me répondra cela. Il est toujours comme ça....»

«Jamais je ne pourrai dire à ma mère que je vis avec un homme divorcé ou que j'ai déjà avorté. Elle me rejettera comme si je n'étais plus sa fille.»

En privilégiant la réaction avec laquelle l'autre se protège, j'évite d'écouter ce qui est touché en lui.

Je suis d'une habileté incroyable pour me proposer ainsi des relations fictives et éviter de reconnaître:

- Chez moi: ce que représente en moi une relation avec un homme marié.
- Chez l'autre: ce qui est blessé chez ma mère quand elle découvre ma relation avec un homme marié.

Cette attitude me permet de m'aveugler sur mes propres failles. Elle est souvent réciproque.

«Ne m'oblige pas à choisir», demande cet homme marié à son amie.

«Ne m'impose pas ce partage, rétorque l'amie, et ne me contrains pas à cacher que j'en souffre.»

Chacun tente de résoudre son dilemme en demandant à l'autre de modifier son attente et son désir. Chacun se situe par rapport à l'autre en lui demandant de supprimer sa propre demande.

Tenter d'exercer une influence sur le désir et la demande de l'autre semble être une de nos utopies les plus archaïques. Nous voulons y voir la preuve de son amour, la force de son attachement.

«Si tu m'aimais, tu accepterais de renoncer à ton désir, tu ne souhaiterais pas me faire de mal en maintenant ta position.»

Cette mère qui ne supporte plus la présence de son fils de vingt-quatre ans à la maison lui enjoint d'agir à sa place à elle: «Tu devrais avoir un métier, gagner ta vie, être indépendant, tu devrais avoir envie d'un studio à toi.» Et lui de répondre: «J'ai tout le temps, mais si tu veux me mettre à la porte, dis-le clairement.» Elle voudrait qu'il ait la ressource de partir; il souhaite qu'elle ait le courage de le mettre dehors!

L'effort pour changer l'autre dans le sens que je désire est voué à l'échec; il mène à une communication répétitive, chargée de violence sourde et de haine refoulée.

«Je voudrais tant qu'il parte de lui-même.»
«J'aimerais tellement qu'elle me mette à la porte.»

«Je me veux responsable de ce que l'autre ressent»

Certaines personnes ont tendance à se sentir responsables de tout ce que ressentent ceux qui les entourent. Bien des parents s'attribuent toute la paternité des échecs, des réussites et des caractéristiques positives ou négatives de leurs enfants. Ils les considèrent comme des prolongements d'eux-mêmes, et les enfants le leur rendent bien, plus tard, en les accusant d'être la cause de tous leurs problèmes (rarement de leur bien-être).

Les enfants aussi sont très forts pour se charger de fausses responsabilités, pour prendre sur eux la charge douloureuse perçue chez leurs parents, pour tenter de réparer leurs blessures secrètes, ou les décharger de leurs déceptions et de leurs angoisses.

Ils se sentent la cause des disputes ou du divorce des parents, de leurs chagrins comme de leurs joies. Leur égocentrisme naturel ne leur permet pas de se représenter qu'ils peuvent «n'y être pour rien» dans ce qui se passe. C'est trop blessant de n'être pour rien dans ce que vivent des personnes très importantes.

La culpabilité s'appuie sur un sentiment d'omnipotence illusoire. C'est peut-être pour cela que c'est un sentiment très répandu (très ravageur aussi) dans la culture occidentale. Une grande part de l'éducation est fondée sur la menace, la dévalorisation et l'agression. La culpabilité viendrait jouer un rôle compensatoire à cette négation de soi engrangée pendant des années.

Les enfants qui ont grandi auprès d'un parent déprimé ou abandonnique gardent souvent un sentiment diffus de culpabilité basé sur une fausse croyance.

«J'aurais pu lui rendre la joie de vivre, la complétude, la santé, j'aurais pu ne pas le décevoir,

- si j'avais fait...
- si j'avais été...
- si j'étais resté...
- si j'avais su...
- si je l'avais cru...»

Certains vont réintroduire cet élan guérisseur dans leurs relations et développer toute une activité de rattrapage, de restauration et de réparation de dommages dont ils s'imaginent être responsables. Et les autres (parents ou entourage proche) en profiteront en abusant parfois, sentant cette corde de la culpabilité et du pouvoir illusoire toujours prête à vibrer.

«Mon mari a eu un grave accident juste après une dispute entre nous, je me sens responsable, coupable, c'est à cause de moi.»

Nous pouvons nous demander si cette épouse serait soulagée ou déçue de découvrir qu'elle n'a pas le pouvoir de déterminer les comportements de son mari. S'il se détruit même en croyant que c'est à cause d'elle, cela ne peut être qu'une décision personnelle et un choix de sa part à lui.

«Ma mère ne s'est jamais remise de me savoir mariée à un homme divorcé. Elle me préférerait morte, m'a-t-elle dit. Et parfois j'ai envie de me suicider... mais je ne sais même pas si cela lui ferait plaisir.»

Que ne faisons-nous pas, censément pour protéger l'autre!

«Je ne montre pas à mon mari que je peux parfaitement me débrouiller seule, il a tellement besoin de se sentir fort et protecteur.»

«J'avais des migraines depuis plus de vingt ans. Après un travail sur moi, elles ont disparu. Mais le plus étonnant est que mon mari continuait à me persuader que je devais me reposer, que mes migraines étaient encore là. Il voulait à tout prix les prendre en charge, même quand elles n'existaient plus!»

«Je cache mes doutes et ma vulnérabilité à mon fils, il ne supporterait pas d'avoir un père démuni.»

«Je n'aborde pas les questions d'argent avec lui, cela le met trop mal à l'aise.»

Les systèmes de protection mutuelle dans les couples, les familles ou les relations professionnelles et amicales sont souvent stables et rassurants. Ils limitent chacun et, surtout, ils proposent des rôles et des comportements repérables à partir desquels «je sais où je vais».

Se sentir responsable de la réaction de l'autre offre de confortables alibis, et nous permet d'éviter les affres de notre ambivalence.

Cette femme n'en pleut plus, dit-elle, de la dépendance de son mari envers elle, de sa surveillance et de ses demandes constantes, de son besoin de tout vivre à travers elle. Après bien des années d'hésitations, elle lui parle de sa décision de divorcer. Il manifeste alors une profonde réaction dépressive et elle renonce. Elle décide de rester avec lui. «Si je pars, je serai responsable de son désespoir, de sa destruction.»

Elle a pu résoudre ainsi son extrême dilemme (rester ou partir) en ne croyant pas aux capacités évolutives de son mari, en s'octroyant toute la responsabilité de ses états psychiques à lui.

À rester coincés dans le désir ou le non-désir de l'autre, nous faisons l'économie de l'effort de nous différencier, de nous arracher à l'aliénation du système, de découvrir une attitude plus dynamique, bien que parfois apparemment «égoïste» ou même cruelle. Cette accusation d'égoïsme, c'est d'ailleurs l'entourage qui va la produire... pour se victimiser davantage et maintenir l'accusation ou la dévalorisation.

Cette impression d'être responsable de ce que ressent l'autre nous ramène à la petite enfance, au temps de l'indifférenciation et de la toute-puissance.

Cette femme mariée a un amant depuis huit ans et affirme qu'elle n'est pas bien dans cette situation. Elle voudrait choisir. Elle ne peut pas quitter son mari, car il ferait une dépression; elle ne peut pas quitter son amant, car il menace de se suicider. À aucun moment d'une longue conversation, elle n'a pu exprimer ses véritables désirs et sentiments. Elle ne vivait qu'à travers son impression d'être responsable du malheur futur de l'un ou de l'autre.

Plus tard, en évoquant son enfance, elle raconte la dépression de sa mère, à la naissance de sa sœur, lorsqu'elle-même avait six ans. Elle s'était sentie responsable de l'état de sa mère, dans les deux sens du terme. Elle en était la cause, par ses comportements, ses désirs agressifs, et elle devait les porter et les réparer, en s'occupant du bébé et de toute la maison.

Lorsqu'elle prit bien conscience qu'elle n'était pour rien dans la dépression de sa mère, elle s'exclama: «Mais alors je n'avais pas de pouvoir! J'étais en pleine illusion de toute-puissance!»

«Oui, je suis femme, je suis épouse, je suis mère,
je suis amante, je suis petite fille... je suis aussi bébé!»

Car se sentir responsable de ce que ressent l'autre, c'est aussi cultiver une sensation de pouvoir et d'impact difficile à abandonner. C'est tenter de garder le contrôle de la relation et maintenir ainsi coûte que coûte une illusion de toute-puissance sur l'autre, sur ses sentiments, sur son vécu. Nous l'associons trop souvent et de façon erronée avec la force de l'attachement. L'autre reconnaîtra la force de mon amour si je prends à cœur la moindre vibration de sa sensibilité, le moindre éclat de ses humeurs.

Je ne suis pas responsable de ce que l'autre ressent

La culture et l'éducation collaborent à la responsabilisation culpabilisante.

«Ta sœur souffre à cause de toi.»

«Tu fais de la peine à ton frère.»

«Ton père est malheureux de ta conduite et ta mère m'a dit qu'elle regrettait d'être vivante quand elle a appris ce que tu avais fait!»

Mais quel enfant saurait dire à son père: «Tu es déçu de mon échec à l'école et c'est bien ta déception, papa. Je crois que c'est à toi de t'occuper de ta déception. Je ne veux pas m'en charger, soit en travaillant mieux, soit en me culpabilisant de mal travailler.»

La culpabilisation est une déformation, une excroissance de la compassion qui habite chacun de nous dès l'enfance. De cette capacité d'identification qui fait que j'ai de la peine à voir souffrir qui j'aime, qui m'aime. Lorsque j'affirme, à celui qui dit être malheureux par moi, que je ne me sens pas responsable de sa souffrance, il s'indigne, bien sûr, et m'accuse d'être inconscient, pervers ou sadique. C'est une affirmation qui paraît choquante à notre sensibilité, à notre générosité, à notre besoin de pouvoir aussi et à nos habitudes de penser et de sentir.

Cet homme qui abandonne sa femme n'est-il pas responsable de la détresse qu'elle ressent? Cette femme qui quitte son mari, et ses enfants aussi, car elle ne se sent pas capable de s'en occuper seule, ne se sent-elle pas coupable en imaginant leur solitude! (Pas la sienne, bien sûr, qui sera nommée par les autres «liberté» ou «inconscience».) Ne suis-je pas responsable pour toujours de celui que j'ai apprivoisé? (Voir le renard du *Petit Prince*.) Non — et pourtant si, un peu quand même. Resurgissent alors des conflits de fidélité dont les racines sont bien plus anciennes que ma propre vie.

Agir en priorité selon ce qui me guide, moi, est complexe. Cette complexité inclut mon désir de faire plaisir, d'aider, de ne pas décevoir et de concilier l'autre. Mais si je me sens responsable de la façon dont l'autre gère ses sentiments, je suis piégé.

Après bien des années de lutte et d'exhortations, cette fille dévouée baisse les bras: «Si c'est le choix de mon père de se détruire par l'alcool, je vais cesser de le contester et d'abîmer ma vie en tentant de le sauver. Je lui rends son alcoolisme, c'est vraiment le sien. Et ce tiers qu'il a mis dans sa vie entre moi et lui, entre lui et les autres, c'est bien son compagnon préféré. Cela lui appartient. Je reprends la liberté de ce qui me concerne, de mes priorités à moi...»

Et cet autre père enleva beaucoup de pouvoir destructeur à sa fille anorexique le jour où il lui déclara: «Je ne me sens pas responsable du fait que tu manges ou non. Ma responsabilité est que tu aies la possibilité de manger.»

Ne pas prendre la responsabilité de l'autre, ce sera aussi refuser de l'aider à échapper aux conséquences de sa décision.

Ce père juif avait déclaré à son fils que s'il épousait son amie non juive, il refuserait de voir ses petits-enfants. Le fils devenu père n'aida pas son père à tenir sa parole. Il l'invitait régulièrement, malgré ses refus répétés, et se présentait à sa porte, son enfant à ses côtés, acculant ainsi le grand-père à réactualiser chaque fois sa décision. Il témoignait ainsi de son désir à lui de maintenir la relation et montrait au père (et à son enfant) que le rejet était unilatéral.

«Ah oui! Mon père est aussi un fils!»

Quand nous évitons de collaborer au système relationnel proposé ou imposé par autrui, nous retrouvons plus pleines nos capacités à être, à mieux nous définir ou nous positionner. Accepter de s'affirmer, de se définir face à l'autre en prenant le risque de ne pas avoir son approbation semble être une des choses les plus difficiles, tant est intense et impérieux notre besoin d'approbation.

Nous sentons bien, en écrivant cela, et surtout en tentant d'apprivoiser des conduites d'autoresponsabilisation chez les participants à nos sessions de formation, que nous déclenchons des réactions passionnelles puissantes, que nous introduisons un bouleversement en cascades et provoquons ainsi un désordre, une remise en mouvement hors des circuits relationnels habituels. (Travailler sur le développement et le changement personnel, c'est mettre au jour les formes les plus subtiles et les plus permanentes du terrorisme relationnel: celui qui s'épanouit dans les relations intimes, celui qui s'exerce au nom de l'amour.)

La révolution relationnelle, celle qui annonce à la fois des jours difficiles et des jours plus ouverts, passe certainement par ces chemins.

Je suis responsable des sentiments que j'éprouve

Il nous est bien difficile d'admettre que dans une relation nous sommes responsables de ce que nous éprouvons et ressentons. En effet, les sensations qui circulent en nous, c'est bien notre corps qui les éprouve; les sentiments qui nous traversent, c'est bien notre sensibilité qui les ressent.

Bien souvent un événement, un acte, une parole, une attitude de l'autre vont réveiller et déclencher des facultés d'émotions qui sont en moi. Déclencher seulement, et non pas créer des émotions qui m'appartiennent. Réactiver, réactualiser des sentiments, des sensations ou des perceptions qui sont bien les miennes, qui sont inscrites dans mon vécu.

Cette affirmation — *«Chacun est responsable des sentiments qu'il éprouve»* — peut apparaître à certains comme une véritable agression, et susciter des protestations véhémentes.

«Ma mère est déprimée, je ne suis pas responsable du poids et de l'angoisse que je ressens, cela vient d'elle... je porte ce poids pendant toute une semaine après l'avoir vue...»

«Mon fils est mort, suis-je responsable du désespoir qui m'envahit?»

«Mon patron est despotique et injuste, la révolte et le découragement qui m'habitent sont inévitables.»

Entrer dans la démarche qui consiste à accepter la responsabilité de ses propres sentiments provoque un authentique choc, tant est naturelle la tendance à vouloir traiter chez l'autre le problème que nous avons avec lui. Adam devra bien reconnaître que c'est volontairement qu'il a mangé la pomme, même si c'est par imitation et solidarité, et Ève ne pourra pas nier que c'est bien elle qui a décidé d'obéir au serpent.

Et moi qui arrivais des millénaires après eux, j'ai bien dû reconnaître (mais après beaucoup d'efforts) que c'était moi qui aimais cette femme à la folie et que toute la force et la beauté de mes sentiments n'avaient aucune prise sur les siens... qui étaient tournés vers un autre. Oui, je suis responsable (mais le mot n'est pas juste), je suis coresponsable de ce que j'éprouve. Il ne me servira à rien de hurler, de me déchirer ou d'agresser celle qui ne reçoit pas mon amour parce que le sien est reçu par un autre. C'est une sorte de dignité nouvelle qu'acquiert celui qui commence à respecter ses sentiments, justement parce qu'ils les reconnaît comme siens.

Que cultivons-nous?

Nous sommes responsables des sentiments que nous cultivons en nous comme un jardinier l'est de son jardin. Bien sûr, il y a un climat et un terrain donnés, des événements, des orages, trop de pluie ou de soleil, mais cela ne supprime pas la responsabilité du jardinier, c'est-à-dire sa vigilance et son action.

«Cultivons-nous!»

Ma responsabilité, c'est d'abord la façon dont j'envenime ou entretiens mes blessures.

Quelqu'un a laissé la fenêtre ouverte, un moustique est entré et m'a piqué. La façon dont je me gratte, m'irrite et transforme la piqûre en plaie ou en handicap, cela n'est pas la responsabilité de la personne négligente. Mais je l'accuse de m'avoir fait cette large blessure dont je souffre tant... en ayant laissé la fenêtre ouverte.

Curieusement, beaucoup de personnes interprètent les signes émis par les autres dans le sens le plus défavorable à leur estime de soi.

«S'il ne tient pas compte de mon avis, c'est que j'ai tort.»

«Si elle ne m'aime pas comme je le voudrais, c'est parce que je ne suis pas aimable, pas digne d'être aimé.»

«Le gros soupir qui a soulevé sa poitrine, je sais bien qu'il veut dire que je l'ennuie, que je parle trop, qu'il n'a pas envie d'être là, avec moi…»

«Cette allusion à des vacances gâchées, je sais bien que je suis dedans.»

J'appelle ce mécanisme *l'appropriation*, c'est-à-dire la capacité de s'approprier une parole, un ressenti, un acte ou un comportement qui appartient à l'autre et de le faire mien en devenant ce qu'il dit que je suis. Je deviens ingrat, idiot ou mauvais quand l'autre me voit comme tel et que je m'en défends. Il ne me vient pas à l'idée d'accepter que c'est seulement le regard de l'autre. «Oui, vous me voyez comme cela, ingrat, idiot ou mauvais. Vous pourriez m'en dire plus sur ce qui vous fait me voir comme cela…?» Ou bien je peux me différencier suffisamment et ne pas m'approprier le vécu, la perception d'autrui ou bien je l'intègre et, dans ce cas, je dois essayer de gérer ce que l'autre a déclenché chez moi (puisque je n'ai pas su m'en différencier!).

L'autre me blesse, me frustre, l'autre est insupportable. Mais c'est bien en moi que se trouve la blessure, la frustration, l'intolérance ou, en un mot, la souffrance. Et c'est de cette souffrance, la mienne, qu'il va falloir que je m'occupe.

La démarche ainsi énoncée paraît blessante quand elle est proposée à ceux qui, meurtris par la souffrance, le désarroi ou la déprime, exposent de telles situations dans des groupes de formation ou en entretiens d'aide.

«Mais c'est moi qui souffre à cause de lui; puis-je en plus m'occuper de ma souffrance et comment?»

Cela semble injuste et surtout impossible. Combien d'enfants pourraient dire à leur mère, à leur père: «Maman, papa, je t'en supplie, essaie de faire quelque chose pour toi, pour tes peurs, pour tes soucis, pour la colère ou la souffrance qui t'habitent.»

Combien de femmes et d'hommes pourraient ainsi oser interpeller leur conjoint, leur partenaire et dire: «Oui, tu te sens démuni devant ta souffrance et tu souhaites que je fasse quelque chose pour la diminuer. Tu voudrais que je change de conduite, de sentiments pour supprimer ta douleur. Et moi je te demande seulement de l'écouter, je t'invite à l'entendre car c'est la tienne...»

La croyance que les sentiments ne peuvent pas se maîtriser est très répandue.

«Je suis ainsi, je n'y peux rien, je ne peux pas me changer.»

«Je suis souvent entraîné à faire ce que je ne veux pas, ce qui me nuit ou me rend malchanceux; c'est plus fort que moi.»

Tout s'exprime comme si les sentiments nous arrivaient dessus de par une force extérieure ou une force intérieure impossible à dominer.

«Je suis tombé amoureux.»

«Je ne t'aime plus.»

«J'ai perdu la confiance que je lui portais.»

Je me déresponsabilise par rapport à cet autre en moi, que je nomme parfois mon inconscient. Depuis son «invention» par Freud, cette notion est souvent utilisée comme la part incontrôlable d'un autre moi-même agissant malgré moi, à ma place. «Si je l'ai fait, c'est vraiment inconsciemment.» L'inconscient-alibi, l'inconscient-excuse est mis à toutes les sauces relationnelles pour justifier certaines de mes limites ou incapacités. C'est un tel travail de vigilance, d'attention, d'ouverture et d'acceptation que de me réapproprier mes conduites et mes sentiments et de m'affranchir des influences qui m'ont marqué.

«Je le déteste, c'est ma responsabilité, c'est ma façon à moi de lutter et d'affronter l'impact de ce qu'il a dit ou fait, de ce qu'il est...»

«Je suis déçu par elle, je suis l'artisan de cette déception, je me suis leurré dans mes attentes; je lui ai prêté des qualités que je souhaitais rencontrer, celles, peut-être que j'ai mal réussi encore à développer en moi.»

«Je suis jaloux, je vais m'occuper de ma jalousie et nous verrons ce qu'elle fait de moi ou ce que je fais d'elle.»

«Ce père était trop important pour moi, je l'aimais trop et pendant longtemps je n'ai pas osé l'affronter. Aujourd'hui, je prends le risque de le contester, de le critiquer, de dire ses manques et aussi mes attentes, mes espoirs déçus, ma réalité blessée…»

La seule véritable guerre est intérieure, la seule transformation sur laquelle j'ai un peu prise, c'est la mienne. Il n'est pas impossible qu'elle déclenche aussi une modification de l'autre et de la relation.

Au lieu d'attendre que mon père me parle de ses sentiments, je vais lui parler des miens. Ma liberté, ce serait de décider comment je vais vivre la situation qui m'est imposée. Si j'estime que mon patron a des attitudes arbitraires, injustes et contradictoires, je peux vivre cela de multiples façons:

- Je peux me contenter du plaisir de médire inlassablement de lui avec mes collègues.
- Je peux me recroqueviller, amer et blessé.
- Je peux tenter des actes et des paroles auprès de lui.
- Je peux tenter de comprendre son désarroi et son impuissance.
- Je peux m'entraîner à dépasser ma réactivité et mettre ainsi à profit, pour ma croissance personnelle, chacune de ses sautes d'humeur, ou cultiver encore bien d'autres attitudes intérieures ou extérieures en m'interrogeant sur leur stérilité ou leur fécondité. Pour finir, je le remercierai peut-être d'avoir été sur mon chemin une épreuve qui m'a permis de grandir: c'est ce que nous appelons le *recadrage* des situations et des sentiments.

La prise de conscience de notre propre responsabilité dans ce que nous vivons peut nous donner un sentiment de liberté inouï même si, dans un premier temps, nous nous sentons prisonniers de nous-mêmes et non plus de l'autre.

Si je considère que toute relation a deux extrémités, il m'incombe de prendre en charge l'extrémité qui est de mon côté, et seulement elle.

Mon bout de la relation

Dans une relation, j'ai tendance à me sentir responsable soit *des deux côtés* («Si l'autre n'a pas de plaisir en faisant l'amour, c'est parce que je suis insuffisant, pas attirant, que je ne sais pas y faire»), soit *d'aucun* («Cette soirée était ennuyeuse, ils n'ont pas su créer une discussion intéressante, stimulante»).

«Je ne suis responsable que de mon bout...
mais j'aimerais tellement contrôler celui de l'autre!»

Je ne suis pas responsable de l'entier de la relation, mais seulement de ce qui se passe de mon côté, de ce que j'apporte dans la relation et de la façon dont je reçois ce que l'autre y apporte. Cette position m'obligera parfois à reprendre à mon compte ce que je critique chez l'autre.

«Je suis angoissée, disait cette femme, par l'idée de la relation stable après laquelle je cours. Trois fois déjà, je suis tombée sur un homme qui avait peur de s'engager. Je crois que c'est ainsi que j'évite de trouver cette stabilité qui me fait peur, alors je peux continuer à la désirer et surtout reprocher aux hommes leurs fuites et leurs craintes.»

«Pendant des années, j'ai accepté de me laisser juger, définir ou positionner par l'autre. Je le laissais parler sur moi et ainsi je me laissais enfermer dans une image, un fonctionnement... dans lequel je ne me reconnaissais pas du tout. Aujourd'hui, je ne me laisse plus définir et je gagne en maturité.»

«Vous n'avez pas droit à cela.

— Oui, vous pensez que je n'y ai pas droit, donc vous ne pouvez pas me le donner. C'est bien vous qui ne pouvez pas me donner ce droit.

—Mais je vous dis que vous n'avez pas droit à ce tarif, à cette place...

— Oui, vous me dites que vous ne pouvez pas me l'accorder. Y a-t-il quelqu'un dans votre service qui pourrait prendre cette décision?»

Cet échange peut durer des mois et aboutir ainsi au bureau du directeur général, où je recevrai une réponse positive...

«Si mon médecin préféré me dit, après m'avoir ausculté: "Oh! là je suis inquiet! Je vais vous faire passer une radio", je préfère aujourd'hui lui répondre: "Faites quelque chose pour votre inquiétude et je reviendrai vous voir..." Je ne veux plus être soigné en fonction de l'inquiétude de l'autre, mais bien en fonction de mes besoins.»

Chacun peut transformer, inverser la dynamique énergétique d'une relation en repositionnant sa définition de lui-même face à l'autre. Force me sera de découvrir comment je stimule ce qui me fait souffrir.

Dans un stage de développement personnel un homme parle de son désarroi et de sa difficulté à vivre des relations «simples, directes et immédiates»: «J'avais une relation nouvelle avec une jeune femme, une relation chouette, légère, pleine de créativité. Nos propositions mutuelles nous stimulaient et donnaient à notre existence beaucoup de piquant et de saveur. Et puis un soir elle m'a dit: "J'aimerais savoir ce que je suis pour toi. Quels sont tes sentiments, tes intentions? Moi je t'aime et je tiens à toi." Je lui ai répondu: "Moi, je ne t'aime pas et je tiens à toi. J'ai beaucoup de plaisir à nos rencontres, à ta présence, à ta façon d'être."

«Ce n'est que plus tard, quelques semaines après, que j'ai compris combien ce "Je ne t'aime pas" avait été insupportable pour elle. Elle l'avait reçu comme une violence. Je lui avais pourtant exprimé mes sentiments, mon plaisir, mon attachement à la relation avec elle. Ce n'était pas assez; il fallait que j'éprouve quelque chose en dehors de sa présence, que je sois habité par elle. Le fait d'avoir du plaisir, d'être heureux avec elle, de partager le temps commun des rencontres n'étaient pas suffisant.

«La relation était déséquilibrée. De son côté, il y avait des sentiments et un désir d'autre chose que le temps des rencontres. De mon côté, un vécu, un entier dans la rencontre mais pas ce fameux sentiment d'amour. Je ne l'aimais pas, je ne pouvais tout de même pas lui dire que je l'aimais même si c'était ce qu'elle attendait de plus fort de moi? Nous nous sommes perdus et j'ai encore la nostalgie de nos rencontres. C'était si vivant, si plein.»

Cet homme désire aborder «sa» difficulté à vivre des relations «simples», mais en décrivant la situation, c'est la difficulté de l'autre, celle de sa partenaire qu'il évoque et remet en cause. Il ne perçoit pas encore sa propre participation aux réponses de son amie, de ses amies plutôt, puisqu'il nous révèle qu'il s'agit pour lui d'une constellation relationnelle répétitive. (Dès qu'il y a répétition, c'est à plus forte mesure encore qu'il faut s'interroger sur soi-même plutôt que sur l'autre.)

Cet homme découvrira par la suite comment, par ses choix de partenaires et par ses conduites, il installe et renforce l'évolution du rapport amoureux telle qu'il la dénonce et la déplore.

«As-tu déjà été amoureux d'une femme qui ne t'aimait pas?» Il s'exclame, dans un cri du cœur: «Oh non! J'y laisserais trop de plumes! C'est toujours l'autre qui m'aime et m'en demande trop. Oui, je collabore activement, comme malgré moi, à ce que je déclenche et refuse.»

Le type de réponses (agression, caresse, protection, etc.) que nous recevons le plus souvent dans la vie est une information sur des messages que nous envoyons. Chacun exprime avec son corps tous les aspects de sa personnalité, du physique au métaphysique et perçoit ceux des autres, sans même s'en rendre compte. Les complémentarités jouent bien, dans la ronde des attirances et des répulsions, et cela nous cantonne souvent à un même type de voisinage.

Dans une approche entre deux êtres, dans une rencontre, les inconscients savent en un éclair se reconnaître et interagir, pour le meilleur ou pour le pire. Ils entrent dans la ronde de façon quasi automatique, et créent un enchaînement de comportements dictés, souvent liés au passé plus qu'au présent. (Cette double vision d'individus qui sont, d'une part, modelés par l'environnement et perdus dans des jeux de miroir sans fin, et d'autre part, isolés, responsables, maîtres à leur bord, piégés uniquement dans leurs propres conflits, peut donner le vertige. La difficulté d'englober ces deux aspects dans un même regard se reflète dans les débats passionnés ou les conflits qui opposent certains thérapeutes de famille à certains psychanalystes. Les uns s'occupent essentiellement des interactions puissantes à l'œuvre dans la famille, les institutions et les mouvements sociaux. Les autres considèrent premièrement l'appareil intrapsychique individuel et ses conflits intérieurs.)

C'est la force de l'interdépendance et de la collusion consciente et inconsciente qui s'installe entre les individus, surtout dans les couples et entre les parents et les enfants, qui va amener des personnes à une démarche de thérapie. Dans cet engrenage complexe dont elles sont à la fois la mécanique, le mouvement et le résultat, elles tentent de repérer ce qui vient d'elles. Elles vont chercher à retrouver leur désir propre sous des amoncellements de conditionnements et de reflets.

Certains cheminent vers la connaissance, au centre d'eux-mêmes, d'un espace mystérieux, entier, originel que rien ni personne ne peut altérer. Ceux-là sentent le besoin d'établir et de garder un contact avec ce noyau en eux, distinct de l'environnement, à partir duquel ils pourraient engager la pulpe de leur vie dans des relations et des actions. Sans s'y corrompre, s'y perdre ou s'y abîmer, sans s'en protéger non plus comme une graine enfermée dans sa coquille. Ils cherchent qui ils sont, au-delà du regard des autres, plus loin que les sommations du présent et les exigences de l'avenir.

Mais toujours cette recherche pour distinguer ce qui vient de soi (ma façon de donner, de recevoir, de demander et de refuser) de ce qui vient de l'autre reste une démarche ardue, imprévue, source de confusions et de tentatives renouvelées de se définir soi-même. Les scientifiques nous montrent de plus en plus qu'il n'existe pas de frontière précise entre un organisme vivant et l'écosystème auquel il participe.

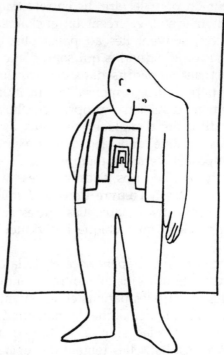

«Cheminer au centre de soi-même... Quel chemin!»

Intrarelations et interrelations

Il faudrait forger un mot qui puisse traduire et inclure à la fois les éléments constitutifs de la relation aux autres (stimulations, réponses, réactions, interactions, responsabilité, complémentarité, mutualité) et ceux de la relation à soi-même (programmation, mémoire, répétition, amplification, différenciation, image de soi, conflits intérieurs conscients ou inconscients, perception de son corps, responsabilité de sa propre vie, ressources et manques, économie intrapsychique). Nous proposons de distinguer ces deux pôles par les termes *intrarelation* et *interrelation*.

Intrarelation (relation à l'intérieur): un mot pour exprimer la notion de liens rassemblés en faisceaux, focalisés sur des points centraux prenant leur signification à l'intérieur de soi. Nous voudrions signifier par là une tentative de reconnaissance de la relation à soi, des circuits relationnels qui sont branchés, programmés, qui induisent certains passages et en ferment d'autres, qui renforcent certains comportements et inhibent des conduites.

L'image évoquée est bien celle de circuits imprimés qui «traitent» l'information venue du dehors suivant un certain code, une certaine finalité même. Plus simplement, en confrontant ces deux notions, intrarelation et interrelation, nous voudrions faire ressortir leur apparente contradiction.

«Je suis entièrement et uniquement responsable de tout ce qui m'arrive, et nous sommes tous interdépendants les uns des autres.»

«Je suis capable de collaborer activement à ce qui ne me convient pas et tout ce qui me vient de l'autre est susceptible de me toucher soit en m'agrandissant, soit en me diminuant... Je ne peux pas ne pas communiquer. Je suis partie prenante dans un circuit d'échanges dont les forces et les enjeux parfois m'échappent et dont je suis aussi le moteur.»

Toute perception, pour devenir sensation, passe par un circuit de filtres et de canaux déjà imprimés par les expériences significatives de l'enfance. Des circuits multiples aboutissent aux mêmes impasses, aux mêmes carrefours et ils deviennent semblables à des radars ultraperfectionnés qui captent la cible et dirigent ensuite tout l'appareil vers elle.

Cet homme de trente-huit ans raconte qu'il ne supporte pas de manger dans l'assiette de quelqu'un; il refuse systématiquement les gestes de tendresse amoureuse que sa partenaire lui propose au restaurant ou chez lui («Tiens, goûte ceci») en lui présentant sa fouchette, par exemple. Il ajoute: «Je n'ai jamais pu dire à ma femme, en dix ans de mariage, que cela me renvoyait à des souvenirs de table très éprouvants. J'étais l'aîné et on m'obligeait à terminer l'assiette de ma sœur Florence. Elle sentait mauvais. Je n'ai jamais pu désobéir à ma mère, j'en avais la nausée, je devais manger quand même... l'enfer.»

Nous entendons bien que toute expérience apparentée à ce passé-là se connectera à l'ancienne situation en passant obligatoirement par le circuit «assiette-à-terminer-de-la-petite-sœur-qui-sent-mauvais» et aboutira à un refus, à une répulsion non dite mais infranchissable, quel que soit le stimulus actuel.

Cet autre nous rapporte les petites prises de bec qu'il avait avec sa femme concernant son comportement à table vis-à-vis de la boisson.

«Je ne pouvais m'empêcher de remplir mon verre, eau ou vin, à ras bord, partout, chez moi ou ailleurs. C'était incoercible et je buvais le tout en une seule gorgée goulue et bonne. Ce petit fait a été l'objet de multiples conflits et de réflexions désagréables sans que mon comportement puisse se modifier. C'était comme cela. Puis je me suis souvenu que tout enfant, je n'ai jamais pu me servir à boire tout seul. Ma mère me disait toujours: "Attends, attends, tu vas casser quelque chose, laisse ça." Elle me servait, mais toujours un demi-verre. Car un verre d'eau entièrement rempli m'aurait fait mal au ventre et coupé l'appétit. Ce demi-verre d'eau accordé, ce demi-verre d'eau refusé, je le bois toujours avec la même violence et la même jouissance. Ce verre plein, avalé d'un seul coup, c'est mon autonomie, ma liberté, mon plaisir total, le signe de mon indépendance.»

Un autre encore a remarqué qu'il déborde toujours sur les passages cloutés en s'arrêtant aux feux rouges.

«Je ne peux pas m'empêcher d'avancer largement, à tel point que je ne vois plus les feux; je dois faire ensuite toute une gymnastique pour voir le changement au vert. Ce n'est que tout dernièrement que j'ai associé ce comportement à la transgression. C'est comme si je devais toujours aller un peu au-delà de l'interdit. Comme si moi seul décidais et pas l'autre. Ainsi, j'ai l'impression que ma frustration est moindre, moins agressante pour moi. Cela me pousse aussi à «trahir» dans mes relations, à dérober quelque chose à mes meilleurs amis, à tromper leur confiance dans un domaine ou un autre. Sentiment fantasmatique d'être plus fort, de dominer la situation, de me venger d'un refus, d'une non-reconnaissance. Oui, les feux rouges agissent sur moi comme des aiguillons qui sont de véritables déclencheurs sans que je m'en rende compte.»

Je peux découvrir, écouter et entendre tout cela en moi. Et même si je ne peux changer ces comportements, je peux me dire à travers eux, cela peut faire l'objet d'une circulation de mots.

C'est à partir de notre relation à nous-mêmes que nous entrons en communication avec les autres. C'est pourquoi il nous paraît si important de débusquer quelques-unes des manifestations de nos conduites inconscientes, d'en dévoiler des pans, lorsqu'elles nous jouent trop de tours dans la vie. Il ne s'agit pas de contrôler la vie inconsciente mais de mieux en percevoir l'influence, les jeux et les facéties.

Les inconscients sont des conservateurs forcenés, et souvent, hélas! ils privilégient surtout la conservation du mauvais, du trop difficile, du trop douloureux, du trop dangereux, de tout ce que, pour n'avoir pu l'affronter, nous y avons relégué. En nous ces sentinelles invisibles deviennent des censeurs inexorables du renouveau et du changement. Si nous apprivoisons un peu leur puissance, nous pourrons mettre plus de leur force inépuisable à notre service, au service des potentiels de joie et de vitalité que nous sous-utilisons.

Chacun aura tendance à voir plutôt une face ou plutôt l'autre dans cette médaille paradoxale:

- Chacun est l'artisan unique de sa souffrance et de sa joie, nul autre que lui-même ne peut sécréter ses propres émotions de plaisir et de peine.
- Simultanément, chacun est foncièrement dépendant de son environnement, qui va de son héritage biologique, social et culturel et de ses relations proches jusque bien au-delà des étoiles, qui, quelque part dans l'immensité du ciel, par leur position, par leur rayonnement, par leur mouvement, influent aussi certainement sur ce que nous sommes et sur ce que nous faisons.

Nous pouvons cependant nous donner certains repères qui nous permettent de mieux dégager notre responsabilité réelle. Dans le chapitre suivant nous évoquerons quelques pistes de réflexion qui pourraient nous amener à être de meilleurs compagnons pour nous-mêmes et, de ce fait, pour les autres.

> *Pour conquérir sa liberté, le tout n'est pas*
> *d'atteindre l'Amérique mais de quitter l'Espagne.*

XI

Devenir un meilleur compagnon pour soi-même

> *Il est difficile d'accepter qu'on ne naît pas femme ou homme mais qu'on le devient.*

Il m'appartient d'être non seulement le gérant de l'évolution de mes sentiments et de leur devenir, mais un réceptable fertile aux sentiments d'autrui, si ceux-ci sont... recevables.

Si j'accepte d'adopter cette optique: «Je suis responsable de ce que je ressens», beaucoup de mes attitudes, de mes habitudes de pensée devront se modifier. Mon regard sur les autres et sur moi-même sera amené à se transformer. Cela est laborieux comme une ascèse et long comme une vie. Car c'est la tâche d'une vie que d'accéder ainsi à devenir, à être le meilleur compagnon... que je puisse avoir dans mon existence.

Être un bon compagnon pour soi-même:

- c'est découvrir que la solitude peut être féconde, pleine et source de rencontres;
- c'est expérimenter qu'il est possible de ne pas s'ennuyer en sa propre compagnie;
- c'est être capable, à l'égard d'autrui, de prolonger son regard au-delà des premières impressions et aussi d'avoir un regard bienveillant et stimulant pour soi;

- c'est pouvoir sortir d'une dynamique d'autoprivation faite de la non-reconnaissance de ses propres besoins, de ses propres désirs. Car nous sommes souvent, à l'égard de nous-mêmes, des parents critiques et exigeants, peu gratifiants et peu encourageants.

Ne jamais hésiter à tendre la main... au meilleur de soi-même.

Être un bon compagnon pour soi, c'est accepter de développer une plus grande complétude, non pas en supprimant ou en comblant le manque, mais en n'entretenant pas la blessure qui l'entoure. Car trop souvent nous prenons le risque d'entretenir notre propre souffrance, qui est liée au manque, en recherchant cette complétude à l'extérieur de nous et en attribuant ainsi à l'autre le pouvoir de nous réparer. C'est une survivance de la dépendance infantile où nous avons vécu durant de nombreuses années, au début de notre vie extra-utérine, quand nous attendions satisfaction et bien-être des faits, des gestes et des paroles d'autrui. Tout se passe implicitement ou explicitement comme si je tentais ensuite de mettre l'autre au service de mes

désirs et de mes peurs. La dépendance inscrite dans les premières années, nous tentons de la poursuivre pendant une
grande partie de notre vie, n'hésitant pas à mettre tout le poids
de nos attachements dans cette dynamique. Cette interdépendance maintenue sera à l'origine du terrorisme relationnel dans
les relations parentales ou de couple.

Pour aller dans le sens d'un bon compagnonnage avec soi-
même, nous voyons quatre points essentiels à respecter:

- Envisager de mieux gérer la pollution inévitablement pro-
  duite par toute relation.
- Gérer l'impact et le retentissement des messages de
  l'autre sur moi.
- Apprendre à recadrer les événements, les problèmes ou
  les agressions qui surgissent au quotidien.
- Prendre directement en charge un certain nombre de mes
  besoins.

Gérer la pollution relationnelle inévitable

Tout corps vivant sécrète des déchets. C'est le signe même
qu'il est vivant et, paradoxalement, cette production de
déchets témoignera de sa vitalité, de son dynamisme. En état
d'hibernation, beaucoup moins de déchets sont produits.
C'est ce qui explique l'état de survie, de momification de certaines personnes qui vivent ainsi à petit feu, à petits pas, à
petite vie. Si une relation est vivante, elle produira des
déchets. Elle sécrétera des scories, des parasites qui, s'ils ne
sont pas pris en charge et évacués, empoisonneront, au sens
fort du terme, les échanges et parfois la vie personnelle, professionnelle et sociale.

D'où viennent ces déchets et que sont-ils? Ils viennent en
particulier des malentendus inhérents à toute tentative de relation:

- Ce que je dis n'est pas ce qui est entendu.
- Je réponds non pas à ce que dit l'autre mais à ce que j'ai
  compris de ce qu'il dit.
- Je décode et j'associe avec des filtres et avec une sensibilité qui me sont propres... sans toujours reconnaître la
  sensibilité, les codes ou le système de valeurs de l'autre.

- J'oublie de négocier avec moi-même (avec mes peurs, mes désirs, mes ressources, mes limites) avant de négocier avec l'autre.
- Je tente de faire entrer l'autre dans mes croyances.
- Je veux le convaincre de la justesse de mon point de vue... pour son bien.
- Je veux le changer...

Les déchets proviennent aussi des poisons que représentent, dans toute relation, les jugements, les projections, les comparaisons, les attentes de réciprocité et les décalages. (*Voir le chapitre intitulé* «Les grands saboteurs».) Bref, à chaque tentative d'échange, je prends le risque d'être influencé, déçu, insécurisé ou comblé par l'autre, parfois bien au-delà de mes possibles.

Pour mieux gérer la pollution relationnelle, de mon côté, je suis amené à mettre des priorités dans mes attentes. Des attentes trop chargées, trop investies à l'égard de l'environnement ou de l'autre vont me mobiliser et me rendre vulnérable à toutes les frustrations quand les réponses se trouveront décalées, insuffisantes ou différentes de ce que j'avais projeté.

«J'attends que l'autre comble mes désirs sans que j'aie à réclamer plus. Tout décalage entre mes attentes et la réponse est vécu comme une agression personnelle et je développe colère et rejet contre tout ce qui me frustre. Je vis ainsi en état d'insatisfaction permanente envers tout le monde, y compris envers moi-même.»

Nous imaginons trop facilement comment doit se comporter l'autre et nous l'enfermons (souvent sans qu'il le sache lui-même) dans un ensemble ou un type de comportement-réponse qu'il devrait avoir à notre égard. C'est la source d'une infinité de déceptions, de frustrations et de malaises qui demanderont, ensuite, beaucoup d'énergie pour être dépassés.

«Je suis amoureuse de lui, avoue une jeune fille d'Amérique latine, mais je ne le montre pas. Une femme ne doit jamais dire cela. Je voudrais savoir si pour lui c'est sérieux ou si c'est pour plaisanter qu'il m'invite parfois. Je cache mes sentiments, j'ai peur qu'il devine et au fond j'aimerais bien qu'il devine...»

Après bien des mois d'attente («C'est à lui de prendre l'initiative!»), cette jeune fille ose un jour évoquer ses sentiments.

«Moi aussi!» répond le jeune homme.

Et le premier cri de la jeune femme dans cette relation débutante sera un reproche: «Pourquoi ne me l'as-tu pas dit alors?»

Je peux donc tenter d'être plus sélectif, plus lucide, plus réaliste dans mes attentes. Plus souple aussi, car l'attente fixée sur ce qui devrait être, sur ce qui devrait venir de l'autre, empêche de recevoir et parfois même de voir ce qui est là, ce qui, effectivement, vient de l'autre, non conforme mais vivant.

Gérer la pollution, m'efforcer de la diminuer, ce sera surtout être attentif à la façon dont je communique, dont j'écoute, à la forme de mes demandes, à la clarté de mes messages, à ma compréhension de moi-même. Je suis aussi responsable, comme émetteur, de la qualité de l'écoute que je souhaite avoir.

Gérer l'impact des messages d'autrui

Il m'appartient de gérer l'impact, la résonance, les émotions suscitées en moi par les actes ou les paroles d'un autre. En effet, nous n'avons aucune immunité devant la charge négative de certains messages. Une petite phrase de rien du tout, un mot dont la connotation affective résonne en nous vont littéralement nous empoisonner. Chacun de nous a pu faire l'expérience de ce type de rencontre où, après un échange, un coup de téléphone, une lettre, nous éprouvons un sentiment diffus de malaise, de tension, d'angoisse même, qui va, comme un acide, comme un poison persistant, ébranler notre organisme et nos pensées pendant plusieurs heures, voire plusieurs jours.

La règle, en ce domaine, pourrait être: plus la communication est mauvaise, plus il faut maintenir la relation vivante, c'est-à-dire garder l'écoute, l'attention et l'ouverture au lieu de s'éloigner, de rompre.

Je peux demander à celui qui m'a blessé de redire, de dire en d'autres termes ce message premier. Peut-être lui permettrai-je ainsi de trouver des mots plus près de sa pensée, de se définir davantage, de découvrir une parole qui soit plus profondément la sienne. Je peux reformuler ce que j'ai entendu, ce que j'ai compris, pour me faire confirmer ce que l'autre voulait dire. Car nous pouvons comprendre à contresens, selon notre degré de vulnérabilité et d'intolérance (à fleur de peau, dans certains domaines: le corps et ses manifestations, par exemple) et selon le manque de clarté dans l'expression.

«Quand il m'a dit que notre relation ne durerait sûrement pas longtemps, j'ai compris que déjà il avait envie de s'éloigner, qu'il me rejetait. Bien des années plus tard, j'ai réalisé que c'était sa peur et son insécurité qu'il m'exprimait ainsi et son désir de stabilité dans notre relation.»

Nous avons un pouvoir fabuleux, trop rarement utilisé, celui de confirmer autrui. Confirmer en reformulant ce que nous avons entendu.

Cette infirmière-soignante a tenté, à plusieurs reprises, de proposer une modification dans le déroulement des visites au lit des malades. Le chef de service, un médecin clinicien, la reprenait en disant: «Vous n'allez pas m'apprendre mon travail! Qui c'est le responsable ici?» Et pendant plusieurs jours, elle était désemparée, ne sachant «que répondre à cette agression». En découvrant la possibilité de se confronter, en ne se laissant pas définir par la «réaction» de l'autre, elle peut continuer à s'affirmer en confirmant l'autre: «Je vous vois bien comme le chef de service, mais ce n'est pas de cela qu'il s'agit. Ce dont je vous parle, c'est de la possibilité de modifier le déroulement des visites pour un meilleur accompagnement des malades...»

Pour garder le contact, pour créer non pas l'opposition mais l'apposition, les moyens sont simples mais difficiles à appliquer dans l'émotion du dialogue.

- Écouter ce qui est touché en nous par la réaction, le comportement, l'attitude de l'autre et le reconnaître: «Oui, c'est chez moi, ce que je ressens est bien en moi. Mais lui, que me dit-il?»
- Faire reformuler le message chaque fois qu'il est incomplet ou ambigu.
- Faire préciser l'intentionnalité, le sens donné par l'autre.
- Tenter de comprendre ce que dit l'autre et à qui il le dit.

Cette femme lance à son fils: «Je me demande à qui tu vas ressembler si tu continues comme ça!» Que dit-elle et à qui?

Relire la lettre reçue, demander la signification des mots et des actes. Oser revenir sur une situation passée et surtout sur le vécu, la perception différente de chacun autour de cette situation. Se rappeler qu'il n'est possible de communiquer que dans la différence. Cet effort nous aidera à moins nous laisser enfermer, ou nous enfermer nous-mêmes, dans le premier sens agressant ou dévalorisant donné au message, car c'est celui qui reçoit le message qui lui donne ses significations.

Lorsque je me suis laissé atteindre, blesser par ce qui vient de l'autre, je peux soulager mon malaise, ma souffrance ou la rumination qui s'installe en moi par un acte symbolique:

- Par exemple, écrire sans retenue et même de façon outrancière la colère, le désespoir, les accusations. Écrire pour moi-même et jeter plus tard, lorsque la tempête est apaisée. Symboliser la situation en la représentant avec des objets. M'octroyer une gratification immédiate, du chocolat (pour Marina Svetaia, le chocolat était le remède idéal contre la tristesse... à doses homéopathiques) ou un bain (l'eau absorbe le négatif, le lave) pour panser la blessure. Dessiner ou peindre ce qui se passe en moi.
- Introduire cette légère distanciation qui permet de ne pas m'identifier totalement au sentiment de colère, de rejet, de chagrin, à la sensation d'être mauvais ou nul. Repérer quelle est la partie de moi qui est blessée, quelle image de moi est écorchée.
- Entendre le retentissement, ce à quoi ce vécu me renvoie dans mon histoire. Retrouver, par exemple, que les moqueries ou les remarques sur mon corps me renvoient aux moqueries de mon père lorsque je rougissais ou pâlissais d'émotion sous son regard ou sous l'effet de ses gestes.

Recadrer les événements et les sentiments

En ayant un autre regard sur moi, sur l'autre, sur la situation, en effectuant un recadrage, je peux inverser le pôle des sentiments. En voyant l'aspect positif d'un événement, je modifie son influence et cela me permet de m'affirmer différemment, de grandir ou de dépasser un sentiment d'échec, de provoquer une communication plus authentique à partir d'un affrontement.

«C'est quand notre couple ne marche pas qu'on se parle beaucoup et qu'on se comprend plus loin.»

«C'est quand tu me détestes que je sens que tu m'aimes; je vais donc m'arranger pour que tu me détestes de temps en temps.»

«J'ai rêvé d'avoir un instituteur qui puisse accepter mes réponses à moi et pas seulement la bonne réponse qu'il attendait (la sienne ou celle du livre!). D'un professeur qui me dise un jour: "Jacques, dans une rédaction de quatre cent cinquante-trois mots, tu en as écrit correctement quatre cent quarante-cinq..." Combien de zéros ai-je eus, qui confirmaient mes fautes sans reconnaître mes réussites!»

«Il m'est arrivé une fois d'écrire à un haut-fonctionnaire pour obtenir une autorisation spécifique et ma lettre mentionnait: "Ma grand-mère disait qu'il y avait deux sortes de fonctionnaires: ceux qui cherchaient dans le règlement un article permettant de ne jamais satisfaire votre demande, et ceux qui trouvaient dans le règlement l'article permettant de donner réponse à votre demande..."»

Il est possible de garder, de capitaliser les bonnes choses, les bonnes expériences. Elles se juxtaposent aux mauvaises mais ne les neutralisent pas forcément. Donc, accepter que la relation ou moi-même n'est ni tout bon, ni tout mauvais. Combien d'entre nous s'imaginent qu'il faut être sans failles, sans faiblesses pour être aimé et pour aimer.

Une séparation, par exemple, peut être recadrée, vue comme un processus dynamique et non comme une catastrophe. Il sera possible de passer du «Il m'a laissé tomber» au «Nous nous sommes aidés à grandir jusqu'à ce qu'il puisse me quitter, jusqu'à ce que je puisse vivre sans lui».

Oui, il y a des «amours pépinières» qui permettent à l'un des protagonistes de grandir, de se développer, de se faire confiance pour pouvoir aller... ailleurs. Combien de couples ont vécu cette aventure de s'aimer... pour pouvoir se séparer et se quitter!

Il était prisonnier de sa liberté...
Il voulait quitter quelqu'un pour ne pas se priver des autres possibles.

Cette vision plus dynamique des circonstances de ma vie favorisera mon imagination et ma créativité.

Cet homme nous disait combien les refus qu'il avait essuyés l'avaient entraîné à se dépasser, à rechercher des solutions, à trouver des ressources en lui qu'il ignorait totalement: «Je peux remercier aujourd'hui ceux qui m'ont dit non.»

Je peux avoir plusieurs écoutes, plusieurs lectures d'un même événement.

«Cet enfant est insupportable. Chaque fois que nous commençons à discuter, ma femme et moi, il fait bêtise sur bêtise et je dois sévir...»

«Cet enfant s'arrange pour que les foudres tombent sur lui afin d'éviter que ses parents ne se disputent. Il sait bien comment maintes discussions ont tourné. Il se sacrifie pour maintenir une harmonie entre eux.»

Le recadrage c'est aussi une réappropriation et parfois une réconciliation entre différents aspects antagonistes de moi-même.

«J'ai fait un mauvais rêve. Il y avait un homme qui me traitait avec le plus grand mépris.»

Tout ce à quoi je rêve est moi. Quelle partie de moi méprise une autre partie de moi? Et combien de «Je te déteste» signifient «Je me déteste»?

Recadrer, c'est aussi simplement chercher le côté positif de ce qui arrive. C'est le courant positiviste de la psychologie américaine dite du «Nouvel Âge» qui nous sensibilise le plus à cet aspect. En me mettant un peu au-dessus, en me plaçant du point de vue de «ma croissance», du sens de ma vie, de mon enfantement de moi-même dans la douleur ou le plaisir.

- Cet amour malheureux, comment m'a-t-il aidé à grandir, à me reconnaître aussi à travers de multiples découvertes?
- Comment l'adolescence révoltée de mon fils a-t-elle dynamisé le système familial?
- Comment cette faillite m'a-t-elle ouvert à d'autres valeurs que la réussite matérielle?
- Quelles potentialités les failles et les manques de mes parents m'ont-ils permis de développer?

- Quel courage a-t-il fallu à cette femme pour «abandonner» sa famille, affronter sa culpabilité et suivre sa propre voie?

L'événement qui m'arrive (quelles qu'en soient les circonstances) est porteur de sens, porteur d'un message que je peux essayer d'entendre au-delà des effets et des conséquences immédiates. C'est par mon regard, par mon écoute que la réalité devient mon réel.

Ainsi, être un meilleur compagnon pour soi-même entraînera à développer ce sixième sens trop souvent ignoré, celui de s'étonner, de s'émerveiller pour entrer plus loin dans l'imprévisible, pour accepter les risques de l'inconnu, pour en découvrir les possibles.

> *Chaque geste peut être une création.*
> *Chaque rencontre peut devenir une œuvre d'art.*

Prendre en charge ses propres besoins

Je peux prendre en charge directement plusieurs de mes besoins au lieu de rendre l'autre responsable de leur satisfaction. Ce dernier aspect constitue l'une des sources les plus mortelles des frustrations mutuelles que peuvent s'infliger un homme et une femme dans un couple.

«Je te rends responsable de la satisfaction de mes besoins et de mes attentes, de mon état de suffisance ou d'insuffisance, ce qui veut dire aussi de mes frustrations, de ma souffrance, de ma peine ou de mon goût à la vie.»

Mieux me définir dans une relation, ce sera accepter de dire non, ce qui me permettra de dire des oui qui seront réellement des oui.

DES-ACCORDS

Quand tu me dis non!

Cela éveille en moi
Les angoisses anciennes
des peurs encore inexplorées
des ombres fugitives d'appels inexpliqués
des abîmes d'inquiétudes sourdes

Quand tu me dis non!

le ciel se ferme
et ma vie s'arrête
l'espoir se déchire
et la mort se découvre
et je retrouve
le visage fascinant
des instants de vertige

Pourtant
quand tu me dis non!
c'est ton existence
que tu me révèles
que tu me rappelles
en te refusant

c'est ton désir à TOI
que tu affirmes
que tu me tends
à bout de peurs
à fleur d'espoir

Quand tu me dis non
et que je l'entends
et que je l'accepte
sans me sentir niée
sans me sentir écartelée

nous pouvons commencer à ÊTRE
TOI et MOI

instant précaire
mais ô combien fertile
d'une RENCONTRE VRAIE.

Sarah Charlier

En connaissant mieux mes zones de tolérance, je peux découvrir plus vite ce qui est bon ou mauvais pour moi dans une situation; je peux donc éviter d'entretenir quelque chose qui n'est pas souhaitable pour moi.

Nous sommes d'une habileté incroyable pour entretenir chez l'autre ce qui n'est pas bon pour nous.

> «Moi qui réclame tellement d'être vu comme le fils de cet homme, mon père, je passe mon temps à le dénigrer, à le critiquer, à ne pas... le reconnaître.»

Je peux apprendre à être plus dans le présent, dans l'ici et maintenant et non dans l'entre-deux, soit figé ou perdu dans un passé qui me poursuit, soit enfermé dans la dépendance d'un futur toujours incertain ou menaçant. En remettant l'essentiel de mon plaisir ou de la satisfaction de mes besoins dans les mains d'autrui, je prends le risque d'éprouver beaucoup de frustrations.

C'est un concept difficile à appréhender que celui d'être responsable de la satisfaction de ses besoins. Nous gardons une mythologie infantile: «Les autres sont quand même là pour ça, non? S'ils nous aiment, ils doivent s'occuper de nous!...» La finalité messianique de l'existence — l'idée que le salut, le bonheur, la récompense viendront d'en haut, d'ailleurs — est profondément inscrite en nous.

Je peux également affirmer mon rythme dans la réalisation d'un projet, mieux définir mon territoire, affirmer et baliser mon espace, me donner du temps. Ne pas avoir à rendre de comptes sur ce que je pense ou ressens, sur ce que je fais ou ne fais pas. La justification quasi permanente de nos actes, de nos paroles, de notre façon de vivre entraîne plusieurs d'entre nous à n'exister que sous la confirmation ou l'approbation d'autrui, dans une sorte de dépendance émotionnelle qui castre la créativité et l'inventivité de la vie.

Je peux développer en moi la capacité de passer du désir au projet, d'inscrire mes rêves dans la réalité en les accrochant à un possible. Beaucoup, face à un désir, restent dans le rêve ou l'imaginaire. Le passage du désir au projet semble être décisif pour une réalisation éventuelle. Sortir du désir, c'est passer dans le réel en l'inscrivant dans un acte (ce qui ne veut pas dire un passage à l'acte), en le confrontant à un élément de réalité, premier pas vers une mise en relation. Avec le projet commence la recherche des moyens, se fait la rencontre avec les limites, les contraintes, s'associent parfois d'autres projets. La prise de décision consacrera par des choix, ce qui implique aussi des renoncements, le chemin vers la réalisation.

> *La liberté, c'est avoir la possibilité de choisir, donc de renoncer.*

Être un bon compagnon pour soi-même, ce sera accepter d'être tendre, bienveillant, voire indulgent à l'égard de son corps et de certaines activités vitales (nourriture, sommeil, habitat). Puis-je faire preuve de respect, d'attention, par exemple, pour mes repas? Si je mange seul, je peux prendre la peine de dresser la table, de me donner de la musique, de me «recevoir» comme on reçoit des invités rares.

Je peux soigner mon habillement et mon bien-être. Je peux prendre le temps de passer un bon moment en ma compagnie. Je peux aussi réintroduire le rire dans ma vie, l'humour sur moi-même et retrouver la tendresse de la bienveillance.

Je peux changer mon regard et la façon de me regarder dans la glace le matin. Je peux avoir des gestes pleins, achevés. Savoir jouir du plaisir de ne pas avoir à tenir compte d'autrui pendant un espace de temps. Sortir, lire, m'oublier dans un bain ou encore me donner du temps. Un temps si précieux que parfois nous avons de la peine à nous l'offrir. Les dévoreurs de temps sont souvent impitoyables pour eux-mêmes.

Celui qui ne se supporte pas seul va tenter sans arrêt de se fuir par des rencontres (coups de téléphone, sorties, fêtes…). Celui qui ne peut se suffire à lui-même la nuit va imposer sa présence, son corps à un partenaire. Il va jouer au jeu du relais. Il passe, transmet son insatisfaction, sa dévalorisation ou son angoisse à un autre.

En acceptant de reconnaître comme siens cette insatisfaction ou ce malaise, en reconnaissant ses besoins ou ses sentiments réels, chacun peut se confirmer dans ce qu'il est, dans ce qu'il éprouve, et rechercher en lui ce qui lui est nécessaire. Il me sera peut-être possible de poser un acte pour affronter ou diminuer ce besoin, cette envie (mais un acte clair, un appel qui soit recevable, à l'opposé d'un appel indirect, compulsif ou inaudible), ou d'accepter ma solitude comme une séquence, comme une partie et non comme la totalité de ma vie. Et si telle envie n'est pas satisfaite dans l'immédiat, j'aurai au moins pu la reconnaître, la nommer, l'accueillir en moi, au lieu de la laisser se développer sous la forme indéterminée d'une angoisse de solitude.

Être un bon compagnon pour soi, ce ne sera pas vivre en autarcie relationnelle dans un univers clos, fermé à tout échange. Ce sera entrer en dialogue, en relation avec différents aspects de soi-même pour mieux se connaître, y voir plus clair et mieux s'entendre. Pour devenir, justement, plus ouvert, plus sensible, plus congruent et par là même plus attractif. En un mot: plus *vivant*.

> *Il n'y a que deux conduites avec la vie:*
> *ou on la rêve ou on l'accomplit.*
> René Char

Être un bon père et un bonne mère pour soi-même

> *Le seul moyen de ne pas risquer*
> *de souffrir de la soif, c'est de devenir source.*

C'est en renonçant à la dépendance que je peux devenir un bon compagnon pour moi-même. Puis-je accepter d'être un bon père et une bonne mère pour moi-même, c'est-à-dire cesser de les chercher à l'extérieur de moi?

J'assumerai et distinguerai l'aspect paternel et maternel de cette relation à moi-même. Tendresse, chaleur, compréhension, bienveillance maternelles, regard inconditionnel posé sur moi-même. Je ne me retire pas mon amour même si je critique ce que je fais ou ce que je suis.

Si j'ai vécu, dans cette relation aujourd'hui défaite, quelque chose de bon et de vital qui s'est inscrit en moi, je n'ai pas besoin de le détruire, de le rejeter. En apprenant à reconnaître et à garder le souvenir du bon, de l'heureux, sans le transformer en regrets, en amertume, en souffrance actuelle... je fortifie la fonction nourricière dont j'ai besoin.

Une femme nous écrit: «Aujourd'hui, chaque fois que je me sens poussée à reprendre d'un plat, à manger plus que mon désir, je me pose la question: "De quoi as-tu réellement faim, de quoi as-tu envie au plus profond...?" Et le seul fait de reconnaître ma faim réelle (derrière ma faim apparente), mon envie profonde (derrière ma fuite boulimique), me dispense de m'empiffrer, de me remplir comme je l'ai fait durant des années de bouffe agressive et malsaine.

«J'ai liquidé, c'est-à-dire donné, un stock de plusieurs kilos de chocolat et de biscuits que j'avais emmagasiné pour mes disettes affectives…»

Regard paternel, fonction de repère. Je me donne une direction, je me réfère à une échelle de valeurs; je balise mon chemin, je maintiens certaines exigences, je diffère des satisfactions en vue d'un plus grand bien.

Être un bon parent pour ses propres sentiments, c'est les reconnaître et les écouter, apprendre quelque chose d'eux, mais aussi leur mettre des limites et se faire respecter d'eux en ne leur laissant pas un pouvoir démesuré. J'apprends à me guider moi-même vers ce qui est bénéfique pour moi, au-delà de la satisfaction instantanée, celle, par exemple, que m'apporteraient l'alcool, la fumée, les tranquillisants, les somnifères. J'ai des «trucs» intérieurs pour m'aider et me guider.

Comme cette femme qui disait: «Quand je me surprends à m'engager dans un processus de dévalorisation et de comparaison (cet autre est tellement plus ceci ou cela…), je me mets un interdit. Je ne sais pas pourquoi, je me parle alors en anglais: *"Drop comparison!"* (Laisse tomber toute comparaison.) Et je me réponds: "OK!" Il y a de l'humour dans mon dialogue intérieur.»

«J'ai appris laborieusement à identifier les personnes et les situations qui me font du bien, qui m'inspirent, me structurent. Ce sont ces relations-là que je cultive. J'évite ou je limite celles qui me laissent angoissé, un malaise au creux de l'estomac, mécontent de moi-même et de l'autre. Je reconnais ce qui est négatif pour moi, quoi qu'en disent les autres. Je peux apprendre à lâcher, à déposer ce qui n'est pas bon pour moi.»

Nous pensons ici aux nombreuses somatisations issues de la culpabilité, de la colère rentrée, des interdits. Je peux m'autoriser (dans le sens de *me faire l'auteur*) à être cette femme séduisante ou sensuelle, à être enfin cet homme vulnérable ou impétueux.

«Pour ma part, me voici allégée, depuis quelque temps, de dix kilos perdus à la suite de cette prise de conscience, lors du dernier stage.

«Dix…! C'est un chiffre important pour moi, mais je souhaite ne pas en rester là. Je veux que ce chiffre s'élève encore, peut-être un peu plus lentement.

«Dix kilos! Un fardeau déposé peu à peu, que je pourrais diviser comme ceci: tout d'abord, je suppose que j'ai perdu plusieurs kilos de crainte et de peurs, celles du qu'en-dira-t-on, celles de me dire, de me définir, d'oser dire oui, d'oser dire non, surtout…

«Et puis se sont évanouis, en partie, les kilos qui voulaient cacher mon corps de femme à mon entourage et à moi-même. J'ai eu, avec mon père et avec ma mère, une conversation d'une tendresse extraordinaire où j'ai enfin pu me montrer à eux comme une femme ayant vécu une vie de femme, avec mon corps de femme, auprès de l'homme aimé. Auparavant chacun d'entre nous trois le savait, mais chacun le taisait.

«Et à l'instant où j'ai pu embrasser mon père, j'ai certainement déposé quelques kilos de plus mêlés à mes larmes. J'ai remarqué aussi que, cette année, je n'ai pas eu d'otite comme chaque début d'été, et puis… j'ai acheté une jupe, je me fais du bien.

«Enfin, les kilos qui constituaient tout un amalgame de regrets, d'amertume, de confiance trahie, de tendresse brutalisée, tout cela a bel et bien disparu… et je pense qu'un deuil amoureux a enfin pu s'inscrire en moi. Une blessure s'est refermée… au bout de cinq années.

«Voilà, je pense, de quoi étaient constitués ces dix kilos. Maintenant j'ai encore à déposer des angoisses qui me semblent toujours bien ancrées au fond de moi. Et par moments "mon saboteur favori" me rappelle qu'il est toujours dans les parages, surtout au creux des vagues.

«Je prendrai le temps qu'il faudra et peu à peu je me débarrasserai de cela et j'apprendrai à vivre mieux en ma compagnie.»

Cet homme obèse a entendu le poids de son poids, la pesanteur terrible de tous les «il faut» qui martelaient chaque instant de son existence. «Il faut que je parte, il faut que je me lève, il faut que je sois là, il faut que je fasse, il faut…» Toutes ces injonctions, comme des ordres terribles auxquels il n'était pas possible de désobéir. Une vie de soumission au plus impitoyable des tyrans: *lui-même*.

Quand il décida de lâcher tous ses «il faut», de désobéir à ses propres diktats, ses kilos le lâchèrent aussi. Il retrouva le poids de son seul corps, exactement soixante-dix kilos...

Cette jeune femme nous a écrit ses découvertes. Les liens qui existaient entre sa fille et sa mère, à travers elle-même. «Je prends enfin conscience de ce long silence imposé par ma mère, alors que mon corps avait été souillé... Je me suis tue... pendant longtemps, sans oser dire.» (Elle fait référence à un viol subi dans son enfance, à l'âge de onze ans.)

«À quinze ans, je me souviens, je l'agressais beaucoup verbalement, avec des mots meurtriers, féroces, et ma mère disait: «Tu craches du venin, tu es un serpent. Qu'ai-je fait au bon Dieu pour mériter une fille pareille?» Oui, les mots peuvent être meurtriers, je le comprends, comme peuvent l'être nos mots rentrés, les mots niés, les non-dits...

«J'ai pensé, après ce stage, que je n'avais jamais eu foi en ma mère et que je n'avais pas foi, non plus, dans mon "être de mère"... Et si c'était *cela même, ma difficulté d'être mère* (seule avec un bébé) que j'avais projetée et encore projetée sur ma fille...! Et si c'était de cela que mon enfant avait souffert, autant que du divorce de ses parents...

«Julie, qui a aujourd'hui six ans, me montre, depuis trois ans déjà, quelque chose sur son visage, un urticaire vorace. Elle se gratte, se blesse encore plus, se marque. J'accepte, aujourd'hui, que ce sont là les marques de ma propre peur, de mes angoisses longtemps niées, qu'elle a entendues. J'accepte cela et je peux lâcher toute la culpabilité qui me colle à la peau.

- «Culpabilité d'avoir affronté mon père, de "l'avoir déçu".
- «Culpabilité d'avoir fait pleurer ma mère très souvent et d'y avoir pris du plaisir.
- «Culpabilité de mon corps, trop tôt objet de désir.
- «Culpabilité d'avoir dit à mon ex-mari: "Je ne t'aime plus."
- «Culpabilité de séparer un bébé de son père et de briser ma vie conjugale et familiale.
- «Culpabilité de briser une autre famille, celle de mon ami, avec qui je vis, où il y a trois enfants.

   «Ouf! en voilà un paquet de culpabilités.

«Beaucoup m'avaient dit: "Tu le regretteras, tu en baveras dans la vie, tôt ou tard tu seras malheureuse, etc..." Ces imprécations m'ont fait peur longtemps. J'avais l'impression que je devais payer très cher toutes ces dettes, qu'elles allaient me tomber sur la figure, un beau matin, au moment où je m'y attendrais le moins... Alors, je les attendais sans arrêt. C'est ainsi que je vivais jusqu'à ces derniers temps.

«Aujourd'hui, je recommence à m'aimer et à aimer les autres autour de moi (il était temps, depuis tant d'années), alors j'ai songé à vous écrire pour vous dire toute cette réconciliation avec moi-même.»

Être un bon père pour soi-même, c'est faire ce travail aujourd'hui pour avoir une bonne journée libre dimanche... Vivre et garder mon désir sexuel au lieu de le liquider n'importe comment. Porter mes désirs et mes rêves sans les anéantir dans une décevante satisfaction. Il ne s'agit pas là d'actes volontaristes, mais bien d'actes relationnels. De cette relation respectueuse, bienveillante, que je peux établir avec moi-même, avec la partie la plus chaleureuse de moi. Mettre ainsi en relation différents aspects de ma personne, différentes facettes de ma personnalité, sera un acte de réunification. Nous laissons en nous, trop souvent, se combattre et se faire la guerre les aspects antagonistes de notre être. Certaines expériences de méditation nous permettent de retrouver cette unité par le rapprochement, la mise en relation de nos oppositions, de nos antagonismes. Cultiver l'art des épicuriens, qui savent limiter et différer le plaisir. Déguster plutôt que consommer.

Je deviens plus exigeant sur la qualité des relations qui sont bonnes pour moi. Je reconnais mes limites, je ne me laisse plus tourmenter ou persécuter par un inatteignable idéal de moi.

Être un meilleur compagnon pour moi, c'est apprendre à repérer plus vite les grands saboteurs qui m'habitent, surtout la comparaison, qui me disqualifie, et l'appropriation, par laquelle je fais mien le jugement de l'autre, quand je deviens ce qu'il perçoit de moi.

Naviguant ainsi entre bienveillance et exigences, je ne perds pas de vue le cap qui me paraît le plus important.

Je me découvre comme un être en expansion, dont la croissance est sans fin, avec cette insécurité stimulante que rien n'est acquis ou achevé.

Demain est le premier jour de ma vie à venir.

Je suis différent et séparé de tout ce qui m'entoure, dans ma conscience de moi. Je ne peux trouver d'unité réelle qu'en moi, je suis seul avec ma vie unique, et c'est là, aujourd'hui, que je trouve, que je puise la vie.

> *Quand chaque geste devient une œuvre d'art, une création.*

Accepter d'être un meilleur compagnon pour soi

C'est vous qui êtes au cœur de toutes vos relations, ce qui ne veut pas dire au centre...

Vous êtes donc responsable de l'estime, de l'amour et du respect que vous vous portez.

Vous êtes responsable aussi de l'amélioration possible de vos relations, ce qui ne veut pas dire que vous êtes responsable de toute la relation.

Vous avez la charge ou le plaisir de votre épanouissement et de votre bonheur.

Ne comptez plus sur l'autre pour vous prendre en charge, pour assurer et combler vos besoins, pour apaiser vos craintes ou protéger vos peurs.

N'attendez pas de l'autre la réponse; interrogez vos questions, prolongez vos perceptions, écoutez votre ressenti et faites ainsi confiance à l'imprévisible qui vous habite.

Osez vous définir et marquer la différence quand l'autre tente de vous définir... à partir de sa vision à lui.

Expérimentez en créant du réel au-delà de vos croyances. Vous ne produisez rien que vous ne puissiez résoudre.

Prenez soin de vous réellement, journellement. Vous êtes unique et extraordinaire... même si vous l'avez oublié. Vivez comme si vous étiez seul et acceptez de vous relier aux autres chaque fois que cela vous paraît possible...

Voyez les autres comme des cadeaux et, mieux encore, comme des présents qui enrichissent votre vie.

La pire des solitudes n'est pas d'être seul, c'est d'être un compagnon épouvantable pour soi-même... en s'ennuyant en sa propre compagnie.

Alors n'hésitez plus, soyez un bon compagnon pour vous...

Votre vie vous le rendra au centuple.

> *On arrive au point où l'expérience individuelle rejoint celle des générations antérieures, la succession infinie des êtres vivants, l'enracinement très profond dans le fonds originel et insondable.*

Lou Andréas-Salomé

XII

La différenciation

En naissant, nous passons d'une autonomie cosmique[1] à la dépendance humaine, en commençant le plus souvent par vivre une dépendance parentale, physiologique et affective qui, par la suite, deviendra émotionnelle, psychique et relationnelle. Tout se passe comme si ces premières relations significatives allaient servir de modèle, d'ébauche à des scénarios de vie que par la suite nous nous contenterons de rejouer en les actualisant.

À partir de là, tout le développement vers la croissance, l'épanouissement, la créativité, tout changement et tout dépassement de la répétition sera basé sur la nécessité de se différencier et de se définir soi-même.

Quand l'autre nous définit

La plupart des difficultés relationnelles que nous vivons en tant qu'adultes sont basées sur le fait que nous nous laissons définir

---

(1). L'homme ne se souvient plus de son origine divine. En naissant, il est séparé, coupé, donc en quête, dépendant. Le paradoxe: le fœtus qui n'est pas séparé est indépendant. Être dépendant, c'est se sentir lié de façon incertaine par un lien qui pourrait se défaire, d'où l'angoisse et l'intolérance à ce lien ou l'«accrochage» farouche et désespéré à la personne symbolisant ce lien. Les mystiques recherchent la fusion avec le Tout pour retrouver l'indépendance. Et plus ils sont «soumis» (disciples), plus ils sont libres.

par l'autre et que nous tentons, en retour, d'enfermer l'autre dans notre définition.

J'imagine facilement comment l'autre devrait se comporter envers moi et l'autre fait de même pour moi.

«Quand j'arrive, elle pourrait bien quitter la cuisine et venir m'accueillir dans le corridor, me dire bonjour au moins!» se dit-il, en allumant la télé.

«Quand il arrive, il pourrait pourtant passer à la cuisine pour me demander comment je vais avant de regarder le téléjournal!»

Les attentes non dites sont les plus désespérées.

«Au bureau, j'attends de mon collègue qu'il me reconnaisse comme une femme désirable, même si je ne souhaite pas aller plus loin dans nos relations. Mais toutes ses remarques et commentaires enthousiastes s'adressent à des passantes qu'il remarque toujours de sa fenêtre: "Tu as vu cette femme? Quelle élégance! J'aime beaucoup ce style.»

«Tu sais, ce que dit ta mère est juste!»
«Tu sais, ce que dit ton père est vrai!...»

Attentes silencieuses, demandes qui ne se disent pas car pour chacun, elles vont de soi, c'est à l'autre d'agir «spontanément». Je garde peut-être de mon enfance la croyance que l'autre sait mieux que moi ce qui est bon pour moi. Il ne manque pas de me le dire, d'ailleurs:

«Tu devrais fréquenter moins souvent ce groupe d'étude sur l'hindouisme et garder davantage les pieds sur terre, cultiver d'autres amitiés.»

«Lorsque tu ne veux pas faire l'amour, tu ne t'autorises pas à être entière.»

«Tu ne devrais pas quitter ta femme; elle t'aime encore et toi aussi, d'ailleurs, tu l'aimes.»

Nous nous laissons aussi définir par la réaction de l'autre, par son attitude, son refus, son non-désir. Nous nous laissons le plus souvent définir par une modalité simple, par la réaction (réagir n'est pas agir) de l'autre. La réaction est un comportement-écran qui cache l'émotion réelle.

> «Quand j'ai commencé une psychothérapie, mon mari a pris un ton persifleur à propos de ce qu'il appelait un "grattage de nombril". J'ai donc évité de lui parler de ma démarche et de mes découvertes. Bien des années plus tard, il a pu me dire qu'il s'était senti jaloux, qu'il avait eu peur de ce que j'allais dire de lui et qu'il avait regretté que je ne lui dise rien de ce qui se passait pour moi dans cette thérapie.»

Beaucoup de nos phrases commencent par une définition de l'autre, une confusion entre lui et nous.

- «Tu ne trouves pas que...»
- «Tu es bien d'accord que...»
- «Tu n'aurais pas envie de...»

Nous tentons ainsi de nous assurer l'approbation de l'autre avant même d'énoncer notre avis ou notre désir. Notre besoin d'être reconnus et approuvés est tel que nous sacrifions fréquemment notre positionnement, notre définition de la situation.

> «Je t'offre ce livre, cet objet, mais j'espère que tu le garderas toujours, que tu ne vas pas le donner à tes enfants.»
> Elle devrait refuser un tel cadeau. Un livre ou un objet offert échappe au contrôle de celui qui l'offre.

Nous pouvons, évidemment, comprendre le sens d'un tel don («Tu le garderas toujours») comme une assurance sur la pérennité de la relation. Pour la personne qui accepte une offrande dans de telles conditions, cela équivaut à un engagement implicite. La personne qui accepte le cadeau pourrait se positionner en disant: «Je peux accepter ton cadeau sans me sentir liée pour autant. Je peux l'accepter comme quelque chose qui va vivifier notre relation aujourd'hui.»

Les dons et les offrandes sont semblables à des bulles d'oxygène qui vivifient l'eau d'une fontaine, ils sont les glouglous tonifiants qui animent le mouvement de l'eau.

J'ai installé une fontaine dans ma maison pour introduire des vibrations dans le silence. Elle coule d'est en ouest pour accompagner le chemin du soleil et elle fonctionne toute l'année pour lier les saisons entre elles.

Se différencier

Progresser, c'est se séparer, ce qui ne veut pas dire se quitter ou se perdre. Nous en venons à considérer la vie comme une succession de naissances. Sortis d'abord du ventre de notre mère, nous avons à sortir ensuite de son enfant imaginaire et de celui de notre père. Sortir encore de leurs peurs, de leurs désirs, de leurs déceptions, de leurs mythologies personnelles. Cet effort se poursuit et se répète ailleurs: les personnes qui nous aiment veulent nous faire entrer dans leurs peurs, leurs désirs, leurs mythologies personnelles.

> *Ainsi, de naissance en naissance,*
> *alimentés par la sève de la vie, accéder à l'existence.*

«La vie n'est qu'une succession de naissances.»

L'existence sera ce mouvement, cette tentative de se reconnaître autre, fondamentalement distinct.

Toute démarche, tout travail sur soi débouche sur la possibilité de s'affirmer, de se confronter et donc de sortir de la soumission ou de l'opposition. Nous avons remarqué, en effet, que la plupart des interactions humaines débouchent sur ces deux positions relationnelles. Que cela se fasse de façon explicite ou implicite, l'éventail de la soumission est large; il peut aller de la pseudoacceptation («Oh, ça ne me coûte rien d'accepter!», «Ça lui fait tellement plaisir!») ou de la fausse adhésion (qui ne m'engage pas réellement) jusqu'à l'aliénation de mes propres positions.

L'éventail de l'opposition est tout aussi large et subtil, allant du sabotage conscient au sabotage inconscient.

> «C'est à la frontière, quand j'ai découvert que j'avais oublié mon passeport..., que j'ai compris mon refus de ce voyage à l'étranger...»

> «Il m'avait bien dit qu'il ne voulait pas de bébé, et moi je lui obéissais en utilisant un contraceptif. Et puis, je ne sais pas ce qui s'est passé, je me suis retrouvée enceinte malgré mon stérilet...»

L'opposition peut s'exprimer dans le refus ouvert ou larvé, la fuite, le conflit et même dans le désir de détruire, de supprimer l'autre.

Il faut beaucoup de ténacité pour se positionner et résister aux tentatives de définition de l'autre, pour ne pas le laisser nous mettre là où il veut nous mettre, pour ne pas nous laisser enfermer dans ses perceptions.

Dans un couple, par exemple, le positionnement clair de l'un déclenche souvent l'opposition de l'autre et une tentative de déloger ce positionnement pour le transformer en opposition réactionnelle. Nous nous sommes demandé s'il n'y avait pas là une modalité culturelle occidentale à préférer, le plus souvent, l'*o*pposition à l'*a*pposition. Nous avons remarqué, en effet, que toute proposition de dialogue en *a*pposition apparaissait comme insupportable à l'autre et développait, restimulait des conduites d'*o*pposition pour «supprimer», annuler le positionnement tranquille du premier.

Serions-nous plus à l'aise dans la lutte que dans l'abandon? Cette dynamique semble être sous-tendue par deux positions fétiches, la *certitude* et le *doute*. La certitude ferme la porte au dialogue, à l'échange; le doute ou l'incertitude invite à la rassurance, à la réponse. Entre certitude et incertitude, il y a place pour la confiance, c'est-à-dire pour le risque.

Je prends le risque de me proposer,
de me définir là où je suis, là où je me sens.

«J'aimerais un deuxième enfant, dit-il.

— Mais tu ne te rends pas compte, nous avons déjà de la peine à tourner, cela nous compliquerait la vie...»

Elle ne se positionne pas, mais elle attaque le point de vue de l'autre. Elle tente de modifier son désir à lui. Et lui, qui s'est entraîné à maintenir ses positionnements, répétera: «C'est mon désir d'avoir un deuxième enfant.»

Elle va alors tenter de le définir en lui attribuant des intentions: «Tu ne penses pas à moi, à mes envies de reprendre une activité, à ma peur de l'accouchement, tu es égoïste...»

Et lui, comme un disque rayé, continuera: «J'ai seulement dit qu'il y avait en moi le désir d'avoir un deuxième enfant.»

Qu'est-ce qui empêchait cette femme:

• De reconnaître le désir de l'autre?
• De se positionner elle-même dans son non-désir actuel d'un deuxième enfant?

Elle aurait pu écouter ce que ce désir signifiait pour son mari. Elle aurait aussi pu faire entendre ce que ce deuxième enfant représentait comme renoncements pour elle, et parler de ses priorités. Ils auraient pu communiquer sur leurs positions différentes, communiquer sur ce qui ne leur était pas commun.

Dans une mise en commun, nous sommes renvoyés chacun à nos seuils de tolérance, à nos zones d'impatience, aux clivages de nos désirs et de nos peurs. Communiquer reste une épreuve, même si c'est un plaisir, pour accepter de partager, outre nos points de vue communs, nos différences aussi.

Distinguer «entendu» de «d'accord»

Le langage courant crée une confusion entre entente (j'ai entendu ton désir, ta demande, ton besoin) et entente (je suis d'accord pour le satisfaire, pour y répondre, pour le combler). Que de temps avant de découvrir et d'accepter que communiquer ne signifie pas se mettre d'accord, comme le laisse croire l'expression «C'est entendu»!

«J'entends bien que tu as envie de faire l'amour, mais moi, ce soir, je suis préoccupé, fatigué, peu désirant. C'est chez moi, cela ne dépend pas de toi.»

Ces paroles feront moins mal qu'un dos tourné ou un refus de l'autre.

> *Toute demande est recevable, mais pas forcément réalisable.*

Nous avons tous des attentes mythologiques en matière de communication. Celles en particulier de la confirmation ou de l'approbation de l'autre.

«Dis-moi que tu es d'accord avec moi.»

«Dis-moi que j'ai raison de penser cela, que j'ai bien fait de faire ceci.»

Bien communiquer, dans l'esprit de plusieurs, serait se mettre d'accord et s'entendre, se comprendre sans discordance, opposition ni même différenciation.

J'entends souvent dire «Je ne peux pas communiquer avec lui (avec elle)» et lorsque je fais préciser ce qui se passe, je découvre qu'il faudrait plutôt dire: «Nous ne sommes pas d'accord, nous n'avons pas le même avis.»

«Je ne peux pas parler de ce film avec lui, il ne l'a pas apprécié et moi, je l'ai trouvé merveilleux.»

«Je ne comprends pas son goût pour les films d'horreur. Il veille parfois jusqu'à une heure du matin pour regarder des trucs débiles, c'est complètement fou, ces trucs-là!»

Elle demandera, attaquera: «Mais pourquoi tu regardes ça, qu'est-ce que ça t'apporte?» et n'entrera pas en matière avec lui sur ce qu'il voit, ce qu'il ressent. L'important n'est pas ce qu'il regarde (qui est à l'extérieur de lui) mais ce qu'il voit, ce qu'il éprouve, qui est à l'intérieur de lui.

Distinguer les actes des intentions et des réactions

«Il m'est arrivé, un matin, de prendre un plateau et d'y déposer mon petit déjeuner pour aller dans la pièce à côté parce que les traditionnelles informations me cassaient les

oreilles. Mon mari m'a demandé ce qui m'arrivait. J'ai répondu avec bonne humeur que j'avais besoin de calme à
mon réveil et que ça ne servait à rien de rester là où je me
sentais dérangée. Si vous aviez vu sa tête! Par la suite, il s'est
arrangé pour que ça dure le moins possible, ou alors il s'est
excusé en disant: "Il y a des événements importants dans le
monde." Je n'aimerais pas qu'il se prive des informations qui
l'intéressent, mais qu'il les écoute sans ma présence et sans
se sentir agressé.»

Dans cet exemple, cette femme respecte son rythme, un
désir personnel: prendre son petit déjeuner dans le calme. Mais
l'autre lui prête une intention de rejet, de critique ou de
demande. Prêter une intention à l'autre ou se sentir blessé par
ses conduites autonomes se trouve à l'origine de beaucoup de
malentendus. Les intentions prêtées à autrui reflètent nos peurs.
Elles sont liées aux doutes, aux sentiments de dévalorisation ou
de persécution.

«J'ai envie de partir seul...»

«J'ai envie de partir seul en vacances, disait cet adolescent.

— Mais qu'est-ce qui ne va pas avec nous? lui rétorquaient ses parents.»

S'il ne se laisse pas piéger par ce décalage entre ce qu'il dit et ce qui est entendu, l'adolescent maintiendra sa démarche et la développera en projet. «Je n'ai pas dit que ça n'allait pas avec vous, j'ai dit que je voulais aller seul en vacances; j'envisage de partir en Corse autour du 30 juillet.»

«J'ai mis des années, dit cette jeune femme, à comprendre que quand mon ami me disait "J'ai envie d'être seul", ce n'était pas une critique ou une attaque contre moi.»

L'affrontement ou la confrontation

Paradoxalement, c'est le désir d'accord, le besoin de consensus qui crée l'affrontement. Nous attaquons l'opinion ou le désir de l'autre dans l'espoir de le détruire et de le remplacer par un point de vue semblable au nôtre: «Tu ne devrais pas désirer cela.»

Dans la confrontation, deux points de vue sont posés l'un à côté de l'autre, dans une dynamique d'apposition et non d'opposition. Me confronter, c'est faire front sans vouloir réduire l'autre à ma position ou à mes convictions. La grande peur de la confrontation de positions différentes est certainement liée aux difficultés de séparation qui sont ou ont été le lot de chacun. La peur de découvrir, si nous sommes tellement différents, ce qui pourrait alors nous réunir. Qu'est-ce qui va nous rassembler, nous maintenir encore ensemble? Mais c'est justement, peut-être, le plaisir d'être ensemble, le bien-être de pouvoir être soi-même, celui d'être accepté dans notre unicité.

Que de souffrances et de dépenses d'énergie
pourraient être évitées par cette simple démarche:
reconnaître la croyance de l'autre, le confirmer
dans son point de vue pour ensuite définir le sien.

«Depuis des années, j'entrais en conflit avec ma mère au sujet de mes filles. Elle était scandalisée qu'elles vivent en concubinage ou qu'elles changent de petits amis. Elle était

surtout désorientée de ne pouvoir mettre une étiquette
«fiancé» ou un repérage comme «Il est dans les affaires ou
ingénieur» sur ces jeunes, identifiés seulement par un prénom ou, encore pire, par un surnom, et qui sont en déso-
rientation professionnelle ou en recherche d'emploi...

«Moi, je me sentais attaquée, critiquée en tant que mère
trop permissive, et je faisais tout pour convaincre ma mère:
"Tu sais les temps ont changé, de nos jours, etc..." Pendant
des années nos rencontres étaient gâchées par ces affronte-
ments, jusqu'au jour où je lui ai dit: "Oui, tu es choquée dans
ta croyance selon laquelle vivre en concubinage, ce n'est pas
bien, c'est un péché, tu crois cela, toi, j'entends bien." J'ai
cessé de vouloir la convaincre du fait que les jeunes
d'aujourd'hui, les mœurs ou la notion de couple avaient
évolué.

«J'ai refusé de me sentir culpabilisée et le combat entre
nous a cessé. En un mot, j'ai accepté que ma mère ait des
croyances différentes des miennes. J'ai surtout compris que ces
croyances étaient importantes pour elle, qu'elle y tenait et
qu'elle pouvait les garder sans que je tente de l'en déposséder.»

Beaucoup d'ex-enfants demandent ainsi à leurs parents de
reconnaître leurs valeurs à eux, leur mode de vie différent, tout
en refusant de reconnaître les valeurs parentales.

> *Ils en arrivent à ce paradoxe de demander*
> *la tolérance en se montrant intolérants.*

«Tes croyances religieuses t'enferment et étriquent ta
vie, papa. J'ai toujours souffert de ton intolérance. J'ai besoin
que tu reconnaisses le prix de la liberté de pensée que j'ai su
conquérir.

«Tu es resté, toi, avec maman alors que tu ne la supportais plus, je le voyais bien. Tu aurais mieux fait de divorcer,
comme moi, c'est moins hypocrite.»

> *Pour être reconnu, il sera nécessaire de reconnaître l'autre.*

Les enfants et les ex-enfants qui ont été, tout au long de leur
vie, l'objet de multiples demandes de changement («Sois autre,
sois comme je veux») s'investissent à leur tour dans des demandes d'une exigence folle à l'égard de leurs parents.

«Je voudrais tellement, maman, que tu t'occupes davantage de toi, que tu prennes soin de ton corps, que tu sois plus soucieuse de tes toilettes...»

«Je voudrais, papa, que tu boives moins, que tu travailles encore moins, que vous sortiez plus souvent ensemble, toi et maman. Je te voudrais autre, papa...»

La recherche d'un accord, si elle est parfois centrale, ne doit pas être la finalité de tout échange. La rencontre, le partage, la confrontation des idés, des points de vue et des désirs restent quelques-uns des enjeux essentiels des relations vivantes.

Bien sûr, lorsque les positions divergentes portent sur un projet ou un territoire commun (faire un enfant, acheter une maison, réorganiser une entreprise, établir tel ou tel mode de relation), la confrontation ne résout pas la question. Elle l'éclaircit. Elle permet d'identifier la façon dont chacun se situe.

Par rapport à une proposition, un projet qui m'implique, j'ai quatre positionnements possibles:

- une adhésion sans réserve;
- une adhésion avec réserve sur certains points;
- une non-adhésion («Ne compte pas sur ma collaboration et mes ressources»);
- un positionnement contre («Je ferai mon possible pour empêcher cela»).

Quand nous faisons cette proposition dans les sessions de formation en entreprise ou sur le terrain professionnel, elle soulève des vagues de protestations, des critiques impitoyables et un rejet massif.

Si nous acceptons de prendre le temps et la peine de l'expérimenter, de la proposer comme un mode réel de collaboration possible — collaboration diversifiée, actualisée et surtout reconnue —, nous voyons le climat relationnel changer totalement et surtout la créativité, les compétences s'exercer avec plus d'enthousiasme et d'efficience. Cela permet également de dynamiser en permanence les relations qui pourraient se figer, s'enkister dans la routine du quotidien. Toute relation vivante est porteuse de sa propre finitude fondée sur notre évolution, sur celle de l'autre, sur le changement nécessaire et libératoire.

Éclaircir des positions inconciliables peut mener au renoncement. J'aurai alors à gérer mes frustrations.

- «Je renonce à des vacances communes.»
- «Je renonce à cette relation dans laquelle je ne me sens pas bien.»
- «Je renonce à cette collaboration.»

Le positionnement que l'on maintient et réaffirme en résistant aux tentatives de définition par l'autre est puissant, plus puissant que l'opposition qui consiste à attaquer l'autre dans un débat contradictoire.

Si nous «réduisons» l'autre au point de le faire disparaître ou de le détruire dans son altérité, nous n'avons plus d'interlocuteur et donc plus d'échanges possibles.

La définition de soi

Le plus difficile lorsque je cesse de me laisser définir par l'autre est de savoir ce que je veux:

- Quelles sont mes priorités parmi mes désirs multiples?
- Quels sont mes peurs, mes besoins, mes limites, mes ressources, mes refus?

Il me faudra repérer mes seuils d'intolérance et de vulnérabilité. Nous avons tous des points fragiles, des zones d'immaturité qui font que, devant certains mots, certains comportements, nous vivons l'équivalent d'un empoisonnement ou d'une blessure qui nous laisse exsangues. Ces points résonnent sur des manques situés dans le passé, ils prennent appui et force sur des situations inachevées dont nous avons gardé, plus ou moins consciemment, le désir de complétude. Combien d'échecs, d'humiliations ou de frustrations continuent de suinter, de transpirer à fleur de comportements pour trouver réparation, justification ou réalisation! Des années après, ils vont faire irruption dans une relation, en décalage complet avec la situation proposée par l'un et par l'autre.

«Qu'est-ce qui m'a pris, au cours de ce repas, de prendre mon amie à partie, sur un mode polémique et agressif, pour lui attribuer un comportement ou une image dans laquelle elle ne se reconnaissait pas du tout et qui l'a blessée pour le restant de la soirée...»

«Qu'ai-je besoin de faire allusion, dans une réunion familiale, à un point de notre intimité pour déclencher ainsi un drame et un blocage qui restera inscrit de longs mois dans plusieurs relations proches.»

Oui, cette aspiration à me définir va rencontrer différents obstacles liés à mes zones d'ombre, de conflit, aux répétitions que j'entretiens ou aux fausses certitudes qui m'encombrent et m'aliènent malgré moi.

Au-delà de ces obstacles ou de ces risques,
tenter quand même de se définir, de se positionner.

«Je laissais toujours à l'autre le soin de choisir pour moi, maintenant je choisis. Cela me donne un potentiel incroyable de forces créatrices et aussi une trouille phénoménale.

«C'est nouveau, c'est dur de me définir; par moments encore, j'aimerais que ce soit l'autre qui propose tout, qui me dise comment je dois être, ce que je dois éprouver, apprécier ou refuser.»

Lorsque je cesse de rendre l'autre responsable de ce qui ne va pas pour moi, je me rends compte que ce que je voyais comme un conflit extérieur se ramène à un conflit intérieur, à une ambivalence.

Dans un couple, les besoins de distance et de proximité sont généralement assez semblables chez chacun des partenaires, avant qu'ils se rencontrent. Puis un système s'installe et répartit l'expression des besoins entre les deux, de telle façon que l'un semble désirer la proximité surtout et l'autre, la distance. Le conflit intérieur de chacun est ainsi vécu à l'extérieur, sur un mode répétitif.

Se connaître soi-même, dans ses mutations et ses constantes est un chantier toujours ouvert.

Garder un œil ouvert à l'intérieur de soi
permet au regard d'aller toujours plus loin.

En reconnaissant mes sentiments de plus en plus rapidement dans la succession de mes sensations, je peux choisir, je peux tenter de mieux gérer ce qu'ils déclenchent, c'est-à-dire accepter de me confronter directement avec mes émotions et donc de faire quelque chose avec elles.

> *Les sentiments sont des enfants fragiles et puissants*
> *qui ont besoin de soins constants. À leur écoute vigilante,*
> *nous entendrons mieux le sentiment qui nous prolonge,*
> *ou le ressentiment qui nous étouffe.*

Au lieu d'incriminer l'autre, au lieu de le remettre en cause, de m'épuiser sur lui, je peux ainsi mieux m'occuper de moi. Reconnaître ses sentiments réels n'est pas facile, ils sont souvent cachés derrière des écrans de survie, de croyances, d'images de soi, de défenses rigides.

«J'ai appris à ne jamais montrer le petit
garçon qui vit et pleure en moi...»

«C'est par mon ironie, je crois, que s'exprime l'enfant violent et désespéré, caché derrière l'adulte intelligent et compétent que je suis.»

Changer, ce sera aller plus loin dans l'acceptation de ce qui se cache derrière mon propre écran de défenses, de protections ou de peurs. La douleur peut se maquiller de colère et de ressentiment, tout comme la tristesse peut recouvrir et cacher l'agressivité. Nous exilons derrière de bons sentiments les émotions considérées comme indésirables, celles qui étaient vues comme indésirables dans nos milieux d'origine, notamment.

«Je n'allais pas lui parler d'argent à un moment pareil et lui rappeler sa promesse de me donner la même somme qu'elle avait donnée à mon frère pour s'installer. Aujourd'hui qu'elle est morte, plus personne ne parle de ça, et moi, je me sentirais honteuse de réclamer, comme quand j'étais enfant. On me traitait d'égoïste chaque fois que je réclamais ma part ou la même part que mes frères...»

Combien de haines disent en réalité la profondeur des attachements et des attentes? Nous hésitons à nous dire, même à nous-mêmes, parce que tout semble faux. Le contraire serait vrai aussi. Nous pourrions dire que tout est vrai, le plus contradictoire comme le plus incohérent. Car les sentiments aussi peuvent s'entendre en apposition plutôt qu'en opposition.

«Je t'aime et je te déteste.»

«Je te comprends et je vis de la colère.»

«Je t'accepte dans tes demandes et je me révolte de les subir aussi totalement.»

Se laisser définir par les désirs et les demandes de l'autre remplit ainsi une fonction dans l'économie de la dynamique personnelle. Cela résout le conflit interne et l'ambivalence en les faisant basculer d'un côté.

Se définir est une tentative de clarifier le chaos de ses propres désirs. Cela nous accule à choisir, c'est-à-dire à renoncer à d'autres choix possibles.

Souvent, je ne vais pas choisir vraiment. Pour ma soirée, j'ai deux désirs contradictoires. J'ai envie et besoin d'être seul, et je suis tenté de visiter un ami qui me l'a proposé. Quelle que soit ma décision, si je ne renonce par clairement à mon autre désir, il restera là comme une nostalgie qui perturbera soit ma solitude, soit ma rencontre. Aussi, quand une proposition impromptue arrive, je me hâte d'y adhérer, échappant ainsi à mes contradictions.

Il paraît en effet souvent plus simple de se laisser déterminer d'après les désirs, les besoins, les attentes des autres. Mais, là aussi, il restera comme un poison dans la relation: ce sera mon désir propre, que je n'ai pas su reconnaître, que je n'ai même pas su m'énoncer à moi-même. Cette pseudoacceptation se traduira involontairement par un sabotage plus ou moins léger, sur un mode généralement passif, de ce que je vais vivre avec l'autre.

Avant de négocier avec un autre, j'ai à négocier avec moi-même, avec mes peurs, mes désirs, mes ressources et mes limites. Sans cela, je risque de mettre le choix entre les mains de l'autre, de le mettre, lui, devant des faux choix.

«C'est moi ou tes études.»

«Tu arrêtes de boire ou je pars.»

«Si tu ne te comportes pas mieux, tu iras en pension.»

«Tu es assez grand pour avoir un logement à toi. Tu pourrais quand même prendre la décision d'aller habiter ailleurs, avoir un travail plus stable, au lieu de vivre en semi-parasite ici...»

J'incite ainsi l'autre à prendre pour moi la décision que je ne peux prendre... celle de le mettre dehors, d'arrêter cette vie de dépendance qui me pèse. Combien de fois ne tentons-nous pas de faire prendre à l'autre *notre décision*, de lui faire exprimer *notre choix* ou de le pousser à réaliser *notre désir*?

Les résistances de l'autre au changement

La définition différenciée de soi va se heurter à des résistances incroyables de la part de l'entourage, surtout au début. Tout se passe comme si le système relationnel proche se sentait menacé, remis en cause dans ses valeurs.

«Ma révolution relationnelle, racontait cette femme, mariée depuis douze ans, a commencé le jour où mon mari, à table, a remarqué: "Il n'y a pas la salière ni la poivrière." Ce à quoi j'ai répondu: "Oui, tu as vu qu'il n'y a pas de sel ni de poivre." J'ai continué à manger. Il était sidéré, éberlué. Il m'avait si souvent vue me lever précipitamment en m'excusant de mon oubli. Il a ressenti cela comme une injustice. Il a marmonné: "Moi, je travaille toute la journée, je ne veux pas me charger de tout..." Un peu plus tard, il me lançait encore: "Je ne te demande pas de vérifier le niveau d'huile de la voiture, moi!»

Le sentiment d'injustice est parfois tellement fort qu'il semble que toute la relation établie soit remise en cause par une petite phrase comme celle-là, qui peut provoquer des mesures de rétorsion et de culpabilisation d'une violence inouïe, parce qu'elle est en dehors du schéma habituel. La différenciation proposée par l'un est entendue comme un rejet par l'autre, comme une atteinte insupportable à ses valeurs ou à son système de références.

«Deux ans après notre mariage, il est entré dans cet institut de recherche sur soi, que j'assimile, moi, à une secte Il a tout de suite voulu que je m'inscrive, que je m'intéresse à la psycho-morphologie, à l'instincto-thérapie. Il m'a fait lire des livres, des articles, en me prévenant que ceux qui se risquaient à critiquer les idées du fondateur (mort en 1912) étaient infantiles, "non éveillés et donc infréquentables...". J'ai été choquée par le préambule du livre de base qu'il souhaitait que je lise et que j'ai perçu comme raciste, développant des thèses élitistes à l'opposé de mon propre cheminement. J'ai donc refusé d'aller plus loin en réaffirmant mes propres options.

«Un mois après, il est revenu à la charge en me disant que les analystes de son institut lui avaient dit, à partir de ma photo, que je n'étais pas la femme qui lui convenait, que j'avais fait (moi) une erreur en l'épousant et que je devais le quitter pour son bien et son épanouissement futur.

«J'étais sidérée de sa propre acceptation de ce "diagnostic". C'est lui qui est parti au bout de quatre mois.»

Cet exemple illustre de façon presque caricaturale un autre phénomène, le corollaire du changement. Celui du prosélytisme aigu de certaines personnes qui, ayant découvert ou ayant eu la révélation d'un chemin de vie, vont se transformer en prédicateurs, sinon en inquisiteurs, en imposant leur nouvelle foi, leur croyance ou leur pratique de vie avec un sectarisme qui ne laisse plus de place à l'échange ou au partage, qui vise à l'adhésion inconditionnelle... et donc à la mise en dépendance.

Nous retrouverons ce processus dans la mise en «secte» de néophytes de tous les âges, de tous les milieux. Certains participants à nos sessions de formation, par exemple, ont parfois la tentation de présenter leur découverte, leur enthousiasme, avec une violence relationnelle qui bloque et fait réagir leur entourage... pour des années. Ces derniers vont nous assimiler à des gourous dangereux dont il faudra se garder et se protéger. Ainsi, ce livre risque-t-il d'être jeté au feu. Pourquoi pas?

Celui qui tente ainsi de s'affirmer vit également un tiraillement intérieur, qu'il doit affronter dans la solitude et parfois dans une sorte de désespoir. Il veut maintenir sa position mais il a aussi besoin d'approbation.

«J'ai besoin de m'affirmer et j'ai besoin de l'approbation de la personne que je contrarie: c'est incompatible. Je suis alors tenté de renoncer à mon positionnement:

«Je ne vais pas faire d'histoires avec ça, ça ne me dérange pas tellement...»

«Je peux m'affirmer dans d'autres domaines, ce n'est pas grave...»

Et puis il y a l'espérance d'une réciprocité.

«Je me laisse définir dans tels domaines et c'est moi qui le définit dans d'autres.»

«J'accepte cela aujourd'hui; demain, c'est elle qui acceptera ma position.»

À l'analyse des conduite au quotidien d'une vie conjugale, professionnelle ou même amicale, nous constatons cependant des dominants. C'est toujours le même qui définit l'autre, il y a toujours un élément dominant qui a construit une partie de sa dynamique personnelle sur le contrôle de l'autre.

Quand les positions sont bien acceptées, tenues de part et d'autre, il n'y a pas de problèmes, pas de tensions; «tout va bien» pour chacun. Cela devient plus problématique quand l'un des deux change de position relationnelle et n'accepte plus de se laisser définir. Dans un premier temps, ce nouveau positionnement relationnel ressemble à une opposition et ouvre un conflit.

Les points centraux des relations familiales se manifestent à travers de toutes petites choses de la vie quotidienne:

l'alimentation, l'hygiène, le rangement, la répartition des tâches, les contacts sociaux.

«Marianne et Pierre nous invitent à manger, dimanche, j'ai accepté; tu m'avais dit que tu étais libre, lui annonce-t-elle.

— Je t'ai déjà demandé de ne pas m'engager sans mon accord.

— Tu n'étais pas atteignable et je sais que tu as plaisir à les voir.»

Il hésite. C'est vrai, il est libre, il aime les voir... Va-t-il faire un drame? Va-t-il se sentir aliéné pour si peu?

«Eh bien, tu t'es engagée pour toi. Moi, je n'irai pas.

— Mais enfin! Qu'est-ce qu'ils vont penser? Tu fais cela exprès pour m'embêter, tu gâches mes plaisirs possibles, et les tiens aussi!»

Lui aussi vit un malaise, il a dû poser un acte pour se faire entendre, il n'aime pas faire de la peine, le week-end est gâché. Il souhaite préserver l'harmonie de son couple, il tient à cette relation. Il gardera son cap, tout en restant à l'écoute de celui qui se débat dans l'impact du changement relationnel qu'il a initié et en quelque sorte imposé.

Lorsque la différenciation entraîne un réaménagement de nos conduites relationnelles, nous proposons un changement dans la relation et une mise en mots, car l'autre sera contraint, lui aussi, de réajuster ses attitudes. Il vivra à son tour un conflit intérieur; il sera forcé à une différenciation qu'il ne souhaite pas. Certaines relations se révèlent alors caduques, vides de sens.

«Quand je l'ai invité à ne plus penser et agir pour moi, mon mari s'est écrié, mi-sérieux, mi-rieur: "Mais je vais servir à quoi alors!»

Une autre s'est exclamée: «Mais de quoi allons-nous parler si je ne peux plus parler de toi.» Elle confondait évidemment parler de... avec parler à... l'autre.

Certaines relations ne tiendront pas la route, d'autres traverseront des phases difficiles, seront menacées par des crises et retrouveront peut-être un sens nouveau, un dynamisme différent.

Il y a ainsi deux reproches fondamentaux dans toute relation affective de longue durée: «Tu as changé, là où mon besoin

te voulait stable»; «Tu n'as pas changé, là où mes besoins te souhaitaient en évolution, avec une évolution accordée à la
mienne».

Nous voyons bien, tous les jours, que la «bonne relation», la
«bonne communication» n'existent pas. Il n'y a que des tentatives d'ajustement, avec leurs erreurs et leurs tâtonnements, qui
permettent à certains moments, dans certaines rencontres, de
rejoindre l'autre, de l'entendre et de se sentir entendu.

> *«Ne cherchons pas la bonne relation,*
> *recherchons une relation qui permette à chacun d'être et de croître.»*

Sentiments et relations

Dans le domaine de la différenciation, il nous semble nécessaire
de distinguer le registre des sentiments de celui de la relation, et
de développer plus longuement cette réflexion déjà amorcée au
chapitre II.

Il est possible que des sentiments existent entre deux personnes, mais qu'ils ne puissent pas circuler librement, ni se
vivre dans une relation.

> «J'aime mon père et je crois qu'il a de la tendresse pour
> moi, mais nous ne pouvons pas nous rencontrer sans nous
> engager dans d'âpres débats au sujet de la politique ou de
> l'armée. Nous ne nous voyons presque plus jamais.»

Il nous apparaît parfois que la *relation* entre deux êtres peut
être malade, viciée, déformée, voire destructrice, ou simplement
insatisfaisante, alors que les *sentiments* de l'un et de l'autre sont
empreints de tendresse et de bienveillance. C'est le lien entre les
deux personnes qu'il faudrait pouvoir soigner, assouplir, lien
souvent rigidifié par la non-écoute et le non-dit.

Tel couple paraît pris dans une relation inextricable où chacun s'empoisonne des poisons de l'autre, alors que l'amour
qu'ils se portent semble bien réel et vivant.

> «C'est vraiment l'homme de ma vie; avec aucun autre je
> ne souhaiterais vivre en couple et, cependant, il y a quelque
> chose qui ne va pas. Plus de vingt-quatre heures ensemble
> et c'est la guerre. Comme un besoin de disqualifier l'autre,
> de saccager le bon qu'il y a en nous. Je ne sais qui commence

mais chaque week-end ou période de vacances, c'est l'enfer!... J'aime cet homme et je sais, je sens qu'il m'aime, mais il y a tellement de désaccords et de refus!... Cela dure depuis huit ans...»

«J'ai beaucoup d'amour pour mon fils de quinze ans, je comprends même sa révolte et ses provocations, mais avoir une relation avec lui actuellement, c'est impossible, invivable!»

Écouter l'autre, sans réagir immédiatement pour se justifier ou se dire, était devenu si difficile à ce couple qu'ils ont inventé un code lorsqu'ils s'engageaient dans un dialogue important. Chacun prenait dix billes et, chaque fois qu'il souhaitait obtenir un temps de parole, il déposait une bille dans une coupe rouge. Quand il sortait cette bille et la déposait dans une autre coupe (verte), il indiquait à l'autre que celui-ci pouvait intervenir ou ne pas intervenir. Celui-ci à son tour déposait une bille dans la coupe rouge et parlait. Aucun des deux n'interrompait l'autre tant que la bille n'avait pas changé de coupe. Chacun se donnait ainsi le moyen de s'exprimer et de demander l'attention de l'autre.

Un autre couple, qui en était venu à utiliser la plainte-accusation comme moyen d'échange quasi permanent, décida un jour de s'appliquer un traitement choc pendant un mois. Ils firent le contrat suivant, qui comprenait trois interdictions et trois libertés:

- Interdiction formelle d'avoir des demandes *sur* l'autre. Tout besoin, toute attente, tout désir exprimé ne peut constituer une demande *sur* l'autre, mais seulement l'expression de son propre vécu, et comme tel, il appartient à celui qui le vit.
- Interdiction formelle de tout reproche concernant ce que l'autre fait pour lui ou ne fait pas pour l'autre. Chacun reste responsable devant lui-même de ce qu'il fait.
- Interdiction formelle de parler *sur* l'autre, de quelque sujet que ce soit, et d'interrompre l'autre quand il parle de lui ou de faire des commentaires sur ce qu'il dit.

- Liberté de ne pas répondre aux questions et aux demandes.

- Liberté totale de dire tous ses désirs, ses rêves, ses fantasmes, ses besoins, ses attentes, de parler de soi sur tous les sujets (prévoir chaque fois un temps suffisant de prise de parole, puis donner, proposer, laisser à l'autre un temps pour lui).
- Liberté totale de tendresse, de caresses, de jeux, de plaisanteries, de partages, de regards.

Ils tentaient ainsi de soigner leur relation en sortant de la confusion, sans remettre en cause leurs sentiments.

«J'aime», en effet, ne signifie pas que je saurai inventer le mode relationnel dans lequel inscrire cet amour. Comment être, dans la relation de père, de fils, de fille, de mari, de femme? Quels modèles copier, fuir ou inventer? Comment établir une relation avec papa si retenu, avec maman, si coincée que j'ai peur de la déstabiliser? Quelle structure donner à l'attirance que je ressens pour cet homme, pour cette femme?

À l'aveuglette, sans boussole ni guide, nous tentons d'inscrire nos sentiments dans des relations. C'est une utopie répandue chez les parents de croire qu'il suffit d'énoncer «Je t'aime» à son enfant alors qu'il a besoin que soit nommé ce qui se passe. Il faudrait savoir mettre des mots sur les enjeux relationnels, pas seulement sur les sentiments.

«Quand mon fils est revenu de l'école, ce jour-là, bouleversé par la colère et la violence du directeur envers son meilleur copain, qui avait imité la signature de ses parents, je n'ai su que lui dire mon amour, ma tendresse, mon désir qu'il ne souffre pas. Je n'ai pas su ouvrir l'échange en essayant d'écouter ce qui avait été touché en lui, comment il comprenait que son copain avait eu besoin de cacher son carnet de notes à ses parents ou ce que le directeur avait eu aussi de difficultés quand il était petit. Aujourd'hui, il me semble que je me sens prête à partager tout ça...»

Il est des relations fossilisées qui survivent aux sentiments et qui traversent les ans et même les décennies avec un minimum d'échanges pour ne pas provoquer l'impossible. Il est des amours qui survivent aux relations interrompues et qui restent vivaces dans le souvenir, sans nostalgie ni mélancolie ni amertume. Il est des sentiments qui survivent aux risques du temps et à l'oubli des relations, comme des points d'ancrage, en apesanteur, hors des distances.

La mutation des sentiments

Si nous restons toujours plus ou moins analphabètes dans le domaine de l'amour, c'est aussi parce que tout amour traverse des mutations. Comme le garçon qui vient de muer et essaie maladroitement de se servir de sa voix nouvelle, nous tentons de vivre les mues de nos amours.

«J'ai quarante ans, et l'affection que je ressens envers ma mère vieillissante n'a rien à voir avec l'adoration que je lui portais à cinq ans. Et l'attachement qui me lie à ma fille de dix-huit ans ressemble peu à ma façon de l'aimer quand elle avait trois ans.»

«L'amour que j'ai eu pour toi dans les premières années de notre rencontre n'a rien de commun avec celui que j'éprouve aujourd'hui pour toi. J'ai le sentiment d'être un autre homme et je te vois comme une nouvelle femme que je continue de découvrir sans cesse.»

Évoluer, c'est la loi du vivant. Les fluctuations et modifications des sentiments sont souvent mal acceptées par celui qui les vit et par ceux qui en sont l'objet. Nos profondes fidélités peuvent être des entraves au changement si elles y introduisent de la culpabilité.

«S'aimer, vingt ans plus tard, comme au premier jour» m'apparaît comme un idéal de stagnation. Si mon amour est vivant, il contient les germes d'une mutation. Les liens les plus forts et aussi les plus alinéants sont ceux dont nous admettons le plus difficilement les modifications. Nous restons facilement «accrochés» à certains stades primitifs ou archaïques des relations.

Cet homme dira: «Si je parlais de mes soucis actuels à ma mère, j'ai l'impression qu'elle me répondrait "Mange davantage de légumes" ou "Lave-toi plus souvent"».

C'est l'image de la relation mère-fils qui n'a pas changé pour lui et peut-être pour elle aussi. Mais il n'a pas vérifié, il ne lui a pas parlé de ses préoccupations d'aujourd'hui. Lui aussi continue à enfermer l'autre, sa mère, en l'occurence, dans une image... peut-être dépassée. Un des plus grands obstacles au changement semble être notre difficulté à reconnaître et à accepter la non-permanence inhérente à la vie. La vie n'est plus un long fleuve tranquille; elle bouillonne, s'agite, se projette dans mille directions possibles. Mais il y a en nous un besoin d'avoir des repères fixes, qui nous pousse à classifier chaque relation une fois pour toutes, comme si elle avait un caractère immuable. Or, dans la durée, l'espace d'une relation consiste à inventer de nouvelles structures relationnelles où mes sentiments modifiés peuvent se vivre, où ceux de l'autre peuvent être reçus par moi.

Les relations parentales et filiales

Ce qui caractérise la relation parents-enfants est une constante modification, une évolution progressive, des changements profonds ou fugaces. Dans une relation parentale, plus peut-être que dans toute autre, rien n'est jamais acquis. Tout se passe comme si l'improvisation non réactionnelle était le seul modèle acceptable.

Beaucoup de difficultés proviennent de la peur, donc du refus, du changement et du désir de se cramponner à l'étape précédente. Tout arrachement à un univers familier, à quelques certitudes, est une souffrance; toute transition est douloureuse.

Le mode relationnel survit parfois à l'étape où il correspondait à un besoin. Ainsi, bien des parents ont de la peine à sortir d'une relation de soins et de protection pour passer à une relation d'échanges. Les enfants aussi peuvent renâcler devant les changements inévitables, devant les mutations de leur corps, de leur mode de vie.

«Papa, je voudrais que tu continues à me conseiller, à t'occuper de moi, à intervenir comme avant», demandait, les larmes aux yeux, une jeune fille de vingt ans.

Une autre s'écriait, en colère: «Ce n'est pas juste! Tu crois que je suis grande et autonome, eh bien non! je ne le suis pas. Je me sens petite, affolée par tant de responsabilités à prendre. Sous prétexte de ne pas intervenir, tu ne t'intéresses plus à ce que je fais, et moi, je te vois comme indifférent, loin, loin, comme ce n'est pas possible!»

Il arrive aussi que les rôles s'inversent simplement sans changer de modèle: c'est maintenant le fils ou la fille adulte qui croit devoir prendre soin de ses parents. C'est maintenant lui ou elle qui sait ce qui est bon pour l'autre, qui veut le protéger, le guider, l'influencer, s'ingérer dans sa vie matérielle et relationnelle.

«Vous n'allez quand même pas garder cette grande maison, maintenant que vous êtes seulement tous les deux! Toi, maman, à passer ta vie à faire la poussière de tous les meubles, toi, papa, à cultiver des légumes que vous serez obligés de donner. Trouvez-vous un petit appartement et vivez, bon sang!»

Notre évolution est freinée par la recherche de sécurité, ce désir profond de revenir au connu, qui nous entraîne dans la répétition. S'appuyer, avancer sur du connu, c'est comme marcher à reculons en restant sur les traces déjà faites. Prendre le risque d'inventer son chemin, c'est aussi prendre le risque de se perdre, de s'égarer sur des sables trop mouvants ou dans des directions trop hasardeuses.

Changer, c'est modifier une trajectoire, donc risquer de s'éloigner de nos proches. L'arrivée d'un enfant modifie ses géniteurs et les transforme parfois en parents. Il modifie la relation de la femme par rapport à elle-même, à son corps, à son imaginaire, à son devenir. Il en va de même pour l'homme. Quand, dans un couple, un homme refuse «d'avoir un enfant», ce n'est pas l'enfant qu'il refuse; en fait, il traduit surtout sa peur ou ses incertitudes sur ses compétences et sur ses capacités à être père.

La croissance d'un enfant est un facteur puissant de changement. Nos enfants nous délogent de nos certitudes, nous obligent à préciser le flou, nous interpellent sur nos images d'homme, de femme, au-delà des rôles parentaux. Ils sécrètent, outre des interrogations, des mises en doute et des remises en place; ils stimulent l'inconscient et irriguent les zones les plus secrètes de nos refoulements.

Pour devenir adulte vraiment, il nous faudra tuer nos parents imaginaires, ceux que nous aurions voulu avoir, ceux que nous avons idéalisés ou les monstres que nous nous sommes fabriqués, pour accepter de reconnaître nos parents réels. Au-delà des parents, tenter de rencontrer un homme et une femme, et peut-être entrevoir l'enfant qui coexiste encore en eux.

Les situations inachevées

De chaque stade de l'enfance, de l'adolescence et de l'âge adulte, nous avons à tirer un enseignement avant de passer à l'étape suivante.

Il y aura des enseignements manqués ou incomplets qui s'inscrirons comme des manques, des trous dans notre développement. Certaines relations joueront, par la suite, un rôle réparateur en permettant des expériences de substitution pour rattraper les enseignements manqués et les découvertes inexplorées. Elles se trouveront parfois au cours de démarches thérapeutiques, où des médiations symboliques viendront dégager le présent des failles du passé. Elles permettront de créer une sorte d'épilogue à des situations restées en suspens: paroles non dites, ruptures[1] non élaborées, chagrins enfouis. Parfois nous perdons quelqu'un en laissant accrochée à lui une partie de notre imaginaire que nous ne nous réapproprions pas.

«Mes capacités d'aimer, mes désirs sexuels, je les ai laissés auprès de cet homme qui m'a quittée.»

Quelquefois, c'est le meilleur de nous-mêmes qui restera... chez l'autre, chez celui qui nous a quittés ou que nous avons perdu. La rupture ou la perte sont vécues comme de véritables amputations qui nous morcellent ou nous infirment.

Dans le processus de changement, nous invitons à retrouver, à se réapproprier cet aspect ou cette partie de nous laissée chez l'autre. Démarche symbolique de réunification avec le meilleur de nous-mêmes.

«Je lui avais offert, aux premiers temps de notre rencontre, mon amour de la vie, mon enthousiasme pour la musique. Dix ans après, au moment de notre divorce, j'étais devenue une femme desséchée, allergique au chant, imperméable au bonheur. Plus tard, par une démarche symbolique et par la représentation mentale, j'ai été "rechercher" chez lui ce que je lui avais laissé en cadeau (et dont, d'ailleurs, il ne faisait rien. La nature et la musique n'étaient

---

(1). Nous voyons la rupture comme un changement d'état brusque, une discontinuité, comme la naissance ou la mort le sont. Nous utilisons le mot «séparation» plutôt dans le sens d'évolution ou de différenciation avec un état antérieur.

pas dans sa tasse de thé!). C'est comme si je rajeunissais, comme si je retrouvais tout proche un être familier: moi.»

Se retrouver dans son intégrité est une des finalités du changement.

L'amour amoureux

L'amour semble soumis à des lois d'évolution que nous ne connaissons pas mais que nous mettons en pratique avec une constance défiant l'expérience. L'amour amoureux se vit au présent, il est à l'aise dans l'instant auquel il donne parfois une dimension cosmique. Mais, rapidement, il se cherchera dans un futur et sera en quête de garanties contre les aléas du passé et du présent.

Carmen a beau clamer: «L'amour n'a jamais connu de lois», elle en énonce aussitôt une: «Si tu ne m'aimes pas, je t'aime, et si je t'aime, prends garde à toi.»

La seule loi générale, souvent niée, semble être celle de l'incessante métamorphose. Beaucoup de déceptions proviennent d'une confusion entre ce qui se passait au temps de la rencontre et ce qui se passe dans l'établissement et la poursuite d'une relation.

La rencontre amoureuse, comme toutes les rencontres significatives de notre vie, nous ouvre à des perceptions nouvelles, réveille en nous des couches endormies, nous révèle à nous-mêmes. La vivacité des interactions est cependant de courte durée, et très vite s'installera un système relationnel structurant, stimulant ou pas. Comme un enfant, le lien a besoin d'être nourri, animé. Il a besoin d'une parole pleine. Il change, il sécrète une pollution; il peut dépérir ou s'étoffer, être malade ou sain. Il est l'enfant qu'élèvent, soignent ou maltraitent les deux êtres qui, ensemble, l'ont créé.

L'évolution du lien amoureux en lien d'amour est difficile à accepter. Il se transforme par la perte des images idéalisées qui avaient été projetées sur l'autre, par la resurgence de besoins infantiles et de croyances personnelles. Il se heurte aussi aux fidélités invisibles profondément inscrites chez chacun des protagonistes.

L'amour amoureux est destiné à mourir pour faire place à l'amour aimant, porteur d'exigences et de projets. Au-delà des mythes, le lien ne s'enrichit que si chacun accepte de prendre toujours davantage conscience de tout ce qu'il y a en lui-même.

Rien n'est jamais acquis définitivement, et notre quête d'absolu ne sera jamais comblée par les relations humaines.

Cette aventure reste ouverte, infiniment ouverte et fragile.

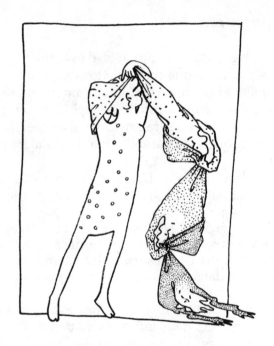

«J'ai tant et tant de peaux à enlever
pour pouvoir me reconnaître enfin!»

Le changement

Le changement personnel est la seule aventure inépuisable qu'il nous soit donné de vivre, une aventure inscrite dans les tâtonnements et les enthousiasmes du quotidien.

Changer est un appel en nous, un mouvement interne irrésistible, parfois douloureux, auquel nous nous abandonnons dans la lumière des découvertes ou auquel, au contraire, nous résistons en restant crispés sur nos peurs et sur nos croyances.

La transformation intérieure et le changement dans nos relations et dans les événements sont deux pôles toujours liés.

Si je vois la vie comme une possibilité d'enseignements et de découverte de moi-même, elle devient fascinante à travers même les souffrances qui la jalonnent et les subtiles métamorphoses de la maturation.

Devenir qui je suis de façon unique, chiffre secret d'une conquête.

CONCLUSION

Ce livre, tel que nous l'avons imaginé, porté, partagé et écrit, ne peut se terminer. Il reste inachevé, tant il y aurait de choses à dire encore sur l'extraordinaire aventure des relations humaines.

Il reste ouvert sur les multiples interrogations qui nous habitent, qui vous habitent, peut-être, vous, le lecteur de ces lignes.

Il peut aussi se prolonger par des échanges; nous restons très ouverts à vos stimulations, à vos critiques, à vos découvertes.

N'hésitez pas à nous interpeller en nous écrivant:

Jacques Salomé
Sylvie Galland

Le Regard Fertile
Boîte postale n° 8
F. 84220
Roussillon-en-Provence

En vous rappelant qu'un livre a toujours deux auteurs: celui qui l'écrit et celui qui le lit.

TABLE DES MATIÈRES